A POLÍTICA EM TEMPOS DE INDIGNAÇÃO

DANIEL INNERARITY

A POLÍTICA EM TEMPOS DE INDIGNAÇÃO

A FRUSTRAÇÃO POPULAR E OS RISCOS PARA A DEMOCRACIA

Tradução:
João Pedro George

Copyright © 2017 Daniel Innerarity
Tradução para a Língua Portuguesa © 2017 Casa da Palavra/LeYa, João Pedro George
Título original: *La política en tiempos de indignación*

Todos os direitos reservados e protegidos pela Lei 9.610, de 19.2.1998.
É proibida a reprodução total ou parcial sem a expressa anuência da editora.

Preparação
Beatriz Sarlo

Revisão
Raïtsa Leal

Projeto gráfico de miolo e diagramação
D29 | Luísa Ulhoa e Sílvia Dantas

Capa
D29 | Leandro Dittz

Dados Internacionais de Catalogação na Publicação (CIP)
Angélica Ilacqua CRB-8/7057

Innerarity, Daniel
 A política em tempos de indignação : A frustração popular e os riscos para a democracia / Daniel Innerarity ; tradução de João Pedro George. – Rio de Janeiro : LeYa, 2017.
 304 p.

 ISBN 978-85-441-0513-9
 Título original: La política en tiempos de indignación

 1. Ciência política 2. Ciências sociais 3. Participação política 4. Movimentos sociais I. Título II. George, João Pedro

17-0302   CDD 320

Índice para catálogo sistemático:
1. Ciência política

Todos os direitos reservados à
EDITORA CASA DA PALAVRA
Avenida Calógeras, 6 | sala 701
20030-070 – Rio de Janeiro – RJ
www.leya.com.br

A José Andrés Torres Mora, companheiro republicano e social-democrata, de quem não consegui discordar mais do que em relação a questões periféricas. Eu teria gostado de escrever aquela dedicatória que alguém dirigiu a seu professor, "a quem devo o pouco que sei sobre a matéria", na qual não fica claro quem é mais inútil: o professor elogiado ou o humilde aluno. Neste caso, não há nem desprezo involuntário nem humildade fingida porque de política, efetivamente, não sabemos quase nada, nem nós dois nem a humanidade inteira, que tem aqui um de seus mais enigmáticos mistérios e talvez o ofício mais impreciso do mundo.

SUMÁRIO

Prólogo A política e seus inimigos   13

Introdução A política explicada aos idiotas   21

Parte I Quem faz a política?

1. **Velhos e novos atores políticos**   **29**

    a. Elogio e desprezo da classe política   30
    b. A política de todos e a política de alguns   34
    c. A função dos especialistas numa democracia   37

2. **O fim dos partidos?**   **41**

    a. A era dos contentores   42
    b. Ambiguidades da desintermediação   48
    c. Os partidos depois do fim dos partidos   50

3. **Políticas do reconhecimento**   **53**

    a. Da redistribuição ao reconhecimento   53
    b. O "quem" também é importante   57
    c. Uma nova equidade   60

4. **Direito a decidir?**   **65**

    a. Quem decide o quê?   65

b. O paradoxo constitucional — 67

c. Autodeterminação transnacional — 71

Parte II A condição política

5. **O tempo político** — **77**

a. A incerteza da política — 78

b. Muito cedo ou tarde demais — 83

c. Sobre o êxito e o fracasso na política — 88

6. **O discurso político** — **93**

a. A retórica e as ideologias sob suspeita — 93

b. Fazer coisas com palavras — 97

c. Verdade e mentira no sentido extrapolítico — 102

7. **A política das emoções** — **105**

a. Racionalistas e sentimentais — 106

b. A desordem emocional-populista — 109

8. **A importância de se chegar a um acordo** — **114**

a. A encenação do antagonismo — 115

b. Os princípios e os compromissos — 118

c. O peso das campanhas sobre os governos — 121

d. A cultura política em relação aos "outros" — 123

9. **A decepção democrática** — **125**

a. O desconcerto de Leviatã — 128

b. A democracia era isso — 130

c. Um regime de negatividade — 134

d. O que podemos esperar numa democracia? — 138

Parte III A política em tempos difíceis

10. **A era dos limites** — **143**

a. A política em meio à austeridade — 146
b. As novas tarefas da política — 155

11. **A política depois da indignação** — **157**

a. Da revolução à indignação — 158
b. Uma tensão democrática — 162
c. As urnas e os sonhos — 164
d. A desconfiança democrática — 167
e. A indignação não é suficiente — 170

12. **Democracia sem política** — **173**

a. Uma cidadania intermitente — 175
b. A ideologia do soberano negativo — 179
c. A despolitização involuntária — 182
d. A grande ruptura — 185
e. Uma defesa da democracia indireta — 187

Parte IV Alguns lugares-comuns

13. **Democracias de proximidade e distância representativa** — **193**

a. A vontade de desintermediação — 194
b. A democracia direta — 196
c. Elogio da distância política — 200
d. Paradoxos da autodeterminação democrática — 204
e. A representatividade da sociedade — 210

14. **Quanta transparência requerem e suportam as nossas democracias?** — **215**

a. A sociedade da observação 215

b. Os inconvenientes de sermos observados 217

c. Transparência ou publicidade? 219

d. A vida privada dos políticos 222

e. Do poder da palavra ao poder do olhar: a democracia ocular 225

15. **A importância e os limites de moralizar a política** 229

a. A hora da ética pública 230

b. Cuidado com os valores 234

c. A debilidade da política 236

16. **O que resta da esquerda e da direita** 240

a. A realidade é de direita? 241

b. O mercado, uma invenção da esquerda 244

c. As culturas políticas da esquerda e da direita 250

d. Credibilidade governamental 253

e. A dificuldade de fazer oposição 255

f. Uma pequena teoria do empate 259

Parte V O futuro da política

17. **A política como atividade inteligente** 265

a. O déficit estratégico da política 267

b. O excesso de personalização da política 269

c. Inteligência das pessoas ou dos sistemas? 272

d. O soberano que aprende 277

Bibliografia 283

"O problema, praticamente insolúvel, consiste em não se deixar imbecilizar nem pelo poder dos outros nem pela própria impotência."

Theodor W. Adorno,
Minima Moralia

PRÓLOGO
A POLÍTICA E SEUS INIMIGOS

Num artigo intitulado "A escandalosa política grega da Europa", Jürgen Habermas afirma: "Os políticos de Bruxelas e Berlim recusam-se a assumir o seu papel de políticos quando se reúnem com os colegas atenienses. Mantêm certamente as aparências, mas, ao falar, abordam exclusivamente seu papel econômico – o de credores. Convertem-se assim em zumbis: trata-se de conferir ao procedimento tardio de declaração de insolvência de um Estado a aparência de um processo apolítico, suscetível de ser objeto de um procedimento privado perante um tribunal. Deste modo, é mais fácil negar a sua responsabilidade política." E acrescenta: é a maneira de "evitar prestar contas por um fracasso que se traduziu em inúmeras vidas desfeitas, em miséria social e em desespero". Essa renúncia dos políticos, comum nos tempos atuais, está na origem de livros como *A política em tempos de indignação*. Não é a única causa do mal-estar com a política em tempos de mutações profundas. A submissão a este deus menor chamado "mercados" (que não é o mesmo que o "mercado") e as novas tecnologias de informação, com seus efeitos de contração do espaço (globalização) e aceleração do tempo, desempenham um papel decisivo na confusão reinante acerca do futuro da política, da democracia e da governança[1] do mundo.

Daniel Innerarity apresenta este livro como um exercício para "entender melhor a política", combatendo os argumentos daqueles que querem destruí-la, daqueles que vivem na indiferença em relação a ela e daqueles que praticam a indignação passiva, situando-se numa espécie de superioridade crítica. E ele partirá do pressuposto de que o principal problema da política é sua debilidade, que a converte, assim, na culpada perfeita de todos os males e a coloca na mira de diversos estereótipos e lugares-comuns. O problema não é tanto a política, mas sobretudo a má política: o inimigo está dentro de casa.

A indignação começou a ganhar corpo a partir de 2011, dando dimensão política a uma crise que se apresentava como estritamente econômica,

---

1 O termo "governança" refere-se à "forma de governar baseada no equilíbrio entre o Estado, a sociedade civil e o mercado, ao nível local, nacional e internacional". (N. do T.)

por razões parecidas com as denunciadas por Habermas. Se era apenas econômica, a resolução ficava nas mãos dos especialistas, e os políticos se esquivavam de sua responsabilidade amparando-se no discurso obsceno do "Não há alternativa", o qual, como disse Hans Magnus Enzensberger, "é um insulto à razão, pois é o mesmo que nos proibir de pensar. Não é um argumento, é uma capitulação". Os movimentos sociais acabaram com a utopia da invisibilidade que pretendia esconder as vítimas e os destroços da austeridade, ao mesmo tempo que puseram em evidência o caráter político, social, cultural e moral dessa crise. E, neste caso, o que emergiu foi o delírio niilista que conduziu à explosão: os anos em que a utopia mudou de lado, em que o poder econômico atribui-se à fantasia de que não havia limites, de que tudo era possível, e em pleno delírio um economista tão prestigiado quanto Robert Lucas chegou até a proclamar o fim dos ciclos econômicos.

A política ficou marcada pelo selo da impotência ao ser incapaz de controlar essa fuga para a frente, baseada num capitalismo financeiro que pode estar em todos os lugares e em lugar nenhum ao mesmo tempo e que é desenraizado da sociedade, ao contrário do capitalismo industrial. O niilismo é uma categoria bicéfala: a crença de que tudo é possível (a pulsão destrutiva como principal salvação) leva à crença de que a ação é aquilo que redime. "No início deste milênio", escrevia Claudio Magris em 1996, "muitas coisas dependerão de como a nossa civilização irá resolver este dilema: se combater o niilismo ou levá-lo até as últimas consequências."

Essa fantasia espalhou-se pela sociedade na forma de uma cultura da indiferença, como uma relação estabelecida com o lado público do cidadão convertido num mero *homo economicus*. E isso numa época em que a economia se consolidava como uma ideologia que, em nome da racionalidade, muitas vezes evitava a aparente arbitrariedade da economia do desejo e descuidava das bases emotivas e sentimentais das opções pessoais. Entendo por cultura da indiferença a apolítica, a banalização da palavra, o desprezo pelo outro (negamos-lhe o direito à indiferença, rotulando-o como diferente, para tratá-lo como indiferente) e o desprezo pelos perdedores. A cidadania se expressava, muito de vez em quando, por meio de reações momentâneas, tão barulhentas quanto efêmeras, mais morais que políticas – do funeral de Diana de Gales às mobilizações contra a guerra do Iraque –, que raramente se traduziam em alguma transformação efetiva. "Agora todos nós somos classe média e podemos entender uns aos outros", dizia Tony Blair. Foi essa fantasia que criou a miragem do fim das ideologias – na realidade, a submissão a uma única ideologia –, e é o desmoronamento dessa ilusão que agora nos tem devolvido os confrontos ideológicos, num ambiente caracterizado pelas diversas decantações do capitalismo, que é mais um princípio do que um sistema.

A ideologia está de volta? Não, a ideologia nunca se foi, o que retorna são os confrontos ideológicos ou, se quisermos dar outro nome, a luta pela hegemonia. A ideologia como relato da sociedade que determina a linguagem e o discurso, e que configura a submissão e estabelece padrões de conduta, nunca esteve ausente. O que aconteceu, simplesmente, foi que o debate decaiu durante alguns anos, em decorrência da vitória avassaladora de um dos lados, ou seja, aquele que, tendo conseguido antecipar a mudança, lançou uma devastadora batalha ideológica a partir de fins da década de 1970.

Essa hegemonia se consolidou com a derrubada dos sistemas soviéticos, para dar lugar ao efêmero discurso do fim da história e do triunfo definitivo do modelo liberal democrático. A história reapareceu, com rebuliço, nos casos da antiga Iugoslávia, das Torres Gêmeas, do Iraque, de meio mundo. Na Europa, porém, o movimento manco da social-democracia, que há trinta anos está obcecado em confundir a ordem democrática com o espaço hegemônico delimitado pela direita, manteve viva a ilusão da superação das ideologias – ainda que viesse perdendo fôlego, tendo atingido seu ponto mais baixo pela mão de Tony Blair na forma de thatcherismo de rosto humano. Depois, nas duas décadas anteriores à crise, a economia se converteu no princípio absoluto da legitimação política e social, completando a experiência iniciada na Alemanha do pós-guerra. Quando o economicismo se impôs, a sociedade começou a se fragmentar. Entre o marxismo e o neoliberalismo há um elemento comum: a atribuição de um caráter determinante ao fator econômico que se esquece da consciência trágica da humanidade e converte o sujeito num ser unidimensional e isolado.

A forma que a reação ao niilismo e aos destroços da austeridade assumiu foi a da indignação. A indignação não é uma revolução; esta, nos seus termos convencionais, não está na ordem do dia. E a indignação não é, em si mesma, uma política. Inicialmente talvez pudesse se situar na esteira das esporádicas reações morais dos anos anteriores à crise. A novidade é que desta vez não se limitou a atos de protesto testemunhais e efêmeros, pelo contrário, ganhou corpo em movimentos sociais e sobretudo – esta é que é a grande mudança – procurou transformar a política a partir de dentro do sistema institucional. Desse modo, entrou na luta pelo poder e pela sua redistribuição. Essa foi a grande surpresa, que gerou desconcerto nas elites dirigentes, tanto políticas quanto midiáticas e econômicas.

Aos movimentos sociais havia sido atribuído um lugar: as ruas. Não estava previsto que tivessem a ousadia de forçar a porta do autocomplacente sistema bipartidário. Pela primeira vez, uma parte dos movimentos que emergiram da crítica às elites e do discurso anticapitalista renunciou à pureza das margens para entrar na luta pelo poder, e foi assim que começaram realmente a incomodar aqueles que mandam, os quais sentiram que o seu previsível sistema corporativo estava sendo ameaçado. E mesmo assim não quiseram perceber as vantagens de integrar esses movimentos, que canalizaram a irritação contra as políticas da austeridade. Desde que se configuraram como opção política real, o caráter conflituoso do social reduziu-se sensivelmente. Com sua presença na cena política, criaram expectativas no horizonte de uma sociedade fechada num quarto sem vista para o futuro.

A política é fraca, a política vive na incerteza, a política está permanentemente exposta, diz Innerarity. Essa debilidade aumentou depois de ela exibir a sua impotência para pôr limites aos desígnios dos mercados. Esse é um caso peculiar da tendência dos seres humanos para construir entes transcendentais a quem transferir a última palavra sobre o nosso destino, sobre os nossos padrões de comportamento. A separação entre poder civil e poder religioso não impediu a sobrevivência do teológico na política. E a última expressão disso é esse gênio invisível chamado "mercados", a cujas chantagens todos se submetem, sem que ninguém ouse lhes dar nomes e apelidos, quanto mais desafiá-los com a legitimidade democrática. Por isso, deixou de haver confiança na política: ela não parece capaz de controlar os excessos do dinheiro. Ao mesmo tempo, o governante já não tem poder absoluto sobre um território, a interdependência cresce e suas decisões dependem de outros, como vemos permanentemente na União Europeia. Assim, em sua própria insegurança, procura proteção na autoridade dos especialistas, enquanto cede à pressão dos poderes contramajoritários, reconhecendo poder e capacidade de decisão a instituições sem qualquer legitimidade democrática.

A impunidade com que o Fundo Monetário Internacional (FMI) dá ordens a poderes democraticamente constituídos é uma humilhação para os países e uma perda insuperável de credibilidade para os governantes.

A incerteza é natural da política, mas cresce em razão de vários fatores: porque cada vez controla menos; porque a aceleração do mundo, com o poder das novas tecnologias, contrasta com a lentidão da tomada de decisões na política; porque, por mais oportunidade que se tenha – saber escolher o momento adequado, conforme as relações de força, para dar um passo em frente, interpretar a ocasião, como dizia Maquiavel –, nada garante o êxito; e porque faz parte da condição do político saber que não há finais felizes.

A tudo isso se une a exposição crescente a qual os meios de comunicação e as novas tecnologias submeteram aqueles que mandam. Não apenas porque em qualquer esquina um carro pode nos atingir, mas também porque se governa em situação de visibilidade permanente. É aqui que surgem alguns dos temas do momento que geram maior confusão: transparência e participação.

Hannah Arendt explicou-nos que o totalitarismo é uma sociedade em que as pessoas "não têm espaço próprio", vivem, como nos campos de concentração, "comprimidos uns contra os outros". O desaparecimento da intimidade é totalitário. A transparência tem de ser tratada com grande cuidado. As tecnologias da informação a favorecem e devem ser aproveitadas, mas têm seus limites. Exigir informação dos governantes é fundamental: mas informação infinita é o mesmo que nenhuma informação. É preciso processá-la para que seja útil, não para que se converta numa nova forma de ocultação. A vida privada dos governantes não pode ter a mesma proteção que a dos demais, uma vez que não é facilmente separável de sua dimensão pública, mas devem existir alguns espaços protegidos, sem contar que a própria atividade política não pode estar em visibilidade permanente. Caso contrário, a banalidade acabaria por se impor definitivamente nos discursos, os acordos e a tomada de decisões seriam muito mais difíceis e a eficiência do sistema ficaria bloqueada.

Além disso, não podemos nos esquecer de que, se os responsáveis políticos estão mais expostos, os cidadãos também. Nunca foi tão fácil sermos espionados quanto agora. E cada vez mais com a nossa própria cumplicidade. A explosão narcisista das redes, nas quais milhares de milhões de pessoas se exibem entre a falta de pudor e a inconsciência, é a prova cabal disso. Se a cultura da transparência não tiver limites, corremos o risco de cair num totalitarismo consentido: sem espaço para a intimidade por autoexposição.

A participação é um valor democrático, embora não seja fácil de realizar. A deriva corporativista dos regimes em curso (o bipartidarismo é um bom exemplo disso), transformou-se num obstáculo e afastou enormemente os cidadãos. Falta de comunicação, corrupção, fosso entre governantes e governados, desconfiança. Os partidos políticos não têm cumprido com três de suas funções principais: a representação, o recrutamento de quadros competentes para governar e o reconhecimento dos cidadãos como atores políticos. É uma forma antiga que requer uma reformulação. Vêm em nossa direção tempos mutáveis, em que irão proliferar as formações políticas ambíguas, as emergências súbitas e os movimentos efêmeros. Como recorda Daniel Innerarity, a política é a palavra. Falar aos cidadãos é o primeiro sinal de respeito. Não há nada mais antipolítico que o lema "Fatos, palavras não". É o defeito da política. A palavra para comunicar com os cidadãos e para reconhecer a sua voz, a palavra para abrir expectativas de futuro e transformar as situações em oportunidades. O tema da participação é também o da mediação. Dos meios de comunicação aos próprios partidos, passando pelas organizações da sociedade civil, há muito para renovar e para reformar. Muitas vezes, a realidade caminha mais depressa do que as instituições sociais. E este é um momento característico dessa defasagem.

Daniel Innerarity faz um percurso bastante completo pelo universo político e seus desafios, com um realismo louvável que elude melancolias irredentas e fabulações desesperadas. Concordo com sua defesa da política e a crítica de muitos dos estereótipos hoje prevalecentes, que não contribuem forçosamente com grande coisa, antes aumentam a confusão. Gostaria de concluir com três ideias que não são contraditórias, mas em muitos sentidos complementares ao que escreve Innerarity. A primeira é que é preciso manter vivo o horizonte emancipador: a política é o único poder ao alcance dos que não têm poder. E não se pode deixá-los à parte. A segunda é que não há pior fantasia do que a de uma sociedade sem política e com Estados limitados a estritas funções de controle e vigilância. Basta ver o cenário para nos darmos conta de que os espaços de organização e articulação social que o Estado deixa livres são imediatamente ocupados pelo crime, pelas máfias, pelos poderes que são tudo menos responsáveis, transparentes e democráticos. A terceira é que o grande desafio da política é manter a autonomia em relação aos poderes econômicos, estabelecendo limites e criando as instituições interestatais necessárias para superar o fator determinante da crise de governança: sua inferioridade pelo fato de o poder econômico estar globalizado e o político continuar a ser primordialmente nacional e local. Com muita frequência, os políticos comportam-se como os principais inimigos da política: quando a patrimonializam, quando não se fazem respeitar pelos poderes contramajoritários e quando escondem a sua impotência tratando os cidadãos como súditos, com desdém e sem reconhecimento. A crise do regime político espanhol tem muito a ver com essas três perversões da política.

Josep Ramoneda[*]

---

[*] Jornalista, filósofo e escritor espanhol. Autor de *Depois da paixão política*, entre outros livros. (N. do E.)

INTRODUÇÃO

A POLÍTICA EXPLICADA AOS IDIOTAS

Na Grécia clássica, o *idiotés* era aquele que não participava dos assuntos públicos e preferia dedicar-se unicamente aos seus interesses privados. Péricles deplorava que em Atenas houvesse indiferentes, idiotas, que não se preocupavam com aquilo que devia dizer respeito a todos. Há alguns livros excelentes que analisaram a aplicação atual desse qualificativo (Jáuregui, 2013; Ovejero, 2013; Brugué, 2014). Não sei por qual estranha associação mas essa palavra, hoje, é utilizada para qualificar as pessoas de escasso talento, quando parece acontecer exatamente o contrário: que os mais espertos são aqueles que só pensam em si próprios e que, inclusive, procuram destruir o que é público, ao passo que o sistema político se encheu de gente cuja inteligência não valorizamos, com maior ou menor razão, dependendo do caso.

Se hoje fizéssemos uma taxonomia apressada da idiotice na política deveríamos começar, sem dúvida, por aqueles que querem destruí-la (ou sequestrá-la, para usar um termo mais em voga). Desmantela-se o público, os mercados conquistam mais poder do que os eleitorados, as decisões que afetam a todos são adotadas sem critérios democráticos, não há instituições que articulem a responsabilidade política… Poderosos agentes econômicos ou impostores dos meios de comunicação estão muito interessados, por razões óbvias, em que a política não funcione bem ou não funcione em absoluto (e encontram, decerto, políticos bastante predispostos a colaborar com essa demolição). Essa é a ameaça mais grosseira contra a possibilidade de os seres humanos viverem uma vida politicamente organizada, ou seja, com os critérios que a política tenta introduzir numa sociedade que, de outro modo, estaria nas mãos dos mais poderosos: democracia, legitimidade, igualdade, justiça.

Existe um segundo tipo de idiotas políticos no qual se encontram todos aqueles que têm uma atitude indiferente para com a política. Claro que as pessoas passivas têm todo o direito de ser assim (e eu de considerar que sua vida é menos completa). Não ser incomodado é uma das liberdades mais importantes e qualquer supressão de uma liberdade deve ser justificada com boas razões. Gostaria unicamente de recordar-lhes que se a sua opção é que os deixem em paz, então lamento dizer que não escolheram o melhor caminho para isso. "A pessoa que deseja ficar em paz e que não quer ser obrigada a se preocupar com a política acaba por ser a aliada inconsciente daqueles que consideram que a política é um obstáculo espinhoso para suas sacrossantas intenções de não deixar nada nem ninguém em paz" (Crick, 1962, p. 16).

É muito frequente vermos produzir-se uma aliança implícita entre aqueles que se desinteressam da política e aqueles que aspiram ao poder mas rejeitam as incômodas formalidades da política. No fim das contas, aquilo que temos é o de sempre porém camuflado: pessoas que exercem o poder, mas que atuam como se não o tivessem, garantindo-nos que são tudo menos políticos. Há quem deva a sua força política à recusa da política. Em 1958, muitos franceses apoiaram De Gaulle porque estavam convencidos de que ele libertaria a França dos políticos; o poder de Silvio Berlusconi deveu-se em boa medida ao fato de ele ter sabido atrair aqueles que detestavam os políticos; os exemplos desta singular operação continuarão a aumentar enquanto houver pessoas dispostas a ceder aos encantos da antipolítica.

Há uma terceira acepção do termo, talvez menos evidente porém muito contemporânea, e para a qual estou especialmente interessado em chamar atenção porque costuma passar desapercebida. Refiro-me àqueles que se interessam pela política, mas que o fazem dentro de uma lógica que não é a de cidadãos responsáveis mas, sobretudo, a de observadores externos ou clientes enfurecidos e que acaba por destruir as condições que tornam possível o desenvolvimento de uma vida verdadeiramente política. Pelo menos desde que a crise econômica tornou visíveis os graves defeitos dos nossos sistemas políticos e mais insuportáveis as injustiças que causavam, vivemos em tempos de indignação.

Não vou perder tempo dando razão a esse sentimento e percorrendo a lista de circunstâncias que justificam o nosso profundo mal-estar. Considero mais produtivo neste momento discutir até que ponto certas expressões da nossa indignação podem nos levar a conclusões que representam o oposto daquilo que queremos defender. Como adverte José Andrés Torres Mora, é possível que estejamos fazendo um diagnóstico errado da situação, como se a origem de todos os nossos males fosse o poder da política e não a sua debilidade. A regeneração democrática deve ser levada a cabo de maneira muito diferente quando o nosso problema é que temos de nos defender face ao excessivo poder da política ou quando o problema é que outros poderes não democráticos estão sistematicamente interessados em torná-la irrelevante. Minha impressão é que não conseguimos acertar com a terapia porque nos enganamos no diagnóstico.

Concordo, em princípio, com todas aquelas medidas que são propostas com o objetivo de limitar a arbitrariedade do poder, mas não estou de acordo com aqueles que consideram que esse é o problema central das nossas democracias, sobretudo numa época em que a nossa maior ameaça consiste na possibilidade de a política se converter em algo prescindível. Com essa ameaça estou me referindo a poderes bem concretos que tentam neutralizá-la, mas também à dissolução da lógica política perante outras lógicas invasivas, como a econômica ou a midiática, que procuram colonizar o espaço público. Devemos lutar contra a tendência de que as decisões políticas sejam adotadas com critérios econômicos ou de importância definidos pela mídia, caso contrário estamos colocando em risco a imparcialidade que deve presidir o combate democrático. E refiro-me também ao idiota involuntário que despolitiza sem saber, provavelmente contra suas próprias intenções.

Talvez os tempos de indignação sejam também momentos de especial desorientação e, por isso, acabamos por prestar mais atenção na corrupção do que na má política; exigimos cada vez maior transparência e não nos perguntamos se estamos olhando para onde é preciso olhar ou apenas para onde nos deixam olhar, ao mesmo tempo que nos convertemos em meros espectadores; criticamos o foro privilegiado[2] dos políticos (seguramente excessivo) sem nos darmos conta de que se trata de um procedimento que visa proteger os nossos representantes de outras pressões diferentes daquela para que foram eleitos: representar-nos; endurecemos as incompatibilidades e dificultamos as chamadas "portas giratórias" e, deste modo, contribuímos para encher o sistema político de funcionários; celebramos o caráter aberto

---

2 No original, *aforamiento*. Referência a um dispositivo do ordenamento jurídico espanhol segundo o qual algumas pessoas, por inerência do cargo que ocupam ou da função que desempenham, não podem ser julgadas pelos tribunais de primeira instância mas apenas pelos tribunais superiores. Na Espanha existem mais de dez mil aforados, entre cargos públicos, juízes e agentes do Ministério Público, que são julgados pelo Tribunal Supremo ou pelos Tribunais Superiores de Justiça das Comunidades Autônomas. Não confundir *aforamiento* com imunidade parlamentar, que existe em todos os países democráticos (com exceção da Grã-Bretanha e dos Estados Unidos). (N. do T.)

e participativo da internet, mas depois nos queixamos de que não há quem consiga controlá-la; muitas formas de protesto podem agravar o divórcio entre os cidadãos e a política, tornar mais rígidas as posturas da cidadania, aumentar o mal-estar e a desilusão das pessoas e simplificar os assuntos políticos ou a natureza das responsabilidades procurando frases simples de tipo publicitário e bodes expiatórios... Não sei quando conseguiremos fazer frente à crise que tanto nos irrita; tentemos pelo menos que não nos distraiam.

A indignação mancha tudo de lugares-comuns: o nosso maior problema é a classe política, são muitos; chega de partidos, acabem com todos; tanto faz quem o faça, ninguém toma as decisões corretas ou então as tomam tarde demais, passam todo o dia tagarelando; não brinquemos com as emoções, a esquerda e a direita já não existem; são incapazes de chegar a um acordo; é possível, só que eles não querem; não nos representam; quanto mais transparência melhor; deve-se tudo à falta de ética... O problema dessas críticas é que não são completamente falsas, mas também não são totalmente verdadeiras. Este livro tenta avaliar aquilo que elas contêm de verdade, de modo que nos ajudem a compreender a natureza da política, e procura criticar as suas debilidades da maneira mais certeira possível.

A pretensão de "explicar" a política – conforme se declara no título desta introdução – tem de fazer frente a duas possíveis objeções. Em primeiro lugar, não restabelece uma relação de verticalidade, como se houvesse quem soubesse e quem não soubesse sobre esses temas. Nas páginas que se seguem, defendo apaixonadamente que a política é um assunto de todos e que numa democracia não há especialistas incontestáveis (o que não é incompatível com a possibilidade de nos ajudarmos mutuamente a combater a perplexidade com base nas nossas competências específicas). E, em segundo lugar, que explicar não é sinônimo de desculpar. Apenas quem percebeu bem a sua lógica e tem consciência daquilo que a política está em condições de nos proporcionar consegue evitar as falsas expectativas e, ao mesmo tempo, formular críticas com toda a radicalidade. Gostaria de contribuir para que entendêssemos melhor a política, pois creio que só assim a podemos julgar com toda a severidade que ela merece.

Algo sério está acontecendo com a política, e o termo "indignação" com que ultimamente vem associada reflete isso de forma dramática. Nunca na história houve tantas possibilidades de aceder, vigiar e desafiar a autoridade, mas as pessoas também nunca se sentiram tão frustradas com a sua capacidade de fazer com que a política seja um pouco diferente. É muito provável que a crise que estamos vivendo seja um processo complexo, que avança com tanta velocidade que ainda não tivemos tempo suficiente para entendê-la em toda a sua magnitude. Talvez por isso os tempos da indignação sejam também, e principalmente, tempos de confusão. Aqueles que dizem que tudo é muito claro talvez sejam pessoas bem mais inteligentes do que nós, mas o mais provável é que todos eles constituam um autêntico perigo público. Não é possível que todas as soluções que têm sido propostas para superar as nossas crises políticas tenham razão, simplesmente porque são diferentes e inclusive contraditórias. Algumas delas são razoáveis, mas também frívolas e peregrinas.

Para agravar um pouco a situação, deveríamos reconhecer, se formos sinceros, que as pessoas também não sabem exatamente o que é que a política deveria fazer. A incerteza apoderou-se dos governantes mas também dos governados. Podemos nos indignar e até substituí-los por outros, já que temos a última palavra, mas nem sempre temos razão nem desfrutamos de nenhuma imunidade face à desorientação que o mundo atual provoca em todos. Se o elitismo aristocrático é ruim, também é o elitismo popular. Por isso a crise política em que nos encontramos não se resolve pondo as pessoas no lugar dos governantes, suprimindo a dimensão representativa da democracia. Trata-se de que uns e outros, sociedade e sistema político, consigam gerir juntos a mesma incerteza.

Hannah Arendt assegurava, num contexto muito diferente do atual, que "quem quiser falar hoje de política começa inevitavelmente por enumerar todos os preconceitos que existem contra ela" (Arendt, 1993, p. 13). Este livro pretende ser uma síntese dessa tarefa de renovação das categorias políticas, por meio da qual se procura reforçar umas e transformar outras, algo, de resto, que me manteve ocupado durante alguns anos (Innerarity, 2002). Numa época de indignação, que questiona e critica muitas ideias que todos acreditávamos partilhar pacificamente, este livro faz uma revisão da nossa ideia de política, questionando-nos se acertamos quando tentamos definir sua natureza, a quem corresponde fazê-lo, quais são suas possibilidades e seus limites, se continuam a ser válidos alguns de nossos lugares-comuns, e o que podemos esperar dela. Desejaria contribuir para que essa indignação não passe de um desabafo improdutivo, mas que se converta numa força que impulsione a política e melhore as nossas democracias.

PARTE I

QUEM FAZ A POLÍTICA?

CAPÍTULO 1
VELHOS E NOVOS ATORES POLÍTICOS

As transformações políticas, sejam de aspecto revolucionário ou evolutivo, são resultado de movimentos em três esferas: dos atores, dos temas e das condições. Há mudanças políticas que ocorrem porque mudam os atores considerados legítimos para protagonizar a política, que contestam o fato de ela ser feita por uns e não por outros, por determinada classe social e não por todos (revoluções democráticas), pelo Estado e não pela sociedade civil (virada neoliberal). Em outros casos, a mudança tem lugar porque se altera o conjunto de temas em torno dos quais se debate ou governa (a chamada "agenda política"), de maneira que alguns assuntos deixam de ser os mais importantes e outros se tornam o centro do debate público ou das prioridades de governo. Foi o que aconteceu no caso de um certo enfraquecimento da questão social que se articulava com o eixo esquerda-direita e com a irrupção das políticas de identidade e a questão do meio ambiente.

Nada nos permite assegurar que aquilo que desapareceu não volte a figurar na ordem do dia ou que temas sobre os quais tanto discutimos hoje deixem de suscitar a nossa apaixonada atenção no futuro. Já o terceiro conjunto de modificações tem a ver com o fato de mudarem as condições no interior das quais a política é levada a cabo. É o caso da nossa situação atual, na qual os tempos se aceleraram e os espaços se abriram, porque certas tecnologias (desde a comunicação via redes sociais até os instrumentos financeiros) alteraram as regras do jogo. Assim, o governo, o público, a soberania e os limites se converteram em algo muito distinto daquilo que era, até então, o nosso entendimento, mas sobretudo diferente daquilo que este conjunto de realidades nos tinha permitido fazer.

Uma reflexão sobre o lugar da política no mundo atual deve começar por perguntar a quem é que corresponde fazê-la; quais são os velhos e os novos atores políticos; se trata-se de algo que deve ser realizado por uns poucos ou por todos, pelos especialistas ou por aquilo que chamamos de povo e que é tão difícil de definir, num espaço que já não está estruturado tão nitidamente pelas classes sociais nem mobilizado pelos partidos. A resposta mais razoável será que a política tem de ser feita por todos esses atores. No entanto, essa afirmação não nos diz ainda como é que se relacionam esses diferentes tipos de autoridade, especialmente quando têm aspirações incompatíveis. Teremos de prestar mais atenção nas pesquisas de opinião do que aos especialistas, às cotações da bolsa do que à soberania popular, aos partidos do que aos movimentos sociais?

É preciso determinar o que é o novo e o velho – em relação aos atores que fazem a política – na era das redes, com sociedades ativas, responsabilidades globais e problemas mais complexos. Como poderemos distribuir novamente o jogo entre as pessoas, os especialistas, os partidos, o povo e os movimentos sociais? A intensidade dos nossos debates políticos obedece, em última instância, ao fato de vivermos num momento em que se procede a uma redistribuição da autoridade política, entre os níveis de governo, com pretensões de competência difíceis, representações contestadas e identificações difíceis de ordenar. É normal que essa redistribuição produza uma especial perplexidade e desorientação, e que se realize em meio a intensos conflitos. E não é difícil adivinhar que o modo como essa questão dos sujeitos for resolvida acabará necessariamente por ter consequências no campo dos temas e das condições.

a. Elogio e desprezo da classe política

As pesquisas lembram que este é o nosso principal problema. A mesma expressão "classe política" inclui um descontentamento, alude a uma distância, a uma falta de coincidência entre os seus interesses e os nossos. Aqueles que nos representam estão sofrendo aquilo a que Peter Mair chamou "a síndrome de Tocqueville" (1995). Tal como aconteceu com a nobreza, os políticos têm hoje grandes dificuldades quando devem justificar seus privilégios numa época em que cumprem cada vez mais funções menos importantes (ou em que sentem muitas dificuldades para cumprir com as que lhes foram atribuídas).

Essa crítica dirigida aos políticos não é nova, mas a sua descrição permite conhecer a verdadeira natureza da política por seus depredadores ao longo da história (Palonen, 2012). A novidade talvez seja que, graças ao poder multiplicador dos meios e das redes, a crítica adquiriu as dimensões de um autêntico linchamento. Além das causas objetivas que justificam esse mal-estar (que vão desde incompetência até corrupção), produziu-se, pelos mais diversos motivos, uma constelação desfavorável à política, muitas vezes, inclusive, contradições, como costuma acontecer quando as coincidências são reunidas ao redor da indignação: uns estão seduzidos pelo êxtase da democracia direta; outros possuem aspirações mais modestas em torno da reforma eleitoral; há aqueles que fazem cálculos de rentabilidade e que se preocupam com os políticos talvez serem muitos e ganharem em excesso; outros abanam as mãos porque uma sociedade com um sistema político fraco os beneficia...

Entre as expressões do nosso mal-estar ocupa lugar de destaque a atitude de cercar o Congresso, um gesto que tem menos sentido que a velha lei britânica que proibia aos representantes morrer no edifício do Parlamento. Não seria melhor cercar o resto do mundo – especialmente os poderes econômicos ou midiáticos – para que o Parlamento, vigiado mas sem pressões, possa exercer as funções que dele esperamos numa sociedade democrática?

Que os políticos e as políticas deixam muito a desejar é uma evidência pela qual não vale a pena perder muito tempo. Tampouco é algo que deveria surpreender aqueles que sabem como funcionam outras profissões, nenhuma das quais está livre de ser seriamente repreendida. Acontece, no entanto, que esses outros ofícios, também manifestamente melhoráveis, têm a sorte de estar menos expostos ao escrutínio público. A pergunta que me faço é como se podem encontrar ainda candidatos para uma atividade tão vilipendiada, dura, competitiva, descontínua, esquadrinhada e pouco compreendida. Estou convencido de que os políticos, em geral, são melhores do que a fama que têm. Entretanto, o problema, adiantando um pouco a minha posição, não é exatamente esse. Se assim fosse, seria mais fácil resolvê-lo com uma simples substituição. Aquilo a que nos referimos quando tomamos nota do descontentamento com a política é à crítica dirigida a qualquer indivíduo que desempenhe essa tarefa ("são todos iguais" etc.) e aqui o problema adquire uma natureza mais grave.

Para começar, convém avisar que a atitude crítica em relação à política é um sinal de maturidade democrática e não a antessala do seu esgotamento. Que todos se considerem competentes para julgar seus representantes, inclusive quando estes têm de tomar decisões de enorme complexidade, é algo que nos deveria tranquilizar, embora apenas porque o contrário seria mais preocupante. Uma sociedade não é democraticamente madura enquanto não deixar de reverenciar seus representantes e enquanto não administrar zelosamente a sua confiança neles.

Dito isso, e sem deixar de reconhecer que a maior parte das críticas tem razão de ser, proponho inverter o ponto de vista e nos questionar se por trás de algumas das suas versões menos matizadas não há uma falta de sinceridade da sociedade em relação a si própria. Numa democracia representativa, estão eles porque não estamos nós ou para que não estejamos nós. É certo, seguramente, que para a política não vão os melhores, mas isso deveria preocupar mais a nós mesmos do que a eles.

Por trás da crítica da política há um paradoxo que poderíamos chamar de "o paradoxo do último vagão". Refiro-me àquela piada em torno de umas autoridades ferroviárias que, depois de descobrirem que a maior parte dos acidentes afetava especialmente o último vagão, decidiram retirá-lo de todos os trens. Suponhamos que a política não funciona. Como é que se elimina toda a classe política? Quem é que poderia substituí-la? Quem é que mandaria num espaço social que não estivesse formatado politicamente? Quem é que sairia beneficiado de um mundo assim? Em última instância, poderíamos inclusive nos perguntar se existe uma "classe política" e, sobretudo, se é possível conceber a inexistência de algo similar. Claro que, quando utilizamos essa expressão e a associamos a certo mal-estar, o que estamos tentando criticar é a distância, o elitismo ou a insensibilidade em relação aos problemas das pessoas que, em princípio, a classe política representa. Ora, é possível imaginar uma sociedade em que os atores políticos sejam uma mera extensão de transmissão das aspirações da sociedade?

A política é uma atividade que pode ser melhorada mas é algo inevitável. Os populismos ignoram ou ocultam essa inevitabilidade; espalham a desconfiança em relação aos políticos como se fosse possível que a atividade deles passasse a ser desempenhada por quem não é político ou por aqueles que atuam como se não o fossem. Há quem tenha, no fundo, a aspiração de suprimir a mediação que a representação política supõe: consultas sem deliberação, limites constitucionais irrevogáveis, imposição sem reconhecimento, mandatos imperativos... Uma coisa é introduzir procedimentos para comprovar a vontade popular, para impedir que os representantes tomem demasiadas liberdades ou se eternizem – participação, prestação de contas, rotatividade nos cargos, proibição de reeleição – e outra pretender uma superação da democracia representativa.

A repreensão ritual lançada aos políticos nos permite escapar de algumas críticas que, se não fosse por eles, teríamos de dirigir a nós mesmos. Faz sentido alimentar certas críticas em relação aos nossos representantes políticos e, ao mesmo tempo, exibir a inocência dos representados? Há uma contradição no fato de se pretender que nossos representantes sejam como nós e, ao mesmo tempo, esperar deles qualidades de elite. É impossível que umas elites tão incompetentes tenham surgido de uma sociedade que, aparentemente, sabe muito bem aquilo que é preciso fazer. Aqui se torna evidente que o populismo é um "elitismo invertido", ou seja, um modo de pensar que não se baseia na crença de que o povo é igual aos seus governantes, mas que é melhor que seus governantes (Shils, 1956, p. 191). Se os políticos fazem tudo tão mal, não é verossímil que os outros, todos nós, tenham feito tudo bem. Não estaríamos usando os políticos para exorcizar os nossos próprios demônios de culpabilidade e frustração?

Verifica-se uma crescente intolerância do eleitorado em relação às implicações oligárquicas dos sistemas consolidados de representação. Mas não simplifiquemos a complexidade da vida democrática em nome do esquema populista de um povo-vítima, são e virtuoso, oposto a um enquadramento institucional corrupto e desorientado, um esquema com fervorosos defensores em todo o arco ideológico, que têm em comum a estigmatização de tudo aquilo que parece se opor à homogeneidade do povo imaginário: sejam eles o inimigo, o estrangeiro, a oligarquia ou os quadros dirigentes (Rosanvallon, 2006).

Ao desprezo pela classe política associam-se vários lugares-comuns e algumas desqualificações que no fundo revelam uma grande ignorância acerca da natureza da política e promovem a depreciação em relação à mesma. Deveríamos recordar a esses críticos o princípio de que sempre que se combate algo é nosso direito inalienável exigir que nos seja dito o que ou quem ocupará o seu lugar. Para ser razoável, a crítica deve determinar quem é que, ocasionalmente, é favorecido por tal desconformidade. Estamos falando de incompetência e, deste modo, estamos abrindo caminho para que os técnicos se apoderem do governo; criticamos o seu salário e justificamos assim que se entregue a política aos ricos; desqualificamos globalmente a política e aqueles que não lhe devem nada porque já têm um poder de outra natureza que aprovam com entusiasmo.

Existe algo pior que a má política? Sim, a sua ausência, a mentalidade antipolítica, com a qual se desvaneceriam as aspirações daqueles que não têm outra esperança a não ser a política, porque não são poderosos em outros âmbitos. Num mundo sem política, pouparíamos alguns trocados e não teríamos de assistir a certos espetáculos lamentáveis, mas aqueles que não têm outros meios para fazer valer seus pontos de vista perderiam a representação dos seus interesses e suas pretensões de igualdade. É verdade que, apesar da política, as coisas não lhes correm assim tão bem. No entanto, qual seria o seu destino se nem mesmo pudessem contar com uma articulação política dos seus direitos?

b. A política de todos e a política de alguns

Quando as águas da política se agitam – e isso é algo que costuma acontecer com frequência – reaparece a eterna questão de saber se aqueles que a ela se dedicam são as pessoas indicadas. A atenção se dirige não tanto (ou não somente) para o *como* se faz, e sim para *quem* a faz. Essa interrogação levanta a suspeita de que talvez se trate de um ofício que está sendo monopolizado por quem não deveria. As opiniões negativas polarizam-se em torno daqueles que acreditam que a política é uma ocupação usurpada por uma elite e aqueles que a consideram acessível demais a qualquer um, ou seja, uns pensam que o campo político está monopolizado por uns poucos e outros o consideram povoado de intrusos. É aqui que emerge aquela tensão tão própria das democracias que coloca frente a frente os de sempre e os forasteiros, os zés-ninguém e as elites, os profissionais e os amadores, os bem pagos e os voluntários.

Reconheçamos, desde já, que olhamos para tudo isso com certa perplexidade e que é por esse motivo que fazemos aos políticos exigências, não raro, contraditórias. Gostaríamos que o conhecimento especializado fosse levado em consideração durante a tomada de decisões políticas, no entanto, não queremos ser governados pelos especialistas; exigimos que defendam nossos interesses, mas desprezamos os políticos que apenas defendem interesses e são incapazes de ceder e de chegar a acordos; reclamamos que no

Parlamento estejam os melhores, mas não estamos dispostos a lhes pagar o correspondente; queremos que falem com sinceridade, mas nem sempre gostamos de ouvir a verdade. Há também uma contradição não resolvida entre pressupor que todo mundo poderia se dedicar à política e conceber a situação de tal maneira que a política acabaria por ficar nas mãos dos especialistas e dos ricos. Desejamos participar, mas há muito pouca vontade de participar; gostaríamos que houvesse listas abertas, mas apenas cerca de três por cento é que utiliza as que lhes são oferecidas no Senado; gostaríamos que os políticos tivessem menos poder de decisão, mas é quase certo que a ideia de deixar o governo nas mãos dos funcionários não nos agradaria...

Os cidadãos não querem nem podem ser sobrecarregados com a política; um excesso de informação ou de implicação na tomada de decisões ignora os benefícios da divisão do trabalho que a democracia representativa nos proporciona. É preciso dar às pessoas mais oportunidades para terem algo a dizer nas questões que lhes dizem respeito, o que não significa que elas queiram ter um poder de veto ou ser o juiz supremo. Influenciar, observar e exigir responsabilidades não é o mesmo que ter de decidir.

Quem é que deve, então, ocupar-se da política? À pergunta sobre quem faz a política, quem pode e deve se dedicar a ela, há apenas uma resposta democrática: todos. Ninguém pode ser proibido de exercê-la ou ser declarado incapacitado para tal (salvo nos casos concretos de inabilitação que as leis contemplam de modo muito restritivo). Numa democracia, a ideia do "cidadão capacitado" para eleger ou ser eleito, de que falava Guizot,[3] não faz nenhum sentido. Se a política é uma profissão que está aberta a todos é porque a todos atribuímos, em princípio, a capacidade de julgamento e de decisão.

Essa indeterminação do ofício de político contrasta com o fato de que a política costuma terminar nas mãos de uma casta que se renova pouco, e essa é uma das principais críticas que dirigimos aos partidos políticos; mas também temos o movimento contrário e, de vez em quando, aparecem personagens que se vangloriam de se considerar intrusos, de aparecer vindos de fora do sistema para renová-lo. Foi o caso de Ross Perot, aquele empresário texano

---

3 François Quizot, político francês que ocupou o cargo de primeiro-ministro da França entre setembro de 1847 e fevereiro de 1848. (N. do E.)

que irrompeu nas eleições presidenciais de 1992, de Ruiz-Mateos ou Mario Conde na Espanha, de Di Pietro ou Beppe Grillo na Itália. Em muitos países há políticos cujo capital se deve precisamente ao fato de se apresentarem como contrários ao *establishment* político (de certo modo, foi esse o caso de Obama, que não procedia da elite de Washington) e, às vezes, pelo seu êxito credenciado em outros âmbitos da vida social (midiático, empresarial, judicial, acadêmico...). É muito antiga a ideia de desqualificar os outros como políticos e apresentar-se a si mesmo como não político, ou seja, objetivo, desinteressado e de origem suprapartidária (Schmitt, 1932, p. 21). Em todo o caso, o êxito depende da boa gestão da tensão entre a posição exterior ao sistema e a necessidade de comportar-se – com os contributos originais que cada qual quiser introduzir – de acordo com uma lógica política. Caso contrário, a tensão se transforma em contradição autodestrutiva.

Seja como for, numa sociedade democrática é preciso ter muito cuidado quando se qualifica alguém que tem aspirações políticas como um intruso, porque a política está aberta a todos e não exige uma qualificação determinada. Ninguém é um intruso por ser um desconhecido no sistema político. Aquilo que pode converter alguém num intruso, no pior sentido do termo, é caso ele pretenda comportar-se na política com outra lógica e tente convertê-la num assunto midiático, num exercício de gestão empresarial ou numa atividade justiceira.

Que a política esteja aberta a todos significa, em primeiro lugar, que não é algo exclusivo para os ricos. Não foi sempre assim e a democratização do ofício de político é uma conquista recente da humanidade, nem sempre garantida. O político pré-democrático era um aristocrata que vivia para a política sem viver dela, um político honorário.

Desde a Revolução Francesa, os salários dos parlamentares são uma compensação que permitia que aqueles que não pertenciam ao círculo dos aristocratas pudessem participar da política. A possibilidade de que os parlamentares vivam da política favorece que entrem nela pessoas das mais diversas origens. A remuneração dos políticos, ajustada mas não suficiente, é uma garantia de igualdade no acesso à atividade política.

Os poderosos costumam utilizar outros processos para fazer valer seus interesses, porém o mais surpreendente é que coloquemos em risco esta conquista da igualdade de acesso à política com propostas ineptas.

Prefiro não entrar na discussão de saber se são muitos ou se recebem demasiado; limito-me a assinalar que esse debate prejudica sua legitimidade e esboça no horizonte um ideal de deputados débeis e nas mãos dos ricos. Um Parlamento de poucos e utilizado apenas nos tempos livres seria um Parlamento ainda menos capaz de controlar os executivos. Se não recebessem, apenas se dedicariam a ela os ricos ou seus testas de ferro. Defender o número e o salário dos parlamentares soa hoje como uma provocação, mas é mais igualitário do que certas medidas populistas que enfraquecem a democracia.

c. A função dos especialistas numa democracia

A segunda consequência que deriva do fato de a política estar aberta a todos é que, a princípio, não faz muito sentido dividir as pessoas entre competentes e incompetentes para ela e depois entregá-la aos supostos especialistas. Ora, esta declaração de universalidade coloca alguns problemas quando está em causa certo tipo de decisão. Alguns têm defendido que o recurso aos especialistas justifica-se porque eles têm maior facilidade para lidar com a complexidade dos assuntos sobre os quais é preciso decidir, e porque somente os especialistas proporcionam ao sistema político a atenção aos interesses que só se realizam ao fim de períodos longos, enquanto os políticos trabalham exclusivamente no curto prazo e de acordo com o ciclo eleitoral.

Daí a tendência do sistema político a delegar em instituições não representativas e que não têm de prestar contas a ninguém (ou apenas indiretamente), instituições chamadas "não majoritárias" (Majone, 1996, p. 3) e que foram defendidas por Everson (2000, p. 110) para fazer frente às "instituições predatórias de uma classe política transitória". Esta é a razão pela qual a tática política conduz inexoravelmente à tecnocracia. Ou a política introduz estratégias de longo prazo e aprende a gerir a complexidade, ou o recurso crescente aos especialistas será o único modo de evitar a disfuncionalidade dessa simplificação e a tática em que os políticos eleitos caem com frequência demais.

Não obstante, uma coisa é o fato de o recurso aos especialistas dever ocupar um lugar destacado nas democracias complexas e outra que o saber técnico possa prescindir de toda a legitimação democrática. Uma coisa é levar em consideração a opinião dos especialistas; outra é deixar o governo nas mãos daqueles que, supostamente, decidem com base em critérios objetivos. Porque a questão é esta: como saber quem são os melhores e como ter certeza, caso os tivéssemos encontrado, de que tomariam as melhores decisões? E quem é que deve decidir quando os especialistas não estão de acordo e interpretam a objetividade de maneira diferente?

A política é uma atividade cuja função envolve ser capaz de articular o equilíbrio entre as pessoas, os especialistas, os funcionários e os profissionais da política. E estes últimos, os políticos, se levarmos em conta o tipo de atividade de que estamos falando, desempenham um papel fundamental.

A política é uma ocupação indefinida para a qual é necessário ter capacidade de julgamento, visão de conjunto, prudência, intuição, sentido do tempo e da oportunidade, jeito para a comunicação, disposição para tomar decisões sobre coisas em relação às quais não existem certezas absolutas. Quem se dedica a ela deve inclusive aceitar certa superficialidade que lhe permita fazer uma ideia geral das coisas, uma visão que poderia deitar tudo a perder caso se perdesse muito tempo com detalhes. Não pode ser nem um amador nem um especialista (Bullit, 1977). Radica aqui boa parte dos motivos que explicam o escasso apreço que existe pelos políticos: respeitamos mais os especialistas do que os generalistas; os primeiros se protegem melhor das críticas do que os últimos. Os administradores da objetividade, aqueles que desejariam que a política fosse uma ciência exata, têm muita dificuldade em entender para que ela serve, porque não percebem que a política, mais do que gerir objetividades, está ligada à ponderação do significado social das decisões, da sua oportunidade em contextos determinados, do modo como afetam as pessoas.

Por isso não existe uma formação específica para a política e que qualquer um possa, a princípio, exercê-la. Os políticos são necessariamente autodidatas (Scheer, 2003, p. 33). Dizia Weizsäcker, o ex-presidente da Alemanha, satirizando um pouco essa realidade, que um político é um generalista cuja única destreza consiste em saber como é que se combate o inimigo. Exige-se aprender umas habilidades que têm muito pouco a ver com a objetividade técnica dos assuntos de que são encarregados; é por esta razão que pessoas muito competentes em algo (médicos ou catedráticos, por exemplo) conseguem ser ministros muito ruins em suas áreas de especialidade (saúde ou educação), e, pelo contrário, que aqueles que não são especialistas na matéria são capazes de geri-la bem politicamente. Graças à sua versatilidade, os políticos podem passar de um ministério a outro, e quem não entende o que é a política interpretará essa versatilidade como uma frivolidade, interpretação que está na origem do desprezo por aqueles que nos governam. É mais um paradoxo do atual descontentamento com relação à política: por trás do lamento pela incompetência dos políticos se esconde, não raro, um desprezo elitista ligado às pessoas comuns.

Por que não é uma boa ideia colocar os especialistas liderando os governos? Porque experiências ruins com os tecnocratas são conhecidas, porque eles têm enorme inclinação para insistir nos próprios erros, para defender sua posição não como produto de uma decisão mas antes como uma dedução lógica de uma verdade e, sobretudo, porque os especialistas deixariam assim de cumprir sua função como aliados na tarefa de reduzir a complexidade do mundo e construir confiança.

A democracia é um sistema político que faz intervir os especialistas no processo de tomada de decisões, mas que resiste a deixar tudo nas mãos deles e substituir os políticos por funcionários e especialistas. No topo da política, há um equilíbrio precário entre a administração e o governo, entre a técnica e a política. Convém que essa balança não se desequilibre porque confiar absolutamente na continuidade da burocracia é tão ruim quanto apostar todas as fichas numa única jogada, a da criatividade política. Sem a administração, a política se converteria numa solução de improvisações ineficazes; sem a política, nada nos protegeria da maquinaria conservadora em que a administração degeneraria.

Ora, se continuamos a confiar que a política terá sempre a última palavra face à administração ou que os parlamentos são capazes de controlar os governos, certo grau de profissionalização da política será sempre necessário. A "política como profissão" (Weber, 1919) é muito necessária para que cumpra suas funções com maior consideração em relação ao papel do conhecimento técnico nas nossas decisões diante de problemas complexos crescentes (Innerarity, 2011). Uma democracia precisa tanto dos especialistas quanto proteger-se deles.

Há diferentes perfis de político e não existe um tipo ideal. O ótimo é que exista um equilíbrio entre políticos ocasionais e políticos profissionais. Impõe-se limitar a profissionalização absoluta da política tanto quanto sua absoluta falta de profissionalismo. É um bom sinal que passem pela política profissionais reconhecidos em outras áreas, embora seja aconselhável impedi-los de substituir a lógica política por aquela que rege seus campos específicos. Se mantivermos viva essa tensão, poderemos nos libertar da presunção de exatidão dos especialistas, bem como do componente de frivolidade dos políticos, articulando assim a competência daqueles e a criatividade destes. Porque a verdade é que os problemas políticos são complexos demais para serem deixados nas mãos daqueles que gerem a exatidão, além de requerer um esforço de imaginação política.

CAPÍTULO 2
O FIM DOS PARTIDOS?

Estamos em meio a uma crise de autorização democrática, que se torna visível, por exemplo, em diversos fatos: já não sabemos até que ponto devemos ignorar os especialistas, se serão os juízes os únicos capazes de resolver os problemas políticos, como entender a liderança numa sociedade democrática, quem decide o que ou de quem são os partidos (um bom exemplo é a discussão sobre as eleições primárias partidárias, da qual se pode deduzir que não sabemos muito bem se os partidos são dos aparelhos, dos militantes, dos setores mais duros que mantêm intactas as essências dos eleitores ou de todos).

A operação de pôr ordem no mundo transferindo algumas ideias e ações para o caixote do velho e exibindo outras na vitrine das novidades acarreta o perigo de o curso posterior da história deixar de nos dar razão. Isso não deveria nos impedir de nos aventurar com algumas hipóteses sobre como é que a situação vai evoluir. Entretanto, nos obriga a ser cautelosos antes de enterrarmos definitivamente aquilo que parece enfraquecido, ou anunciar a chegada de algo que poderia nunca acontecer ou tornar-se apenas um episódio passageiro. Quem é que pode saber, tratando-se de fenômenos sociais e políticos, se estamos num funeral ou num batizado – ou seja, diante de um ciclo, uma tendência, uma reposição ou uma virada da história? Do mesmo modo que não houve, em dado momento, uma decisão em virtude da qual nossos antepassados concordaram em abandonar a Idade da Pedra e entrar na do Ferro, tampouco estavam em condições de reconhecer essa mudança de época.

As tarefas de coveiros e parteiras da história não competem nunca aos contemporâneos, mas aos historiadores futuros. No mundo da política tudo são, como dizia Raymond Aron sobre ideologias, "antecipações que aguardam o juízo do tempo" (Aron, 1948, p. 313). Seja como for, a honradez intelectual nos obriga a fazer um esforço para distinguirmos o novo do novato e a perguntar se a morte de algo obedeceu a uma causa natural ou a um linchamento.

No entanto, o que podemos fazer é analisar o cenário com o maior rigor possível e assumir um ceticismo razoável quando se trata de distribuir as cartas do velho e do novo. Pode ser que nem um nem outro o sejam, tanto que estejamos diante de transformações e não substituições, de modo que os velhos atores da política devam ser concebidos de outra maneira, mais do que substituídos por novos candidatos. Teremos de voltar a pensar como é que se realiza, numa democracia complexa, o princípio da cidadania universal e como fazer frente às novas formas de exclusão; qual é o lugar dos especialistas nos processos de decisão que requerem muito conhecimento mas que não podem prescindir da sua legitimação democrática; que modelo de partido chegou ao fim e em que medida poderemos continuar a precisar deles; como entender o povo de um modo que seja compatível com aquelas realidades com as quais parece se dar tão bem, como os direitos individuais ou os deveres da interdependência... Em suma, quem faz a política.

a. A era dos contentores

A crise atual dos partidos políticos – o seu descrédito, a perda de relevância ou a fragmentação – é a manifestação de uma crise mais profunda. Está terminando, a meu ver, uma era política à qual poderíamos chamar de "a era dos contentores" e ainda não sabemos muito bem que material pode ser aproveitado dessa antiga era e que novas formas institucionais adotará a nova.

Um contêiner é o símbolo da globalização comercial, um dispositivo para armazenar objetos e encaixá-los em espaços homogêneos, estandardizados, classificáveis e geríveis, de maneira que nada fique de fora.

O antropólogo Clifford Geertz (2000) criticava essa concepção do mundo como um quebra-cabeças de peças do mesmo tamanho (ou da mesma natureza), elaborada sob o pressuposto de uma coincidência entre nações e culturas; anunciava para o futuro uma nova incongruência entre os espaços, uma maior heterogeneidade dos elementos que compõem a realidade social. Concordava com a crítica de Ulrich Beck (1997) ao modelo contêiner da sociedade dos Estados-nação, como se estivéssemos fechados em cápsulas autossuficientes que dispõem de autoridade soberana. Há muito tempo a realidade não se define dessa maneira, tampouco pode ser governada partindo-se desses pressupostos; a mercantilização liberal e a vinculação comunicativa tornam muito difícil manter um contêiner nacional com o qual proteger a unidade entre economia, cultura e política.

O mundo dos contentores pressupunha um contexto social estruturado em comunidades estáveis, com papéis profissionais definidos e formas de reconhecimento e reputação consolidadas. Foi nessa realidade social que foram concebidas essas máquinas políticas que são os partidos de massas clássicos. A "democracia dos partidos" era a forma política adequada a uma sociedade estavelmente estruturada em classes sociais, em grupos definidos por sua própria função produtiva, cujas identificações sociais e culturais estavam destinadas a encontrar uma correspondência em termos de representação. À semelhança de outras organizações sociais, os partidos atuavam como contentores na medida em que eram organizações pesadas que não se limitavam a gerir os processos institucionais da representação, mas também incorporavam nas suas estruturas áreas inteiras da sociedade, orientando a cultura e os valores de modo que lhes fosse possível assegurar a previsibilidade do seu comportamento político e eleitoral.

Provavelmente, nossas práticas sociais continuam a tomar como certa a existência desse mundo que já desapareceu ou que, pelo menos, sofreu uma transformação que os nossos conceitos e ações dificilmente conseguem captar. O que é que acontece quando as interações se multiplicam, as funções sociais se tornam evanescentes e as identidades, precárias, quando a lógica dos fluxos é mais forte do que a lógica dos lugares? Teremos de responder a esse tipo de pergunta em vez de exibir a perplexidade que nos produz, por exemplo, o fato de a lógica da transferência de votos (entre a esquerda e a direita, dependendo de quem está no governo e quem está na oposição) ter deixado de funcionar. Talvez esse esquema de vasos comunicantes tenha perdido boa parte da sua plausibilidade, uma vez que há cada vez mais fenômenos que já não se explicam, como ajustes ou reequilíbrios dentro do sistema, mas que, pelo contrário, obedecem a transformações mais profundas.

Quando a democracia de massas surgiu, os partidos conseguiram estabilizar durante muito tempo as identidades políticas e suas correspondentes opções eleitorais. Dizer, naquela época, que os eleitores "elegiam" determinada opção política tinha tão pouco sentido quanto afirmar que um crente, aos domingos, escolhia ir à missa anglicana em vez de ir à presbiteriana ou batista, como assinalaram com perspicácia Rose e Mossawir num estudo clássico (1967, p. 186). Como os melhores estudos chamaram atenção, o voto classista diminuiu consideravelmente desde meados da década de 1970, sobretudo naqueles países em que a classe tinha atuado como um indicador bastante seguro das preferências eleitorais (Knutsen, 2006).

O período da "democracia dos partidos" tal como a conhecíamos representava uma geografia sólida, ao passo que hoje parecemos nos mover mais num cenário de instabilidade – e inclusive de volatilidade – que afeta os grandes contentores de outrora (os partidos, as igrejas, as identidades, os meios de comunicação e até os Estados). Há anos Bernard Manin apontou para essa mudança em nossos esquemas de representação, que sintetizou na ideia de uma passagem da "democracia dos partidos" para a "democracia do público" ou "das audiências" (Manin, 1997). Tudo isso esteve na origem dessa crise generalizada de confiança que corroeu os canais da representação e as tradicionais organizações do consenso e do antagonismo.

Esse panorama líquido, para usar a expressão cunhada por Zygmunt Bauman, cujos fluxos não possuem uma direção reconhecível, afeta tanto o público quanto os seus representantes, a sociedade e os partidos políticos. Aos primeiros lhes confere uma desconcertante imprevisibilidade. Os cidadãos têm fugido dos cenários da política convencional. A "democracia do público" adota a fluidez do eleitorado volúvel e imprevisível. Segundo a terminologia do marketing trata-se de um eleitorado menos fidelizado e mais volátil e intermitente. Ocorreu aquilo a que poderíamos perfeitamente chamar de liquidificação do corpo eleitoral, algo que, em outros momentos, seria uma matéria viscosa, estável e leal. Passamos do "corpo eleitoral" para o "mercado político", com todas as regras (ou ausência delas), todos os riscos e toda a imprevisibilidade inerentes ao mercado.

Em vez de eleitores, os partidos passaram a ter uma mistura de hooligans e clientes (em porcentagens variáveis). A dificuldade em identificá-los e em ganhar sua confiança tem a ver com o fato de suas exigências terem se tornado mais complexas e fragmentadas. Os indivíduos emitem sinais difusos que o sistema político não consegue identificar, assimilar e representar adequadamente. Por isso, os partidos têm dificuldade em ouvir os seus eleitores e entender, agregar ou processar as exigências deles. O eleitorado está menos diferenciado e introduz temas de convergência transversal, com demandas e expectativas menos transparentes e identificáveis. Poderia ser aplicado, com toda a propriedade, aquele caráter de "povo inencontrável" (Rosanvallon, 1998).

Por outro lado, a política perdeu sua essência ideológica e, simultaneamente, tornou-se personalizada. A personalização da decisão eleitoral está bem relacionada a esse mercado eleitoral amorfo e desprovido de ideologia. Tal como nas origens do parlamentarismo anterior à democracia de massas, não se vota em primeiro lugar num partido ou no seu programa, e sim na pessoa. Com a diferença de que então a confiança no representante resultava de uma relação mais ou menos pessoal e imediata, ao passo que agora é o produto de uma construção midiática da imagem.

A volatilidade dos eleitores, somada à aceleração dos processos de mudança social, afeta de igual modo os agentes políticos e os partidos. Se os eleitores são assim tão "infiéis", os partidos veem-se cada vez mais obrigados a adotar alguns compromissos ideológicos. Não digo isso para desculpar esses descumprimentos, mas antes para tentar compreender a que eles obedecem. Aquilo que explica que a ideia de programa eleitoral tenha se debilitado e que impere certo ocasionalismo das decisões e dos programas, suscetíveis tanto de acréscimos improvisados quanto de rápidos abandonos, é precisamente essa volatilidade geral do espaço público. Provavelmente, os programas eleitorais já não podem ser entendidos como a velha "programação", pelo menos a partir do momento em que a complexidade dentro da qual se tem de tomar decisões políticas se tornou muitíssimo maior, ou seja, quando as interdependências relevantes começaram a se multiplicar, consequentemente aumentando a imprevisibilidade. A racionalidade estratégica tornou-se particularmente difícil quando deixaram de se verificar as circunstâncias de estabilidade do mundo que a tornavam possível.

Um caso extremo dessa improvisação institucionalizada é a proliferação de "partidos instantâneos", que representam interesses desagregados e tentam responder com agilidade às exigências, muitas vezes contraditórias, de diferentes estados de opinião, os quais em outros momentos estavam articulados em torno da coerência de classe, por exemplo. Talvez encontremos aqui uma explicação para o êxito de certos movimentos sociais contemporâneos, como os partidos piratas em 2011, quando uma das suas dirigentes alemãs afirmava que não tinham "programa, mas procedimentos". E também por isso chamamos hoje às ideologias "sensibilidades" políticas, porque não nos atrevemos a utilizar outra denominação que faça referência a algo mais sólido e estável.

Enquanto isto ocorria, os partidos foram sofrendo uma transformação que os tem afastado da realidade social. Por um lado, a distância entre os cidadãos e os partidos aumentou, ao mesmo tempo que diminuíram as diferenças entre os partidos, com ambos os processos reforçando-se mutuamente e provocando uma indiferença da cidadania em relação ao mundo da política em geral. Por outro lado, já faz algum tempo que, na maioria das democracias, os partidos deixaram de ser organizações cuja sobrevivência depende dos recursos proporcionados pelos seus membros e passaram a depender do financiamento público, surgindo assim como agentes do Estado. Essa vinculação com o Estado consolidou-se também pelo fato de os partidos terem começado a dar prioridade ao seu papel como instrumentos de governo em detrimento da sua função representativa. Quem está na oposição tende a considerar que se encontra nesse lugar apenas de maneira provisória, porque aquilo que lhe é próprio é *office-seeking*; sua vocação é alcançar o poder, muito mais do que representar as pessoas.

Os partidos dedicam-se sobretudo a governar ou a esperar que chegue a sua vez de governar. O centro de gravidade desloca-se para as responsabilidades institucionais, os partidos passam a ser controlados a partir dos governos, e enfraquece-se a sua função de identificação e de representação dos interesses e das exigências sociais, as quais, muitas vezes são até incapazes de entender. "Os partidos reduziram a sua presença na sociedade mais vasta e converteram-se em parte do Estado. Tornaram-se atores que se dedicam a governar mais do que a representar. Proporcionam ordem mais do que voz [...]. O resultado é uma nova forma de democracia na qual os cidadãos ficam em casa e os partidos se dedicam a governar" (Mair, 1995, p. 97-98). A consequência disso é que muitas vezes a verdadeira oposição é feita pelos movimentos sociais e pelas manifestações que via de regra se situam à margem dos partidos convencionais.

O partido de massas do século XIX estava organizado segundo a matriz das burocracias públicas e como as fábricas centralizadas, inspiradas nessas duas grandes invenções da modernidade que foram a "fábrica fordista" e a "burocracia weberiana": produção estandardizada e formalização das funções. Em ambos os casos, tanto nas linhas de montagem quanto na organização burocrática, os processos de estandardização permitem dar um tratamento similar ao diverso, com a lógica do contentor. A fábrica e o partido foram os nossos grandes meios para obter uma produção estandardizada das coisas e para conseguir gerir, em série, os seres humanos.

As transformações de ambos os modos de organizar a realidade – empresarial e administrativa – não podiam deixar incólumes instituições como os partidos políticos, desenhados com uma lógica própria. O "pós-fordismo" sepultou o modelo burocrático weberiano em favor de outro, rápido, aberto, difuso e policêntrico; promoveu um novo paradigma socioprodutivo que já não se caracteriza pelos grandes processos de racionalização e centralização. As novas teorias da organização nos convidam a deixar um espaço para a desordem, sob a forma de irregularidade, diferença ou periferia, e a desconfiar da lógica do contentor, na qual tudo encaixa perfeitamente.

A questão é a sociedade e os grupos continuarem a se organizar sem lamentar que exista demasiada complexidade, muitas variáveis para controlar, excessiva subjetividade para esterilizar e intensa diferença irredutível a uma norma. O objetivo seria configurar sistemas abertos, mais parecidos com os organismos do que com os contentores, mais porosos do que fechados, em diálogo com tudo aquilo que os rodeia e não protegidos contra seu exterior.

O desafio que essas mudanças lançam às organizações políticas consiste em saber como atuar num ambiente onde vigora um novo estilo de comportamento. Esse novo estilo é caracterizado pela disseminação, pela autonomia e pela horizontalidade, além de uma mobilização que se orienta sobretudo para problemas específicos, preferencialmente em torno de ações pontuais, mais do que através de organizações burocráticas estáveis, como foram os partidos e os sindicatos (Inglehart, 1990).

Como será a paisagem depois da atual crise dos partidos? Para começar, o ambiente político se tornou mais complexo, com outras formas de representação dos interesses, redes de participação paralelas ou alternativas e atores ou agregações que complicaram o "jogo".

Nessas novas circunstâncias, o partido político não perdeu a razão de ser, o que diminuiu foi seu "capital político" que, como o capitalismo financeirizado de hoje, deixou de estar assegurado de forma estável e depende a todo o momento do fluxo de recursos que de vez em quando consegue captar, mas sem poder capitalizá-lo de uma vez por todas. Essa instabilidade obrigará as organizações políticas a desenvolver uma inteligência adaptativa e a recompor sua capacidade de representar e governar uma sociedade que se tornou mais exigente e que controla zelosamente suas delegações de autoridade.

b. Ambiguidades da desintermediação

A atual crise dos partidos só será superada quando houver partidos melhores. Jogar o bebê fora com a água suja do banho, como se costuma dizer, não seria uma boa solução, além de a experiência já ter nos ensinado que ainda pior que um sistema com partidos ruins é um sistema sem partidos; aqueles que lamentam o seu caráter oligárquico terão mais motivos para se queixar caso os partidos percam sua força a ponto de se tornarem incapazes de atender às expectativas de representação, orientação, participação e configuração da vontade política que deles se espera nas democracias constitucionais.

Digo isso como um convite a explorar as possibilidades de desinterme-diação que temos pela frente – as expectativas suscitadas pelas redes sociais, a realização de eleições primárias ou a renovação proveniente dos movimentos sociais, por exemplo –, mas sem alimentar ilusões demais quanto a elas.

Quanto ao primeiro, podemos afirmar que as novas organizações polí-ticas surgidas com o impulso da instantaneidade e da horizontalidade das redes sociais tiveram um resultado que ficou muito aquém das expectativas suscitadas. É verdade que a rede confere uma capacidade inédita de conectar a todos de forma imediata, aproxima aquilo que tinha sido separado (como os representantes e os representados), permite a observação e o controle, sem necessidade de mediação organizativa, como os partidos. É algo parecido com o que a invenção da imprensa representou para a reforma protestante: tornava tecnicamente possível o "livre exame" sem a mediação eclesiástica. A internet permite o acesso de todos os cidadãos ao processo de tomada de decisão, fazendo parecer inútil a intervenção do partido. Ora, converter esse imediatismo no único registro democrático tende a desvalorizar outros elementos centrais da vida democrática, como a deliberação ou a organiza-ção. O momento da tomada de decisão é importante, mas requer espaços e procedimentos de deliberação cuja importância desconhecem aqueles que parecem olhar para a democracia como uma soma de consultas eleitorais.

Como aconteceu com Margaret Thatcher – que enfraqueceu o Estado e fortaleceu a si mesma –, em alguns movimentos políticos surgidos com base nas redes sociais, sem estrutura nem regulamentos nem programa, a autoridade é exercida muitas vezes de maneira mais despótica do que nos partidos tradicionais, já que a suposta flexibilidade permite uma adoção de decisões menos limitada pelos direitos dos afiliados, pelas comissões de garantias e pela referência a um corpo de doutrina ou programa estável.

O destino do movimento italiano 5 Estrelas[4] é um caso que ilustra bem a ambiguidade digital. Numa organização tão desorganizada, quem garante os direitos dos seus membros ou quem é que se responsabiliza pelos resultados? Como dizia Robert Michels (1911) no início do século XX, num célebre ensaio sobre a sociologia dos partidos políticos, a organização é a arma dos fracos contra o poder dos fortes.

O que dizer, em segundo lugar, das primárias e outros procedimentos similares mediante os quais a democratização interna é vista como o melhor meio para recuperar a confiança dos eleitores? Para começar, é um recurso interessante que introduz um elemento de imprevisibilidade na vida dos partidos, mas que, na minha opinião, não deveria ser imposto por lei, entre outras razões, porque os partidos que não conseguirem mobilizar seus eleitores acabarão sempre, de algum modo, por sofrer as consequências. Mas também tem a sua ambivalência: permite aos partidos gerar um simulacro de democracia no exterior, enquanto mantêm uma vida interna empobrecida, externalizando a participação num momento concreto e em torno de uma eleição de pessoas, resolvida frequentemente com uma lógica mais midiática do que política.

Deveríamos esperar menos ainda dos movimentos sociais o que estes não nos podem dar. Não digo isso para diminuir nossas expectativas em relação a eles, e sim justamente para que as mantenhamos bem altas. Aquilo que os movimentos sociais podem nos dar é algo mais radical do que aquilo que os partidos políticos nos proporcionam, os quais, de resto, não conseguem substituir. Como disse Michael Walzer (2012), os partidos se dedicam a coletar votos, e os movimentos sociais, a modificar os termos dessa coleta.

---

4 Referência ao Movimento 5 Stelle ou M5S (Movimento 5 Estrelas), fundado em 2009 sob a liderança do comediante Beppe Grillo e autodefinido como um não partido que pretendia estabelecer uma democracia direta a partir da internet. (N. do T.)

As duas coisas não se dão muito bem, mas dessa tensão podemos esperar uma revitalização maior da nossa política extenuada do que dessa mistura fatal de fórmulas mágicas, propostas populistas e lugares-comuns.

c. Os partidos depois do fim dos partidos

Comparar Grillo com Thatcher não é, de minha parte, um recurso retórico nem uma maledicência. Corresponde a uma coincidência objetiva que sempre me pareceu muito suspeita entre aqueles que querem desregular o espaço político a partir da esquerda digital e aqueles que, posicionando-se na extrema direita, impulsionam essa desregulação da esfera pública porque acreditam que, desse modo, determinadas exigências sociais e políticas relativas à justiça ou ao Estado-providência acabarão afundando. A tripla aliança entre partidos políticos ineficazes, esquerda com escasso sentido de realidade e direita que a conhece bem demais é uma conspiração não declarada que ameaça a nossa vida democrática mais do que qualquer outra disfuncionalidade. Entre uns e outros, é bem possível que o conjunto de valores nos quais se assentam as sociedades democráticas e igualitárias saiam enfraquecidos; no fundo, isso é o que deveria nos preocupar, e não tanto o futuro concreto das nossas organizações políticas.

O que acabou e o que ainda não acabou nesta época em que se tornou tão frequente declarar o fim dos partidos? O que acabou foi o controle monopolístico do espaço público pelos partidos políticos, mas o que não acabou, em absoluto, foi a necessidade de instâncias de mediação, por meio das quais se formam a vontade política e o antagonismo que servem de base para as decisões coletivas. Uma coisa são os partidos e os sindicatos terem de renovar-se profundamente e outra são que as conquistas sociais e de participação cidadã poderem ser asseguradas sem organizações como partidos e sindicatos. As críticas que costumam ser dirigidas a eles têm uma parcela de razão e outra de desconhecimento acerca de suas funções. Enquanto se critica o fato de os partidos e os sindicatos estabelecerem um filtro e uma mediação que habitualmente falsificam a realidade, na sociedade civil há desequilíbrios de poder nos grupos que competem pelos centros de decisão que poderiam ser ainda mais desfavoráveis para os fracos se tivéssemos um espaço político ainda mais desregulado.

Está claro que as instituições que, como os partidos, estabelecem mediações e articulam o jogo político, geram muitas desigualdades que não são corrigidas, deixando esse espaço político sem qualquer mediação. Façam melhor ou pior, a prática democrática não parece possível sem instituições que realizem esse tipo de função de filtro, seleção e garantia; pelo menos, qualquer alternativa de desestruturação do campo político acabaria por ser muito pior.

Os partidos, embora nem sempre o façam bem, tentam assegurar que a influência dos cidadãos não seja dispersa, episódica ou desigual. Manin não exagera quando interpreta a passagem de uma democracia de partidos para outra de audiências como uma diminuição da soberania popular, contrariamente àquilo que, em princípio, poderia parecer (Manin, 1997, p. 233). Ao votarem em partidos, as pessoas emitem um juízo sobre a política futura, em torno de um programa ideológico, e não se limitam a expressar a sua confiança numa pessoa, como acontecia nas origens do governo representativo e como sucede agora nas democracias plesbicitárias, nas quais a imagem do candidato encarna, ou melhor oculta, as políticas que exercerá caso seja eleito.

Os partidos são essenciais para esclarecer as opções que estão à disposição dos eleitores; servem para formar o pessoal político, selecionar os candidatos, gerir a circulação da classe política pelas instituições e controlar os eleitos mantendo-os vinculados às promessas feitas aos eleitores. Graças aos partidos, os cidadãos podem votar num programa político que tende a estar associado a uma linha de ideias identificável. A confiança nos candidatos sustenta-se geralmente numa identificação com as ideias políticas do partido que representam. Chamar atenção para essas vantagens dos partidos vai de encontro a uma corrente crítica que se estabeleceu, praticamente sem matizes, como o politicamente correto.

Uma das críticas mais recorrentes dirigidas contra os partidos descreve-os como instrumentos para reforçar o poder dos políticos. Dá-se a entender que, caso os membros do Parlamento fossem completamente independentes poderiam representar melhor seus eleitores, o que está longe de ser evidente. Essa foi a célebre argumentação do político conservador Edmund Burke em finais do século XVIII, que consistia numa concepção sobretudo aristocrática da representação (1987, p. 156). O resultado disso seria aumentar a confusão dos cidadãos, a falta de direção do governo e a fragilidade de todo o sistema político face às pressões populistas ou dos meios de comunicação. Embora em muitas ocasiões não o faça bem, o partido serve para controlar os eleitos. Sem partidos políticos, os eleitos formariam uma casta ainda mais forte do que agora e seriam menos controláveis.

O que acabou foi o partido contentor, mas não a ideia de uma organização política que contribua para tornar inteligível o mundo, que oriente as decisões dos cidadãos, que possa oferecer canais de participação política e articule o controle cívico sobre seus representantes. É óbvio que os partidos atuais estão muito longe de cumprir satisfatoriamente tais expectativas; depois da crise dos partidos, estamos numa encruzilhada: ou criamos partidos melhores ou ingressamos num espaço amorfo cujo território será ocupado por tecnocratas e populistas, definindo-se assim um novo campo de batalha que seria ainda pior do que o atual.

CAPÍTULO 3
POLÍTICAS DO RECONHECIMENTO

Se o que considerávamos imutável muda, como o clima, o preço do dinheiro ou as convicções de alguns políticos, deixou de haver motivo para nos surpreendermos com a transformação de nosso cenário político ou para continuarmos presos a esquemas interpretativos que nos parecem mais familiares. Entre nossos plácidos lugares-comuns está aquele a que alguns chamaram de "o consenso social-democrático", o qual enquadrava os antagonismos sociais num esquema de esquerda e direita, com determinadas identificações de classe e seus correspondentes conflitos, e que chegaram a ser geridos com alguma eficácia nos compromissos que deram lugar ao Estado-providência.

Há algum tempo, porém, em todos os âmbitos – do doméstico ao local e até em plano internacional –, tem-se afirmado um novo eixo relacionado à identidade, em torno da qual surgem novos tipos de revoltas sociais e a partir da qual se articulam os projetos coletivos. Novos temas irrompem na agenda política e se sobrepõem à tradicional polarização ideológica.

O campo do jogo político se encheu de vozes diferentes, e novos atores aspiram a ter os mesmos direitos que os protagonistas credenciados. Entre eles estão as mulheres, as minorias étnicas, as sexualidades diversas, as línguas minoritárias...

O panorama complica-se certamente, o que muitos lamentarão. No entanto, esta é também uma ocasião para ajustarmos nossos critérios de justiça e de representação. Surgiu um novo espaço de atores e temas que colocou em evidência a coincidência entre a política institucionalizada e a sociedade real, seja impugnando nossos sistemas de representação, a suposta coincidência entre a identidade nacional e a autoridade política ou a insuficiência da governança mundial em seu atual formato.

a. Da redistribuição ao reconhecimento

Diversos estudiosos sugeriram que essa transformação do panorama político pode ser entendida ao se recorrer à ideia de reconhecimento. Axel Honneth (1992), Charles Taylor (1995) ou Nancy Fraser (2002) partilham com muitos outros a tese de que os conflitos se deslocaram das esferas da classe social, da igualdade e da economia para o espaço da identidade, da diferença e da cultura. Criou-se uma nova constelação na qual o problema da redistribuição – que ao longo dos séculos XIX e XX foi o grande cavalo de batalha – foi ofuscado pelos problemas associados ao reconhecimento.

Tudo isso ocorre numa época, como dizia Anthony Giddens, que se estabelece mais na diferença do que na emancipação; indivíduos e culturas procuram fundamentalmente expressar sua diferença e vê-la reconhecida no espaço público. "A diferença parece ter substituído a desigualdade como tema central da teoria social e política. A grande questão agora é como alcançar a igualdade reconhecendo a diferença, mais do que saber como é que se pode eliminar a desigualdade" (Phillips, 1997, p. 143). Em consonância com esse conjunto de transformações sociais, produziu-se uma "mudança de paradigma" no seio das teorias da justiça, que enunciam uma interpretação não utilitarista das lutas sociais (Ricoeur, 2004; Renault, 2000; Williams, 1991; Young, 1990).

A "luta pelo reconhecimento" converteu-se, desde o final do século XX, na forma paradigmática do conflito político e social. As reivindicações que procuram o reconhecimento de uma diferença (de nacionalidade, cultura, gênero, tendência sexual) estão hoje na origem de muitos conflitos por quase todo o mundo – provavelmente dos mais difíceis de gerir –, para os quais as receitas do conhecido compromisso social não servem. Alguns autores têm falado em "conflitos pós-socialistas", nos quais uma identidade coletiva substitui os interesses de classe como lugares de mobilização política e a injustiça fundamental já não é a exploração, e sim a dominação cultural e política (Fraser, 1995, p. 212). Muitos deles são conflitos que não têm origem apenas no poder ou na economia, mas antes em experiências morais, concretamente em expectativas de reconhecimento enraizadas de maneira profunda em cada um de nós. O reconhecimento é sentido principalmente quando está ausente, sob as modalidades da humilhação e da imposição que é exercida sobre gêneros, raças, sexualidades e nacionalidades subjugadas.

De tudo isso resultou um novo cenário político, desestruturado e complexo, no qual não é fácil agir com as antigas categorias de análise. Lamentar essa nova agenda política é uma queixa pouco profícua para enfrentar os novos problemas, mas pior ainda é oferecer soluções inadequadas, como tratar as questões de reconhecimento como assuntos econômicos ou interpretar as novas guerras como conflitos territoriais.

Na discussão em torno dessa mudança de paradigma há quem insista em continuar defendendo a centralidade da redistribuição (Rorty, 1998; Gitlin, 1995), considerando que a política da identidade serve apenas para nos desviar dos verdadeiros problemas e que ela conduz a uma fragmentação da sociedade e à recusa das normas morais universalistas. É verdade que o paradigma do reconhecimento não invalida os problemas de redistribuição. Com efeito, todas as coordenadas da opressão na vida real são mistas; aqueles culturalmente excluídos costumam ser, também, economicamente desfavorecidos. Além disso, não existem zonas puramente econômicas ou espaços exclusivamente culturais; qualquer prática social é ao mesmo tempo econômica e cultural, embora não necessariamente na mesma proporção (Fraser, 2003, p. 63). É muito provável que o mais adequado seja afirmar que a justiça deve hoje ser pensada, ao mesmo tempo, como redistribuição e como reconhecimento.

Apesar de todos os matizes que devem ser levados em conta, parece não haver dúvida de que, atualmente, as maiores concentrações de conflito têm a ver com aquilo que poderíamos caracterizar como sendo da ordem do sentimental, se o termo não fosse tão utilizado como sinônimo de irrealidade. A crescente psicologização dos conflitos indica que vivemos num mundo irritável, desde os níveis mais domésticos até a cena internacional. Em todo lugar podemos ver que o velho combate pela redistribuição está sendo substituído, pelo menos parcialmente, por um conflito que envolve honra e ofensa, e que é travado no plano das representações e dos símbolos.

A explicação para muitos dos acontecimentos atuais reside sobretudo em sentimentos como a ira, mais do que num antagonismo ideologicamente organizado (Sloterdijk, 2006). É o que Ross (2001, p. 157) chamou de "dramas psicoculturais". Assim engana-se quem acha que isso não se aplica ao chamado terrorismo internacional, que está ligado ao poder e ao território e não ao reconhecimento ou ao ódio do humilhado (e começo a acreditar que boa parte da "guerra ao terror" já serve somente para acalmar um desequilíbrio emocional... devastando todo o resto pelo caminho). Quando o espaço não limitado se unifica a ponto de tudo se converter em zona de fronteira, para utilizar a fórmula de Bauman, então o mundo inteiro torna-se zona irritável. Globalizou-se o poder, o dinheiro, a comunicação e o meio ambiente, sim, mas também o ultraje: qualquer pessoa pode ofender e ser ofendida; também o desprezo se deslocalizou e a verdadeira Bolsa é a que cotiza a estima e o reconhecimento.

Como tudo o que diz respeito ao ser humano, esta situação é ambivalente. Ao introduzir a questão da identidade, amplia-se o catálogo dos direitos, avança-se na igualdade, atende-se as vítimas, pode-se aprofundar o pluralismo e garantir o respeito que merecemos. Entretanto, também desencadeiam-se a histeria e a vitimização. Um dos problemas mais importantes que enfrentamos é precisamente o da psicologização das vítimas ou das humilhações pouco razoáveis; essa "nova forma de 'consciência infeliz' sob a capa de um sentimento incurável de vitimização ou de uma infatigável postulação dos ideais inalcançáveis" (Ricoeur, 2004, p. 316; Fraser/Honneth, 2003). Embora seja verdade que os conflitos não podem ser abordados corretamente se não levarmos em conta a autorrepresentação do outro, também é verdade que se o critério definitivo fosse a forma como cada um se sente, tudo se reduziria a um sentimento subjetivo a partir do qual não faria sentido desenvolver uma gramática dos bens comuns. Ao mesmo tempo, não deveríamos subestimar os perigos de uma política da identidade que, muitas vezes, tem como efeito a imposição de uma identidade de grupo única, consideravelmente simplificada, que nega a complexidade das existências individuais, a multiplicidade de suas identificações e a dinâmica cruzada de suas diferentes afiliações.

Sem dúvida, esse panorama exige um novo tipo de liderança, mais psicológica e sensível a outras formas de exclusão. Não teremos outro remédio senão aprender a viver nessa confusão dos significados e a gerir os novos conflitos com maior cuidado e diplomacia, atendendo mais à sua dimensão psicológica do que às variáveis que poderíamos chamar de objetivas. A diplomacia, essa forma de cortesia política, parece converter-se na linguagem mais apropriada para a "sociedade mundial". Essa situação exige ainda um modo de governar mais sensível à participação e à cooperação. E será necessário combater as causas de que se alimentam, com ou sem razão, esses sentimentos. Há muita discriminação, desigualdade e hegemonia no nosso mundo para se pensar que tudo se deve a um excesso de suscetibilidade.

b. O "quem" também é importante

Poderíamos explicar o nosso desconcerto diante desses novos conflitos com o fato de, absorvidos pelo "quê" da justiça, termos adiado o debate acerca do "quem" (Nancy Fraser). É como se tivéssemos descoberto que o "quem" também importa e que a questão do sujeito se situa no centro das nossas controvérsias. Não é indiferente quem faz: que os homens representem as mulheres, que nos Estados compostos o interesse geral seja definido a partir do centro, que uma potência hegemônica se encarregue de pôr ordem no mundo... Os críticos da paridade, os jacobinos e os unilateralistas concordam em considerar que a questão do "quem" é secundária, sendo inclusive inegociável. G.K. Chesterton já tinha alertado contra essa usurpação quando afirmou que há três coisas que cada um deve fazer por si próprio mesmo que se engane: escolher a própria mulher, limpar o nariz e decidir em política. Que a questão do sujeito, do "quem", volte ao primeiro plano quer dizer que teremos certamente de ajustar nossos procedimentos de representação, participação, delegação e decisão à realidade de um pluralismo crescente, a um mundo heterárquico[5] e com novos atores.

Talvez esteja mudando, senão a noção, pelo menos a ênfase que colocamos na nossa concepção de igualdade e de justiça. O paradigma do reconhecimento chama atenção para a exigência de se partilhar verdadeiramente o protagonismo; a sua ideia de igualdade aponta para a paridade de participação ou codecisão. O reconhecimento consiste fundamentalmente em respeitar a capacidade de cada um para participar dos processos nos quais são determinadas as condições em que vivemos (Taylor, 1995). O que está em jogo

---

5 O neologismo "heterárquico" refere-se à coexistência de diferentes hierarquias, que tanto podem ser sucessivas quanto simultâneas, ou seja, diz respeito à interdependência entre níveis e subsistemas diferentes, no interior dos quais decorrem, simultaneamente, vários processos. Além disso, numa heterarquia, as relações entre os vários níveis do sistema não são do tipo "chefe-subordinado", o que não impede que os subsistemas mais complexos possam determinar aqueles de menor complexidade, ou seja, a hierarquia pode coexistir no seu interior. Seja como for, nas heterarquias não existe um subsistema que controle todos os outros, pois todos se influenciam mutuamente, e a base é a descentralização, regida por diferentes interesses particulares. (N. do T.)

aqui é uma ideia de liberdade que não diz respeito apenas à proteção face às interferências, mas também à oportunidade, legalmente assegurada, de participar do processo público de formação da vontade política (Honneth, 1992). Reconhecer alguém implica facilitar a sua participação na deliberação democrática. A responsabilidade dos Estados não se limita à tarefa de garantir as liberdades pessoais, deve passar também por proporcionar aos seus cidadãos a possibilidade de configurar as leis que protegem sua liberdade.

Afirmar que o "quem" importa significa, de outro ponto de vista, que determinadas formas de sublimação da titularidade (neutralidade, cosmopolitismo) não passam de uma solução trapaceira para que nada mude substancialmente, para que o "quê" continue em primeiro plano e se reproduzam as formas de dominação. O "esperanto procedimental" (Tully, 1995, p. 7) oculta relações de poder, do mesmo modo que o "patriotismo constitucional" serve em determinadas ocasiões para colar, ao lado de um conjunto de princípios democráticos, alguma vantagem inconfessável para quem tem mais facilidades em configurar uma maioria. Como Kymlicka (1995, p. 108) pôs em evidência, a pretensão de neutralidade é duvidosa, pois as normas comuns não surgem de um vazio histórico e cultural, antes têm uma origem que geralmente se confunde com os atributos culturais da maioria. Questões relacionadas a símbolos, fronteiras internas ou língua costumam ser decididas privilegiando-se uns em detrimento de outros. Não raro, impõe-se uma interpretação parcial da ideia de igualdade e não discriminação (Requejo, 1999).

É que, de fato, a representação da humanidade em termos de identidade indiferenciada não é real e costuma esconder várias hegemonias, discriminações e relações de poder. "Existe a diferença e existe o poder. E quem tem o poder decide o significado da diferença" (Jordan, 1994, p. 197). Há uma identidade velada no centro da política liberal, na qual as outras identidades só podem comparecer enquanto outras. Só existe espaço para duas entidades: o cidadão normal e o outro (Hekman, 2004, p. 58). A tolerância, assim entendida, também é uma forma de poder. O "cidadão normal", esse que não é nacionalista nem tem identidade, gênero ou cor de pele, vive numa hierarquia em que alguns são mais cidadãos do que outros, em que muitas vezes a imparcialidade não é mais do que a parcialidade do grupo hegemônico. A ordem constitucional supostamente neutral esconde, com frequência, uma "indiferença cultural fingida" (Tully, 1995, p. 191) que reforça a cultura dominante face às demais.

No fundo, aquilo que deve ser criticado no liberalismo clássico é o fato de não ter sido fiel ao princípio da igualdade entre os indivíduos; não ter compreendido que a fidelidade a este princípio exigia completá-lo com um princípio de igualização entre os grupos, as culturas e os territórios. Se a única coisa que se defende é a igualdade entre os indivíduos, então estamos deixando entre parêntesis o fato de que certos indivíduos são penalizados em decorrência de seu pertencimento a um grupo. São os mesmos princípios de neutralidade e universalidade que nos obrigam a rever o modo como temos pensado, até agora, o espaço público.

Em outras palavras, numa analogia proposta por Michael Walzer (1982): que o Estado ou a ordem constitucional se separe da nacionalidade, do mesmo modo que conseguiu se separar da religião após os conflitos inter-religiosos que marcaram o começo da modernidade, e corrija assim os prejuízos causados pelo privilégio concedido a uma identidade que se supunha homogênea. Esse é um dos motivos pelos quais, muitas vezes, pode ser necessário corrigir a representação; não para que ela reflita, como um espelho, a sociedade, e sim para evitar a dominação histórica de certos grupos por outros quando a teórica igualdade de condições não é suficiente para que haja participação efetiva de todos.

O melhor modo de defender o universal é recusando que ele seja monopolizado por quem quer que seja e desconfiar profundamente daqueles que julgam ter uma relação privilegiada com os valores universais ou se consideram em condições de dispensar a justificação do verdadeiramente público e comum. Não há pior particularista do que aquele que é incapaz de reconhecer a própria particularidade: os homens sem gênero, os Estados que desfrutam do monopólio das boas intenções, as religiões que administram a lei natural, os vigilantes do mundo sem necessidades petrolíferas.

O universalismo é uma aspiração de todos, não uma propriedade de alguns, um horizonte que temos de construir entre todos e que ninguém pode, privilegiadamente, administrar.

O único procedimento, tendo em vista a configuração do comum, implica levar a sério o pluralismo das nossas sociedades, mais diversas do que aquilo que costumamos supor, bem como o pluralismo da sociedade mundial, em que novos atores discutem velhas hegemonias com uma aspiração cada vez maior de multilateralidade, e em que o destino comum da humanidade não pode ser concebido sem a presença das sociedades que reivindicam outras trajetórias distintas da ocidental. A unidade de combates aparentemente tão diferentes como os do gênero, da plurinacionalidade ou do multilateralismo reside precisamente no ideal de reconhecimento, ou seja, na exigência de serem respeitados como sujeitos capazes de tomar decisões e de verificar, em consequência, nossos procedimentos de representação e participação.

c. Uma nova equidade

Muitos são os fatores que parecem dar razão àqueles que defendem que a política já não é o que era. Entre os mais provocadores, os que mais reclamam outra forma de pensar e fazer a política, costumam figurar as matérias que dávamos por garantidas e que reaparecem desafiando a nossa cômoda normalidade. Não há nada que cause mais perplexidade do que a persistência das questões que se referem à identidade e que surgem vinculadas às novas exigências de reconhecimento e equidade. Aos que ficam irritados com esse ressurgimento e que desejariam que a agenda política fosse outra, seria benéfico que soubessem que, no fundo, as coisas foram sempre assim e que não há motivos para pensar que algum dia deixaremos definitivamente de discutir sobre assuntos como quem somos, quem decide e como decidir, quem é que deixamos de fora, ou se a ideia de igualdade com a qual funcionamos ainda é válida.

Era disso que se tratavam, ao longo dos séculos XIX e XX, a luta contra a discriminação racial, o combate pelos direitos sociais e as exigências de igualdade de gênero numa sociedade que não entendia essas exclusões, na qual se acreditava, por causa da cegueira dos costumes ou do interesse em manter a dominação, que todos votavam ou tinham as mesmas oportunidades. Cada um desses descobrimentos, fossem eles resultado de debates pacíficos ou de conquistas dolorosas, derrubava outros modelos de identidade, decisão e integração social, e reformulava-os de acordo com uma ideia de igualdade mais complexa e equilibrada.

Atualmente, ainda há quem julgue supérflua a paridade de gênero ou a ampliação dos direitos, do mesmo modo que os liberais do século XIX consideravam desnecessária a formulação expressa de direitos sociais.

As novas reivindicações de autogoverno, os problemas colocados pela imigração, as exigências no sentido de se reformar os organismos internacionais de modo a tornar efetiva a multilateralidade são temas que, com toda a sua heterogeneidade, voltam a formular aquela velha pergunta que procura saber se os que estão inclui todo mundo. São questões que podemos resolver bem ou mal, mas que é preciso identificar corretamente enquanto expressão de uma crise que afeta os procedimentos de integração próprios do Estado nacional clássico e os instrumentos de governança mundial. Correspondem, no fundo, ao esgotamento de um modelo de integração que foi configurado de acordo com os princípios da neutralidade, homogeneidade e igualdade abstrata, mas que frequentemente consagrava situações de hegemonia. E exigem-nos que voltemos a abrir o dossiê do pluralismo cultural e político.

O que acabou foi o projeto que visava igualar as condições, deixando sistematicamente entre parêntesis todo tipo de diferenças. A distinção tradicional entre o público e o privado pretendia configurar um espaço coletivo que funcionava graças ao fato de os indivíduos renunciarem à sua identidade, por meio da abstração pública da identidade. Tratava-se de um modelo baseado no preconceito que nos levava a pensar que, para constituir o outro como um igual, tínhamos necessariamente de fazer tábua rasa daquilo que nos distingue do que consideramos semelhante. Houve quem tivesse denominado esse modelo como uma "política da indiferença" (Kukathas, 1998, p. 691). O modelo liberal ou republicano funciona com a expectativa de transcender as diferenças, mais do que para proporcionar ocasiões para o seu reconhecimento, expressão e entrelaçamento. Como afirma Taylor (1995, p. 248), estamos falando de um modelo que não sabe acolher a diferença. O procedimento de supressão das diferenças foi, sem dúvida, um fator de progresso na ruptura com a sociedade do Antigo Regime, estruturada com base em disposições hierárquicas e na distribuição de privilégios. Há um momento de abstração das diferenças que se torna indispensável para pensarmos como semelhantes, por cima e à margem de todo o contexto. O problema, porém, é saber se esse procedimento está em condições de gerir o pluralismo das sociedades contemporâneas.

Hoje não se pode exigir assimilação e conformidade em troca do reconhecimento da condição de plena cidadania. Na minha opinião, esse modelo deve ser completado ou transformado de modo a fazer frente aos desafios colocados pelo novo pluralismo em matéria de integração social e política, de reconhecimento e articulação dos equilíbrios territoriais e mundiais. O grande desafio do mundo atual consiste em saber como articular a convivência em sociedades profundamente plurais, evitando ao mesmo tempo o modelo comunitarista e o modelo da privatização das identidades.

Que a ideia de igualdade abstrata não rende é algo que se percebe pela sua escassa capacidade de integração, cada vez mais patente. A adesão a princípios jurídicos e políticos não basta para assegurar a coesão do vínculo social e para criar as condições de um pertencimento comum ou de uma cidadania partilhada. A experiência histórica nos ensina teimosamente que, quando a construção do Estado é feita com base na ideia de que, para se avançar no sentido do comum, é necessário situar-se radicalmente além das diferenças, o resultado é que as diferenças são expulsas da esfera pública e o próprio se afirma diante do comum. Mais cedo ou mais tarde, a negação pública daquilo que nos diferencia acaba por ser entendida como uma forma de exclusão, especialmente por parte daqueles que sentem como uma desigualdade o lugar que é reservado a eles na circulação das oportunidades sociais ou na repartição do poder.

Nos últimos tempos, as reivindicações de equidade sofreram uma virada imprevista e exigem uma nova formulação da igualdade que poderia ser sintetizada assim: é preciso voltar a valorizar as diferenças para avançar na lógica da igualdade como sublinhou Alain Renaut (Renaut/Touraine, 2005). A dinâmica da democratização que exige radicalizar a igualdade é a mesma que nos leva a entender a identidade como política e diferenciada cultural-mente. O importante aqui seria procurar um modelo de igualdade que fosse realizável em meio à diferença reconhecida. Se quisermos reconhecer em pé de igualdade as diferenças reais, por exemplo, entre homens e mulheres, entre membros de grupos culturais que afirmam suas respectivas identidades, entre comunidades com aparições distintas de autogoverno ou entre os Estados que aspiram legitimamente a ter um maior protagonismo na governança mundial, não podemos colocá-las entre parêntesis. São diferenças que têm de ser reconhecidas em igualdade, certamente, mas enquanto diferenças. Os imigrantes, as mulheres, as diversas minorias, as comunidades que reclamam um maior autogoverno não exigem privilégios, mas que o Estado cumpra efetivamente suas promessas de neutralidade.

Como assinalava Alain Touraine, falar de uma oposição entre direitos individuais e direitos coletivos das comunidades será, em pouco tempo, tão absurdo quanto a oposição que há um século alguns estabeleciam entre direitos sociais e democracia burguesa (Renaut/Touraine 2005, p. 48). Encontramo--nos numa situação que pode ser entendida por analogia com a exigência socialista de completar as liberdades formais com direitos materiais para torná-las verdadeiramente operativas. As liberdades individuais não podem ser asseguradas sem respeitar a pluralidade cultural. Os direitos individuais são insuficientes para representar equitativamente as diferenças (Kymlicka, 1995, p. 132). Um exemplo claro disso é o reconhecimento dos direitos civis que a comunidade afro-americana conseguiu obter, mas que se torna insuficiente sem políticas públicas orientadas para corrigir efetivamente a desigualdade.

Ao mesmo tempo, as doutrinas tradicionais dos direitos humanos não dão qualquer resposta a determinados problemas. Por exemplo, o direito da liberdade de expressão não diz nada sobre que política linguística se adapta a uma situação de coexistência entre diversas línguas num mesmo espaço social; o direito de voto não nos esclarece a questão de saber quais devem ser, por exemplo, as circunscrições eleitorais. O direito de ir e vir não nos oferece nenhum critério para determinar qual política de imigração deve ser aplicada. Para isso são necessários outro critério e outro modelo, ou uma correção do anterior.

Estamos diante de uma transformação da política exigida pelo aprofundamento do pluralismo social. No mundo contemporâneo, um grande deslocamento deve ser levado em conta quando se pretende configurar realidades tão valiosas quanto o mundo comum, o público ou a laicidade, com o objetivo de nelas integrar as diferenças e não simplesmente neutralizá-las; não se trata de erradicá-las, e sim de reconhecê-las num regime de igualdade. Nosso maior desafio consiste em integrar os indivíduos não por intermédio da privatização dos seus pertences, mas pelo reconhecimento público da sua identidade diferenciada – tanto do ponto de vista do gênero quanto do prisma da sua dimensão cultural ou da sua identificação com uma determinada comunidade política. Esse é o grande dilema que enfrentamos, essa é a questão que nos anos vindouros vai exigir maiores esforços de imaginação e criatividade política: avançar na extensão dos direitos completando a passagem do universalismo abstrato dos direitos políticos para o universalismo concreto dos direitos sociais e culturais.

Aos que continuam a preferir, por exemplo, um mundo governado pelos homens ou a quem lhes parecer mais sensato que estivéssemos formatados pelas culturas "mais universais" ou que encarregássemos a uma superpotência a vigilância sobre o mundo àqueles que preferem as soluções mais fáceis e que evitam lidar com todas as incômodas consequências do crescente pluralismo social, cultural e político, seria bom lembrar aquela antiga anedota inglesa na qual uma pessoa pergunta "Como é que se vai até Biddicombe?", ao que outro responde: "Se eu fosse você não partiria daqui." Quem se sentir sobrecarregado pela tarefa pode, se isso o consolar, atirar a culpa de tão incômoda agenda aos imigrantes, às mulheres ou aos Estados não alinhados, pode recitar o receituário tradicional da soberania, que a tarefa continuará a aguardá-lo com toda a sua complexidade.

CAPÍTULO 4
DIREITO A DECIDIR?

Um dos sintomas da nossa confusão política torna-se evidente no fato de não conseguirmos entrar em acordo acerca do âmbito em que devem ser tomadas as decisões: partidários da subsidiariedade, estatistas, constitucionalistas, federalistas, secessionistas, internacionalistas, todos fazem apelo a um princípio democrático, e é precisamente esse apelo democrático que torna especialmente inviáveis tais discussões.

Esse questionamento está presente no seio dos Estados e em nível internacional no que se refere à governança mundial. Se fossem meras questões de método e eficácia... Mas não, as próprias posições são defendidas como mais democráticas e, inclusive, como as únicas democráticas – algumas das quais gostaria agora de pôr em questão. Talvez isso nos sirva não para solucionar o problema, mas para ver onde é que ele está, o que costuma ser metade da solução.

a. Quem decide o quê?

Um presidente do Parlamento alemão, propenso a fazer coincidir o destino de suas visitas oficiais com países onde havia algo para caçar, teve uma experiência desconcertante na antiga colônia alemã do Togo. Enquanto era conduzido do aeroporto para a cidade, a multidão exclamava algo cujo significado o intrigava. O seu anfitrião explicou-lhe então que o grito "uhuru" significava "independência", o que o hóspede não conseguia entender pois o Togo já era um país independente. "Sim, mas isso foi há muito tempo e as pessoas se acostumaram a isso", esclareceu o presidente do país.

O mundo deu bastantes voltas nos últimos anos, mas muitos continuam a entoar seu grito particular como se não tivesse acontecido nada. Conceitos como soberania, moldura constitucional, integridade territorial ou autodeterminação precisam ser repensados – isto se não quisermos oferecer o mesmo espetáculo que deixava assombrado o visitante alemão. As sociedades se tornaram mais plurais em seu interior e as aspirações de autogoverno das nações são um tanto persistentes; ao mesmo tempo, o contexto de interdependências torna inútil o conceito de soberania ou âmbito exclusivo de decisão. Estamos vivendo um momento de profundas transformações na história da humanidade, no qual certas formas de organização da vida em comum estão se tornando obsoletas a uma velocidade maior do que a nossa capacidade de inventar outras novas.

O debate em torno dessa questão está cheio de recriminações e incoerências; prefere-se o slogan ao conceito porque assim se assegura uma vantagem que confere à própria posição a superioridade de uma evidência incontestável. Quem pode pôr em risco o direito democrático de decidir o nosso futuro? Pode-se não qualificar de desafio soberanista qualquer iniciativa que se coloque à margem do atual ordenamento constitucional (embora essa constituição não preveja nenhuma via para a modificação do ator político que a sustenta)?

As posições asseguradas dessa forma se traduzem em procedimentos que impedem qualquer solução porque predeterminam o resultado da batalha. Não há maneira de canalizar politicamente a discussão se "somos um povo" (apesar de nem todos se sentirem assim ou de muitos desejarem legitimamente ligar o seu destino ao de outros) ou se essa questão foi resolvida por uma determinada moldura constitucional (que distribui maiorias e minorias de modo a tornar impossível a secessão e a modificação dessa moldura), e se o único ator político com direito a decidir é o povo. Uns estabelecem o ator político independentemente da sua verificação empírica; outros fixam as regras do jogo de tal modo que predeterminam o resultado de qualquer negociação. Há quem utilize um veto nas questões em que lhe convém e impugne o de outros naquelas que não lhe são favoráveis, tornando impossível sair do atoleiro a que conduzem as maiorias impositivas e os vetos que as bloqueiam.

Faz sentido conceber, apesar do uso parcial e oportunista de certos conceitos, uma coerência democrática a partir da qual seja possível resolver os conflitos políticos em torno da identidade e do autogoverno?

Comecemos por uma constatação indispensável para que as sociedades complexas consigam construir sua convivência democrática. Em sociedades compostas, nas quais existem núcleos resistentes à uniformização e com profundas aspirações de autogoverno, tudo o que possa surgir em termos de unidade será feito a partir da diferença e produzido por ela. Por isso mesmo, a articulação política da diferença nos obriga a avançar nas lógicas de reconhecimento e de reciprocidade. Os sistemas políticos complexos e maduros não se governam bem mediante a imposição, a unilateralidade e a subordinação, mas por meio do pacto e da bilateralidade. O pacto e a não imposição são o procedimento que, nas sociedades avançadas, serve para constituir as regras do jogo. A multilateralidade que as posições mais progressistas exigem para a nova configuração do mundo é exigível também como princípio de organização das nossas sociedades.

A convivência pode ser organizada a partir de um princípio de pluralismo constitucional: os atores políticos ampliam o seu espaço no jogo na medida em que conseguem aumentar sua riqueza cooperativa. O conceito de soberania entendida como o exercício ilimitado, não partilhável e exclusivo do poder público deve ser substituído pelo reconhecimento do fato de que a soberania está repartida entre diversas instituições – locais, regionais, nacionais, estatais e internacionais – e limitada por essa pluralidade. Nessa perspectiva, o direito de configurar autonomamente o próprio destino não significa outra coisa senão o direito de participar, em igualdade de condições, do jogo das soberanias partilhadas e reciprocamente limitadas. Decidir é sempre codecidir, e isso pressupõe exigências recíprocas diferentes para cada um: as sociedades subestatais veem-se obrigadas a respeitar o pluralismo interno e a considerar que há vínculos comuns que só podem ser modificados de maneira pactuada; os Estados que abrigam essas comunidades não podem resolver tais assuntos a não ser com instrumentos que impliquem uma renúncia da sua posição dominante e a gestão de processos de negociação ou arbitragem com resultado aberto.

Tudo aquilo que não passe por aqui será um fracasso histórico aliviado por gritos reconfortantes que visam manter a própria tribo unida ou assegurar a imposição em nome de valores supostamente indiscutíveis.

b. O paradoxo constitucional

Sempre pensei que a causa profunda da hegemonia masculina se explicasse por um pequeno erro de percepção que foi se tornando grande, dominante e que pudesse inclusive acabar se tornando agressivo: a ideia de que nós, os homens, fazemos de nós mesmos seres assexuados, sem gênero, que não somos e sim que temos sexo, que somos os "normais", enquanto as mulheres são uma raridade que generosamente podemos proteger. Acontece algo parecido com as minorias, os sotaques, as peculiaridades ou as periferias: são algo próprio de outros.

Um conjunto de conquistas da segunda metade do século XX teve sua origem no descobrimento da falta de equidade que se escondia nesses tipos de visão sobre a realidade. Permita-me fazer essa analogia para falar das nações porque também existem, entre elas, diversos tipos: as de sempre e as estranhas, as historicamente credenciadas e as que estão por construir, as que se defendem sozinhas e as que precisam de nacionalistas para defendê-las...

Com isso quero dizer que há uma cegueira em relação à própria hegemonia que, no caso concreto das nações, traduz-se no fato de não haver identidade nacional que não ofereça imensas coisas e que não impeça a discussão de outras formas possíveis de auto-organização. Os nacionalistas são sempre os outros, os que querem questionar a ordem dominante, e não aqueles que descansam placidamente num estado de coisas hegemônico. Por que é tão difícil o entendimento sobre essas coisas, especificamente na Espanha?

Cada qual considera indiscutíveis o sujeito, o contexto ou o âmbito da decisão. Quando alguns líderes políticos nos concedem autorização para discutir o poder constituído, mas ao mesmo tempo determinam que o poder constituinte é intocável ou, para usar uma linguagem menos imperativa, asseguram-se de que tudo pode ser discutido apenas dentro do quadro constitucional (cuja revisão nunca está em condições propícias), fazem assim um uso oportunista desse ponto cego a partir do qual se constrói a hegemonia política.

Trata-se, claro, de um ponto de vista que também é partilhado por aquelas versões do nacionalismo periférico que tomam como certo o sujeito do direito a decidir e que unicamente se mostram dispostos a discutir sobre o exercício dele. Diante de tais possibilidades, a solução federal também não deixa de dar por supostas algumas coisas, ou seja, aquelas que precisamente devem ser discutidas.

Afirmar que todos devem decidir sobre isso – assim, sem nenhuma diferenciação – pressupõe que, na Espanha, essa capacidade de decisão está harmoniosamente repartida num *continuum* sem fissuras nem fragmentações, como se não existisse uma realidade policêntrica e as aspirações assimétricas de reconhecimento ou autogoverno fossem apenas resultado da obstinação de uns poucos periféricos.

E se aquilo que deve ser discutido for justamente o poder constituinte, o enquadramento da soberania ou o sujeito que deve decidir? Por que seguir o caminho do facilitismo e aceitar de maneira pacífica aquilo que está em discussão? Por que é que não analisamos com coragem esse ângulo cego, que parece invisível aos olhos dos nacionalistas e ao largo do qual passaram sorrateiramente todos os processos constitucionais? Estaríamos mais perto de uma solução democrática para os conflitos territoriais se eliminássemos as consequências que decorrem desse paradoxo. Sejamos sinceros. Dizer que a Espanha é indissolúvel ou que o povo basco tem o direito de decidir é um ato performativo, e não uma constatação de fatos; são aspirações legítimas, e não direitos inegociáveis.

A relação entre poder constituinte e constituído ou entre democracia e legalidade é um verdadeiro dilema. Quanto mais depressa reconhecermos que "em muitas ocasiões a doutrina constitucional pressupõe a existência daquilo em que acredita" (Weiler, 2001, p. 56), menos provavelmente cometeremos o erro de outorgar a algumas realidades uma maior necessidade do que aquela que o seu caráter contingente permite. Todas as discussões sobre a questão de saber quem é o sujeito do direito à autodeterminação não conseguem escapar desse círculo vicioso, a não ser que reifiquemos o povo e concedamos a ele uma entidade indiscutível e acima de toda a contingência. "As pessoas não conseguem decidir sem que antes alguém decida quem é o povo" (Jennings, 1956, p. 56). Com efeito, qualquer sistema democrático é incapaz de resolver democraticamente a questão acerca de "quem decide o quê", e remete-a sempre para um quadro de soberania prévio (Walker, 2011, p. 103-104). "Os critérios do processo democrático pressupõem que o sujeito é o correto" (Dahl, 1983, p. 103). Esse paradoxo torna a atribuição de uma ação ao "povo" sempre problemática.

Como resolver esse dilema? Numa democracia, o único procedimento que permite superar esse paradoxo é considerar o povo representativamente, de forma não dogmática, deixando em aberto a questão do pertencimento e encarando-o mais como uma prática do que como uma entidade subtraída das contingências históricas. O poder tem todas as vezes uma estrutura representativa em virtude da qual a unidade é sempre unidade representada, fingida. Claro que o sujeito da legitimidade é o povo, mas este só pode ser entendido hoje se for plasmado numa pluralidade de mecanismos e instituições que dão conta da sua complexidade. Devemos pensar o *demos* como uma *polity*[6] reflexiva, discutível, retificável e aberta.

Chamamos de pluralismo para desdramatizá-lo: no interior de toda a ordem constitucional, de toda a convivência democrática, existe um "nós" inconsistente, uma fratura e uma contradição, que continuamente redefinem de maneira provisória as dimensões da inclusão e da exclusão. Por isso o político não pode ser monopolizado pelas realidades institucionais, pela organização da sociedade e pela estatalidade ritualizada. O político é sobretudo o lugar a partir do qual uma sociedade atua sobre si própria e renova as formas de seu espaço público comum. A sociedade não surgiu do colapso de uma comunidade, não houve uma desagregação originária nem uma primeira unificação, nem inocência perdida da vida coletiva ou uma instituição inicial. Isso não quer dizer que o "nós" não exista de todo, mas que é uma dimensão instável, uma realidade aberta e mutável, arrebatada pelos seres humanos ao desígnio do destino e colocada no âmbito daquilo que fazemos com nossa liberdade.

Esse intervalo entre o constituinte e o constituído assegura que o povo não se esgote em nenhuma das suas representações. A "questionabilidade" (*questionability*) faz parte da identidade coletiva (Lindhal, 2007, p. 21). Porque numa democracia a totalidade só é concebível como "totalidade polêmica" (Röttgers, 1983). As sociedades modernas não devem sua força a determinantes identitários, mas ao fato de resistirem à hipóstase de uma familiaridade perdida, bem como perante a determinação definitiva do campo social. Se uma sociedade deseja permanecer livre deve rejeitar toda a unidade totalizadora entre o representante e o representado. Por isso a "questionabilidade" é uma propriedade das nossas identidades, isso se quisermos compreendê-las no seio dos valores democráticos.

Como eliminar, na prática, o caráter paradoxal desse dilema da identidade democrática? Luhmann (1997, p. 1.061) defende que as sociedades complexas conseguem fazer isso deslocando no tempo os seus paradoxos. A procedimentalização não resolve o paradoxo constitutivo do social, e o adia, traduzindo-o em regras flexíveis de inclusão e exclusão, reiterando repetidas vezes a pergunta sobre o "nós" de maneira a incluir e a considerar suas externalidades. A irrepetível e fictícia fundação não representa outra coisa

---

6 Na ciência política, na teoria política e no direito público, *polity* refere-se à estrutura constitucional do Estado e às instituições políticas. (N. do E.)

senão a inicial "inidentidade" que se fracciona numa repetição contínua. Essa identidade impossível nos lembra que a fundação de uma *polity* não está fechada de uma vez por todas, que o comum não é nem originário nem presente, nem prévio nem deduzível, mas algo continuamente deslocado, prorrogado, adiado. "O sujeito coletivo está sempre num estado de contínua autoconstituição e as apreciações que ele fizer terão sempre um efeito de reflexo sobre sua própria identidade como comunidade" (Beiner, 1983, p. 143). A heterogeneidade da comunidade que funda a si mesma obriga-a a repetir sempre, mais uma vez, a sua fundação. É outra maneira de se referir à necessidade de pactuar, por períodos razoáveis, o que implica pressupor que as coisas não são fixas, nem indiscutíveis, algo que os mais exaltados de um e outro lado terão dificuldade em reconhecer.

A diferença entre poder constituído e poder constituinte sugere um horizonte normativo que não pode ser reduzido à facticidade legal ou ao enquadramento constitucional vigente, mas essa mesma facticidade também não pode se apropriar daquele horizonte como se tais valores não pudessem ser realizados de outra forma, pelo que o compromisso entre um e outro deve ser renovado continuamente.

Há quem negue o princípio da reavaliação das nossas identificações ou filiações políticas com a fórmula mais amável de que tudo isso tem de passar pela zona de estrangulamento dos procedimentos constitucionais (procedimentos em que se cristalizaram certas formas de poder, assimetrias e hegemonias, que predeterminam a solução). Em Estados compostos, esses conflitos costumam ficar incrustados, pois nunca se reconhece a pluralidade do *demos* próprio e apenas se reivindica o pluralismo dos outros. Por que não tentar resolvê-los adotando o compromisso, por ambas as partes, de não se exigir mais reconhecimento exterior do que aquele de que são capazes de reconhecer no seu interior? A aceitação do pluralismo dentro de si próprio nos legitima a exigir o respeito que nos devem aqueles com quem convivemos num espaço também plural.

c. Autodeterminação transnacional

Durante a ronda europeia do novo ministro grego da economia, no início de 2015, ele e seu colega alemão deram uma entrevista coletiva na qual ambos reconheciam que os europeus têm muita dificuldade em pensar-se como um sujeito que existe além dos eleitorados próprios – o que talvez expresse particularmente bem no que reside a grande dificuldade do projeto de unificação europeu. Naquela coletiva de imprensa, Yanis Varoufakis referiu-se aos compromissos que o novo governo grego havia assumido com o seu eleitorado, enquanto Wolfgang Schäuble lembrou que também ele tinha compromissos com seu próprio eleitorado e que, fosse como fosse, não fazia sentido assumir compromissos à custa de terceiros. Um e outro pensavam em si mesmos a partir de um horizonte de autodeterminação que não inclui outros, e é precisamente esse o problema, uma questão que só conseguiremos resolver quando formos capazes de reconstruir a ideia de autodeterminação democrática no atual horizonte de complexidade, especialmente num espaço de interdependências tão densas quanto a União Europeia.

Os conceitos tradicionais de soberania e autogoverno pressupunham um conceito homogêneo de povo e uma ideia fechada de espaço político. Entretanto, esses conceitos devem ser pensados de outra maneira quando os efeitos extraterritoriais das políticas colocadas em prática pelos Estados comprometem a capacidade de autogoverno de uns e outros. Os Estados devem passar de uma responsabilidade contratual em relação aos seus cidadãos para uma soberania que, no que toca a determinados bens comuns, compromete-os com o exterior. Em condições de interdependência não há justiça nacional sem algum tipo de justiça transnacional, nem democracia sem certa inclusão dos não eleitores. O princípio republicano da não dominação só pode ser respeitado caso se refira também àqueles que, não fazendo parte do *demos* nacional, são afetados por nossas decisões.

A autodeterminação significa, nas condições atuais, aceitar os efeitos que as decisões de outros Estados nacionais surtem sobre nós, desde que tenhamos tido oportunidade de fazer nossos interesses serem ouvidos nos "seus" processos de decisão e, inversamente, estar dispostos a converter outras cidadanias em objeto das nossas decisões.

Se queremos tornar efetivo o princípio do autogoverno democrático não temos outro remédio senão avançar no sentido de uma nova congruência pós-territorial entre os autores das decisões e seus destinatários. Os debates atuais sobre o futuro da União Europeia (UE) devem ser considerados à luz dessas circunstâncias. Pode ser que então consigamos descobrir até que ponto a UE é chamada a desempenhar um papel essencial na gestão dos riscos que as interações entre os diversos territórios implicam, permitindo certo controle coletivo sobre as externalidades.

Uma sociedade não está autodeterminada o suficiente quando só está nacionalmente autodeterminada. Quanto mais determinada estiver a vida dos cidadãos pelas interdependências, menos limitadas estarão suas exigências de autodeterminação no âmbito do Estado nacional. O caráter aberto das democracias seria traído se a comunidade deliberativa fosse sempre coextensiva com o *demos* dos procedimentos formais de tomada de decisão (*decision-making)*, com a cidadania nacional ou com o próprio eleitorado.

Tanto é assim que podemos falar sem exagero de um déficit de legitimidade democrática quando uma sociedade não consegue intervir nas decisões de outros que a condicionam, mas também quando impede esses outros de intervirem nas próprias decisões que a condicionam. Seja como for, esse princípio de autodeterminação transnacional será muito difícil de concretizar sem uma grande inovação institucional, o que continuará a suscitar resistência e motivará, inclusive, a declaração de impossibilidade por parte daqueles que mantêm o enquadramento nacional como única referência normativa – seja por interesse ou por simples conservadorismo conceitual.

O núcleo normativo da democracia representativa consiste em que os representantes têm a obrigação de prestar contas para aqueles que representam – e apenas para eles –, porque se partia do princípio de que os efeitos para o exterior não eram dignos de consideração e que todos eles podiam ser mantidos ao abrigo da razão de Estado ou subvalorizados como neutra externalidade. À medida que a interação entre os Estados e os seus deveres mútuos aumenta, vai-se ampliando também a esfera daqueles que são afetados, de maneira significativa, pelas decisões políticas e aos quais estas devem ser justificadas.

A democracia implica certa identidade entre os que decidem e os que são afetados por essas decisões. Respeitar esse critério significa que os efeitos das decisões de outras nações são inaceitáveis caso não tenhamos tido oportunidade de fazer valer os nossos assuntos no "seu" processo de tomada de decisão e se, reciprocamente, não nos tivermos mostrado predispostos a considerar, nas nossas decisões, as outras cidadanias. Somos todos obrigados a redefinir nossos próprios interesses, incluindo neles, de alguma forma, os dos nossos vizinhos, sobretudo quando a estes nos ligam não apenas a proximidade física ou a interdependência geral, mas também a comunidade institucional, como é o caso da UE. Precisamente, o fracasso da UE diante da necessidade de solucionar a atual crise econômica deve-se à defasagem entre os instrumentos políticos e a natureza dos problemas e ao fato de os Estados terem sido incapazes de internalizar as consequências da interdependência, continuando a impor externalidades uns aos outros e não conseguindo regular as formas transnacionais de poder que escapam ao seu controle.

À medida que as interdependências aumentam, a autodeterminação se converte em algo mais completo, tanto no espaço quanto no tempo. Tornar o autogoverno mais democrático equivale hoje a torná-lo mais complexo, de maneira a poder incluir interesses de lugares longínquos e de tempos distantes, com os quais mantemos relações de condicionamento e, portanto, certos deveres em termos de justiça. A autodeterminação continua a ser um princípio básico e sem ele a democracia seria inconcebível; o problema é que, num mundo de solapamentos e condicionamentos, ela precisa ser pensada com mais sutileza do que quando os sujeitos de tais direitos (povos, gerações, culturas) eram unidades mais ou menos delimitáveis e podiam exercer sua soberania de forma isolada.

A justificativa que os representantes devem não se resolve unicamente no seio da sua base eleitoral e não pode limitar-se aos seus interesses imediatos. Ela antes aponta para uma obrigação geral de justificativa que inclui os afetados por suas decisões e suas respectivas consequências. Poderíamos sintetizar essa digressão teórica com a seguinte advertência: cuidado com o próprio eleitorado porque, efetivamente, é a única instância democrática à qual se deve prestar contas, mas não é o único horizonte que define os nossos deveres humanos.

PARTE II

A CONDIÇÃO POLÍTICA

CAPÍTULO 5
O TEMPO POLÍTICO

A contingência é a sombra inevitável da política, uma propriedade em virtude da qual todo o tempo presente é atravessado pela dúvida do possível. Pensar e agir politicamente é penetrar num espaço dominado pela sensação de que as coisas poderiam ter sido feitas de outra maneira e decididas de outro modo, ou muito depressa e sem as razões suficientes, ou com as necessárias, mas quando já era tarde demais...

No torvelinho da vida política, oprimidos pelo imediato e constrangidos pelos grandes fatores que entram em jogo, aqueles que nela intervêm como algo mais que meros espectadores experimentam uma profunda incerteza. Os grandes protagonistas fazem história e, ao mesmo tempo, são julgados por seus contemporâneos. Esse duplo julgamento – o dos historiadores e o dos eleitores – raras vezes coincide, o que costuma obrigá-los a terem de optar pela aprovação de uns sabendo que assim ganham a ira de outros.

Não entender essa peculiaridade – a incerteza que caracteriza e revela também a natureza da nossa condição política, independentemente do grau de compromisso que a ela dedicamos – impede-nos de compreender em que consiste o ofício de político, requisito essencial para que possamos julgá-la com a severidade que merece. Os cidadãos deveriam fazer um esforço para criticar nossos representantes com toda a dureza que for necessária, mas sem que essa crítica acabe por sacrificar a política *per se*, algo que sempre acontece quando os julgamos sem antes termos compreendido para que serve a política e quais são suas condições.

Receio que a atual condenação de um esforço tão necessário, embora justificado pela indignação que os casos de corrupção ou de especial incompetência provocam, tenha acabado por revelar que não compreendemos bem até que ponto a política é necessária numa sociedade democrática e quais são as limitações que derivam não tanto da classe política, mas sobretudo da nossa condição política.

a. A incerteza da política

Um procedimento particularmente relevante para entender o que está em questão no trabalho político consiste em examinar algumas das críticas que costumam ser dirigidas contra os políticos, pois essas críticas revelam, mesmo que de maneira indireta, a percepção que temos do que eles fazem ou deixam de fazer. Ora, há um conjunto de críticas que está ligado a uma suposta incompetência dos políticos. Seguramente, essa crítica é pertinente em muitos casos, mas vejamos como algumas questões podem inverter mais uma vez o nosso ponto de vista. Por que consideramos os políticos em particular pessoas incompetentes? Que tipo de atividade é a política para que aqueles que a ela se dedicam nos pareçam inevitavelmente pouco preparados e que, ao mesmo tempo, a profissionalização nos pareça suspeita?

A principal razão desse desprezo está ligada a um fato que esquecemos com muita frequência: as sociedades confiam a seus sistemas políticos a gestão dos problemas mais complexos e que não podem ser resolvidos mediante uma prática profissional indiscutível. Muitas de nossas queixas pelo fato de os políticos serem incompetentes ou discutirem demais parecem esquecer esse processo de delegação. Na política, concentram-se maior incerteza e maior antagonismo do que em outras esferas da vida social. Se os políticos e as políticas são vulneráveis à crítica é porque nós confiamos a eles essa missão, algo que parecemos desconhecer quando nos esquecemos de que a sua incompetência e a sua discordância se deve ao fato de termos transferido para eles os problemas que não se resolvem por meio de uma competência irrefutável.

Não que eles sejam incompetentes (ou não apenas, nem sempre), e sim que os problemas que lhes confiamos não podem ser resolvidos por uma competência profissional; a sua incompetência está mais exposta e é mais facilmente descoberta, pois delegamos a eles os problemas nos quais se concentram nossas maiores incertezas; não são eles que passam a vida discutindo, nós é que conseguimos pacificar nossa sociedade civil deixando nas mãos deles os problemas mais controversos; eles discutem para que nós possamos evitar os conflitos que mais nos incomodam. Para que a nossa crítica fosse justa, não deveríamos nos esquecer dessa propriedade que faz da política uma atividade especialmente difícil, polêmica e insegura.

O político vive num mundo muito mais contingente do que a maioria dos cidadãos. Como dizia Albert Hirschman (1995, p. 118), a única virtude essencial à democracia é o amor à incerteza, um hábito adquirido num processo aberto de informação e discussão que questiona as crenças consolidadas. A política deve sua contingência ao fato de ser uma atividade em que se adotam decisões que são quase como apostas, porque não são precedidas de razões indiscutíveis, e em que é necessário adiantar-se aos acontecimentos em meio a uma grande complexidade. "A inteligência política consiste mais em compreender do que em saber" (Berlin, 1998, p. 81), ou seja, mais do que um conhecimento profundo exige uma capacidade de tomar conta da situação, de perceber aquilo que está em jogo e de um pouco de coragem.

É um domínio no qual impera o risco e a imprevisibilidade, no qual serve de muito pouco seguir as regras, adaptar-se aos critérios dominantes ou continuar como até então. Daí sua força criadora, mas também o abismo à beira do qual têm de aprender a se desvencilhar aqueles que a ela se dedicam. Por isso os políticos estão especialmente submetidos à contingência do mundo. Nós o colocamos nessa posição, talvez para situar todos os demais num local menos arriscado. Esta é a razão pela qual os políticos são como os treinadores de futebol, os bodes expiatórios ou os fusíveis: a função deles é permitir que possamos culpar alguém pelos nossos fracassos em vez de dissolver a equipe ou dissolver a sociedade.

É óbvio que há muitas questões técnicas e profissionais no mundo da política, e não se pode tomar decisões corretas se elas não forem precedidas por um trabalho de estudo e de assessoramento técnico. No entanto, o especificamente político da política vem depois da análise daquilo que foi determinado de maneira objetiva: quando os técnicos e os administrativos já fizeram seu trabalho e ainda não está absolutamente claro o que é que deve ser feito. É nesse momento de poucas certezas que aparece a visão política, a aposta e a vertigem que inevitavelmente a acompanham.

Em política não existe uma objetividade que ponha fim às controvérsias, não existem códigos e protocolos a aplicar, quantidades passíveis de serem medidas, dados comprováveis, valores absolutos. Ou, pelo menos, o especificamente político é tudo aquilo que permanece em aberto depois de os especialistas terem falado e de a burocracia ter feito seu trabalho, quando o apelo aos valores não determina por completo aquilo que deve ser feito num caso concreto ou quando as decisões têm de ser tomadas antes de dispormos dos dados que seriam necessários e que só chegarão quando for tarde demais.

Boa parte das críticas aos políticos provém do fato de o político ser alguém que decide, que opta pelo menos pior, que não pode satisfazer a todos. Trata-se de algo difícil de entender para quem não tenha percebido a lógica da política, seu caráter até um pouco trágico ou, em outras palavras, para quem não tiver aprendido a distinção entre direitos e aspirações. Uma coisa é expressar uma aspiração, outra é decidir entre alternativas reais assumindo a responsabilidade correspondente. Ao contrário de todos esses discursos cheios de generalizações, as decisões devem ser adotadas de acordo com cada situação particular. "Quase todo o curso de ação deve contar sempre com o fato de que incomodará alguém em algum lugar. E um governo tem de enfrentar a realidade de que não é possível fazer as contas fecharem suprimindo gastos que não terão efeito em algum lugar, nem impondo impostos que ninguém terá de pagar" (Kroeger, 1990, p. 14).

Essa "seletividade", esse caráter inevitavelmente particular e finito de suas decisões, gera incompreensão naqueles que costumam pensar que o contrário é possível: escolher o absolutamente bom em vez do absolutamente ruim, ou escolher tudo ao mesmo tempo e contentar todos. A política não escolhe entre o bem e o mal, mas entre o mau e o pior ou, formulado de um jeito menos melodramático, entre duas coisas normais e correntes. Isso incita a crítica de quem não compreendeu no que consiste a política. Só que no espaço do humanamente possível (não apenas na política), com escassez de tempo e de recursos, escolher o menos pior, desentender-se com alguém, adiar certos objetivos para se concentrar no prioritário são coisas inevitáveis.

Na política, os assuntos não são absolutamente objetivos e evidentes, antes dependem de uma combinação de diversos critérios, por vezes contraditórios. Isso exige certa complexidade do juízo político, algo de que o discurso populista é incapaz. O fato, por exemplo, de na política haver tão pouca objetividade, de na política haver mais persuasão do que demonstração é o que explica que no imaginário popular o político seja sinônimo de astuto, manipulador ou enganador. Seja como for, os critérios para julgar a competência dos políticos não podem provir de outros âmbitos a não ser da própria práxis da política, que é uma atividade muito peculiar.

Porque se é assim que vemos os políticos, provavelmente isso se deve ao fato de eles não poderem ser de outro jeito, ou seja, porque a atividade política é exercida em meio a uma incerteza muito maior do que aquela com que têm de lidar as outras atividades humanas, tanto no que se refere ao tipo de conhecimento que pressupõe quanto em relação ao modo de adotar as decisões e, por consequência lógica, do ponto de vista do tipo de vida que implica. A contingência à qual o conhecimento, as decisões e a vida de um profissional da política estão submetidos é muito maior do que aquela que as outras profissões têm de gerir. Trata-se de uma contingência que tem, pelo menos, três dimensões: 1) cognitiva, 2) prática e 3) existencial; isto é, refere-se respectivamente ao conhecimento, às decisões e à própria vida dos políticos.

1. Deste modo, a primeira contingência da vida política tem um caráter epistemológico. Todos os agentes sociais, incluindo aqueles que não querem reconhecer esse fato, são obrigados a agir em condições marcadas por uma incerteza especialmente intensa. Já não é possível justificar as decisões a partir de um saber coletivamente vinculativo, especializado e seguro, indiscutível. Em questões políticas, o reconhecimento do especialista ou a autoridade não são incontestáveis. Quase todos os observadores da política – em parte devido à constituição democrática do sistema – sentem-se competentes o suficiente para julgar decisões políticas.

É verdade que os atores políticos devem decidir considerando o saber disponível e atuar como se soubessem sempre o que estão fazendo, mas talvez fosse mais realista se renunciassem a uma segurança absoluta e inclusive comunicassem mais suas incertezas. Seria importante entender o que prejudica mais a confiança no nosso sistema político: se o reconhecimento da ignorância própria e das limitações na sua capacidade de ação ou a permanente decepção dos cidadãos quanto a promessas não cumpridas e impossíveis de cumprir dos políticos. Os protagonistas políticos deveriam aprender a gerar confiança renunciando às sugestões heroicas de segurança e às expectativas hipertrofiadas. Se estivessem em condições de reconhecer a própria contingência e ignorância, provavelmente criariam uma confiança a médio prazo na política que acabaria por lhes conferir o crédito que tanto lhes custa a obter dissimulando a sua insegurança.

2. A segunda fonte de contingência política provém da natureza das decisões que nela são adotadas. A sociedade atual é plural quanto ao saber de que dispõe, sendo este inevitavelmente parcial – o que converte em ilusória a aspiração de basear as decisões num saber definitivo e não polêmico. A contingência da política está relacionada fundamentalmente com o modo como as decisões têm de ser tomadas e com o futuro que se configura a partir daí, o qual inclui todo um cortejo de riscos e de imprevisibilidades. Para começar, é preciso ter em conta que a complexidade e a contingência da ordem política geram uma imensa necessidade de decisão, à qual não é possível escapar porque é indispensável tomar decisões. A sociedade vive seu futuro "sob a forma do risco de suas decisões" (Luhmann, 1992, p. 141). Todas as decisões, assim como todas as não decisões, escondem riscos contingentes. Qualquer alternativa que surja pondera as vantagens e desvantagens de outra maneira. Precisamente, os políticos são pessoas que tomam decisões apesar da insuficiência de informações e da insegurança em relação ao futuro.

Não se deve pensar, porém, que se trata de um peso que angustia meia dúzia de pessoas. Também não podemos esquecer que se trata, sobretudo, de um risco geral que o sistema político foi capaz de transformar numa oportunidade. A peculiaridade histórica do sistema democrático consiste justamente no fato de ser uma organização pensada para dar respostas antagônicas a um conjunto aberto de perguntas (Dubiel, 1994, p. 112).

Aquilo que sabemos vem sempre acompanhado de uma enorme ignorância e, por isso, não podemos renunciar às vantagens epistemológicas da institucionalização da discordância. Não faz sentido conferir aos objetivos próprios o caráter imperioso de uma verdade suprema e desacreditar os da concorrência qualificando-os de falsos ou imorais. A "inteligência da democracia" (Lindblom, 1965) advém precisamente do bom aproveitamento que se fez dessa constatação. A democracia é um sistema baseado na experiência de que, por mais segura que a maioria triunfante esteja, convém sempre ter por perto a minoria perdedora como último recurso, para assim haver uma alternativa no caso de, como de resto costuma acontecer, as hegemonias vigentes se esgotarem, as razões vacilarem e as maiorias estabelecidas se desgastarem. É o mesmo, em última instância, que ter a certeza de que não existe nada de permanente e que seja imune ao desgaste e ao questionamento.

3. A terceira dimensão da contingência é encontrada na própria vida daqueles que se dedicam à política. A política nunca está isenta de riscos e quem quiser se dedicar a ela deve saber que está entrando num terreno perigoso, também no que se refere a riscos de ordem pessoal. O político é alguém especialmente exposto às contingências: incerteza, urgência temporal, exposição, fracasso, e ainda no que diz respeito ao risco que assume ou à sua duração no cargo. A roda da sorte política vai deixando muitos "ex". Há mudanças de gabinete em que sai um ministro que não tinha feito nada de mal, simplesmente porque é preciso renovar a pasta (aquilo que os ingleses chamam de *cabinet reshuffle*). Um bom político deve saber sempre que o fim de sua carreira não depende apenas dele. Embora muitas vezes lamentemos que haja quem se perpetue nos cargos, não deixa também de ser verdade que nas esferas da política reina uma enorme volatilidade.

No caso de outras profissões, uma pessoa não é obrigada a convalidar sua permanência mediante o apoio popular, nem depende tanto de uma cadeia de confiança especialmente frágil. Como tudo na política, os efeitos dessa insegurança podem ser a submissão cega ou a demagogia, mas também a consciência de que se está num determinado cargo graças ao consentimento de outros, mais do que por méritos próprios. Conforme assegura Michael Ignatieff (2013, p. 161), a quem as coisas não correram melhor na política do que na universidade, "se não tiver entendido que pode perder tudo de um momento para outro, então não entendeu nada do que consiste a política".

b. Muito cedo ou tarde demais

O meio em que a política se desenrola é o tempo. É preciso saber estar à altura do tempo: em certos momentos, lento até demais, quando se experimenta a resistência daquilo que deve ser modificado; em outros, somos colocados diante de mudanças repentinas que dificilmente poderíamos antecipar; algumas vezes é necessário prever e conseguir antecipar certos eventos antes que eles aconteçam; e há ainda aquelas vezes em que devemos reagir e recuperar. Seja como for, trata-se de combinar paciência e agilidade numa dose que não está predeterminada. E a gestão do tempo, que está tão dependente da sorte, é algo que se pode aprender, mas que não se consegue ensinar. Nem todas as atividades humanas mantêm uma relação tão estreita com o tempo. Um intelectual pode se interessar pelas ideias, mas a única coisa que um político pode fazer é tentar perceber se o tempo certo para determinada ideia já chegou.

Afirmar que a política é a arte do possível é o mesmo que dizer que ela consiste na capacidade de identificar aquilo que é possível em cada momento. O dom da oportunidade, o "gênio do momento", segundo a expressão de Otto von Bismarck, que para alguns poderá até ser uma questão inútil, é central para a atividade política. Em política, a intuição a propósito do tempo, ou seja, o instinto para relacionar velozmente diferentes informações e a partir daí formar uma ideia geral, é fundamental. O máximo que um político consegue fazer é virar os acontecimentos a seu favor. É por isso que aqueles que se dedicam à política costumam ser acusados de ser oportunistas, mas a verdade é que a oportunidade é a essência da política.

O fato de o tempo ser um aspecto central na política é um problema e não uma habilidade ao alcance de qualquer um. Apenas os loucos acreditam que podem controlar o tempo. A experiência habitual na gestão política do tempo é que se atua sempre ou muito depressa ou tarde demais, e que conseguir acertar é mais a exceção que a regra, sobretudo em tempos acelerados, nos quais há vários elementos que interagem entre si. O exemplo a seguir é suficiente para ilustrar a complexidade dos diferentes registros temporais que devem ser considerados.

A estimativa do período de tempo necessário para estabelecer os tratados a partir dos quais a União Europeia é governada aponta para entre cinco e dez anos. Nos momentos mais difíceis da crise, para dar a resposta oportuna às situações de emergência nos mercados financeiros dispunha-se de um ou dois dias. Algumas vezes era até uma questão de horas: a decisão sobre como aplacar os mercados financeiros tinha de ser adotada antes das duas da madrugada de domingo, ou seja, antes que a Bolsa de Tóquio abrisse. Para complicar ainda mais o cenário: aqueles que tinham de tomar essas decisões deviam responder democraticamente por elas ou, pelo menos, ser capazes de dispor de uma legitimidade sobre a base da missão fiduciária que democraticamente lhes tinha sido concedida.

A solução para esse problema acabaria por conseguir que a política tivesse mais poder de antecipação e prestasse mais atenção nas possibilidades aparentemente remotas (no tempo e em termos de probabilidades), exatamente o oposto de tudo aquilo que foi feito no caso da crise dos mercados financeiros em setembro de 2008.

Essa assincronia remete a um problema básico de solução muito difícil. A estrutura temporal do sistema democrático-representativo pressupõe a compatibilidade do tempo político (ou seja, o tempo da deliberação e da decisão) com o ritmo, a velocidade e a sequência da evolução social. O sistema político deveria ter tempo para organizar o processo de configuração da vontade política, estar em condições de reagir com rapidez face às necessidades que surgem em cada esfera social, articulando os interesses coletivos em programas, legislações e decisões executivas.

A democracia parlamentar implica a capacidade da política para deter ou desacelerar processos sociais a fim de, assim, conseguir ter tempo suficiente para deliberar de forma mais embasada. Essa capacidade de moratória é uma condição necessária para a deliberação democrática. Quando não se dispõe dessa capacidade, a política se converte num regime executivo que coloca as decisões por cima do processo de deliberação, algo que costuma acontecer quando os parlamentos se limitam a aprovar o que os governos decidiram sob a pressão do tempo.

A autodeterminação democrática da sociedade exige pré-requisitos culturais, estruturais e institucionais que parecem corroídos justamente pela aceleração social. Os processos de aceleração, que há tempos tiveram origem num ímpeto utópico, autonomizaram-se à custa das esperanças de progresso político. Hoje, torna-se mais claro que a aceleração dos processos de mudança social, econômica e tecnológica é um dos responsáveis por certa despolitização, na medida em que dificulta a sincronização dos processos e dos sistemas, sobrecarrega a capacidade deliberativa do sistema político, bem como a integração social e o equilíbrio geracional.

Um dos principais problemas com que somos confrontados é precisamente aquele que deriva do contraste entre a rapidez das mudanças sociais e a lentidão da política. Os Estados são lentos demais quando comparados com a velocidade das transações globais. A educação, a política e o direito não aguentam o ritmo do mundo globalizado. Suas instituições têm perdido progressivamente capacidade de configuração sobre os processos de aceleração técnica e social. Governar torna-se um problema. Por causa da complexidade das exigências na tomada de decisões e da pressão midiática pelo imediato, as instituições políticas veem reduzida sua esfera de influência, no melhor dos casos, à mera reparação dos danos causados pelo sistema econômico e tecnológico.

O sistema político encontra-se num dilema grave. Por um lado, tem de se adaptar ao desenvolvimento acelerado da ciência e da tecnologia de modo a conseguir integrar as suas inovações no sistema social, mas, por outro lado, não está em condições de acompanhar a velocidade do saber produzido. Enquanto a tecnologia segue uma trajetória enormemente acelerada, a velocidade dos procedimentos políticos está limitada por seus procedimentos. Essa é a razão pela qual o Estado, que surgiu como um elemento dinamizador das sociedades modernas, aparece hoje como uma figura de abrandamento social. As administrações, a burocracia, apresentam-se como paradigmas da lentidão, ineficiência e inflexibilidade. Todos os processos de desburocratização ou descentralização são motivados por essa pressão para acelerar as decisões das administrações públicas. Essa busca desesperada de eficácia explica também a transferência dos procedimentos de decisão a partir dos âmbitos da política democrática para outros cenários mais ágeis, mas menos representativos e democráticos.

Como exemplos de tudo isso podemos mencionar o auge das comissões de especialistas, mais bem equipadas com os imperativos da velocidade do que os parlamentares; as dificuldades em fazer com que o legislativo consiga controlar efetivamente o poder executivo, em razão da agilidade distinta dos dois poderes; o fato de as questões politicamente controversas serem transferidas para organismos com maior capacidade de decisão (judicialização da política) ou a autorregulação da sociedade civil (desregulação econômica); a um nível internacional, as decisões são submetidas a grupos de especialistas ou de interesses não legitimados democraticamente, mas muito mais ágeis do que os legislativos.

Embora haja boas razões para corrigir essa lentidão do sistema político, o problema que se coloca é o de saber se desse modo se consegue fortalecer a capacidade de intervenção do sistema político ou se, pelo contrário, leva à sua desnaturalização. A política tem sempre um elemento de "ócio", de livre discussão e deliberação, que é incompatível com as exigências da tomada de decisão, mas que tampouco pode ser suprimido sem ao mesmo tempo colocar em perigo a legitimidade e a racionalidade dessas decisões.

A dinâmica da aceleração constitui uma ameaça contra a política na medida em que representa uma perda da capacidade de predisposição da sociedade para a política. Há uma contradição no fato de a vida política pressupor autogoverno, ao mesmo tempo que temos consciência de que as temporalidades dominantes não nos permitem dispor de nós mesmos. Existe toda uma pressão para converter a política num verdadeiro anacronismo, para que o mundo fique desprovido de estrutura política: as instâncias mais poderosas no que se refere à determinação do tempo não são democraticamente controladas ou controláveis. Alguns anunciam por isso o "fim da política"; outros, como resposta à "ingovernabilidade" das sociedades complexas, recomendam uma "desregulação" que representa de fato uma capitulação quanto aos imperativos do movimento econômico. Por isso nosso grande desafio consiste em defender as propriedades temporais da formação democrática de uma vontade política, os seus procedimentos deliberativos, de reflexão e de negociação, contra o imperialismo das exigências técnico-econômicas e a agitação do tempo dos meios de comunicação.

Como ganhar então capacidade de intervenção política sobre os processos sociais? Não se trata de insistir em fórmulas que se revelaram ineficazes, mas tampouco de renunciar ao ideal de autogoverno democrático abandonando a configuração do futuro no *societal drift* (Lauer, 1981, p. 31).

Uma das soluções possíveis é compensar a lentidão da política com a antecipação prospectiva. Para se configurar a vida coletiva é necessário certo ambiente de estabilidade que torne os processos sociais compreensíveis e, até certa medida, controláveis, a fim de que se permita formular preferências e objetivos mais além do momento presente. A planificação tem de ser um sistema de aprendizagem reflexivo que modifique as condições e os métodos do seu comportamento antecipatório.

Diante desse panorama, as soluções mais emancipadoras não provêm nem da desaceleração nem da fuga para a frente, mas do combate contra a falsa mobilidade. Claro que a lentidão compensatória, tão celebrada em muitos livros de autoajuda para a gestão do tempo, pode ser uma estratégia razoável. Não obstante, gostaria de chamar atenção para o seguinte: ganhar tempo é uma exigência antropológica fundamental e, no fundo, as desacelerações fazem parte de uma estratégia geral de aceleração, aquilo a que poderíamos chamar desacelerações aceleratórias. O "vista-me devagar que estou cheio de pressa"[7] não foi formulado para defender a perda de tempo, e sim para ganhar tempo. No nível individual e nas organizações, esse tipo de sagacidade serve para não provocar aquelas perdas de tempo que as acelerações disfuncionais pressupõem. Há também moratórias que são introduzidas com o objetivo de solucionar um problema pontual que está impedindo, precisamente, a dinâmica normal.

O apelo à desaceleração, como princípio geral, é pouco realista e pouco atrativo se levarmos em conta as circunstâncias políticas, econômicas, sociais e culturais em que vivemos. Não faz nenhum sentido querer máquinas de calcular mais lentas, filas maiores ou transportes atrasados. A questão central é determinar no que consiste exatamente, em cada atividade e em cada momento, um ganho de tempo – o que algumas vezes implicará desaceleração e outras o contrário, mas que também pode ser conseguido mediante outros procedimentos, como a reflexão, a antecipação ou combatendo a falsa mobilidade.

Minha proposta final seria, portanto, uma defesa da importância de se ganhar tempo, não pelo aumento da aceleração, mas sobretudo combatendo metodicamente a falsa mobilidade. A reflexão estratégica e a perspectiva para enquadrar o instante em limites temporais mais amplos ou a proteção do que é de fato urgente são, em última instância, procedimentos para ganhar tempo. Não se trata de lutar contra o tempo ou ignorá-lo, e sim de "utilizá-lo a nosso favor" (Benjamin, 1974, p. 1.199).

c. Sobre o êxito e o fracasso na política

Tive oportunidade de falar com alguns políticos que se viram obrigados a abandonar o ofício pela porta dos fundos, quando pensavam que ainda faltavam coisas para fazer, ou que foram expulsos por uma antipatia popular que tinham dificuldade em compreender. Um deles tentava se consolar com a ideia de que a posteridade faria um melhor juízo sobre ele do que seus contemporâneos, e melhor ainda do que seus companheiros

---

7   Provérbio espanhol que consiste na ideia de que a melhor maneira de ganhar tempo, sobretudo quando temos pressa, é fazer as coisas com atenção e cuidado para evitar erros desnecessários ou indesejáveis que acabarão por nos atrasar, obrigando--nos, por exemplo, a refazer aquilo que estávamos fazendo. (N. do T.)

de partido. Encolhia os ombros, como se quisesse me dizer que isso seria tarde demais e que teria preferido o aplauso agora ao elogio póstumo. O que está em questão nesse tipo de argumento é saber em que consiste propriamente o êxito e o fracasso na política, como se medem e quem os determina.

Comecemos com um tom dramático, porque o drama faz parte das dimensões da vida em geral e da vida política em particular: a política fracassa sempre porque não se consegue tudo aquilo que se deseja e porque todas as vezes a resistência dos fatos à nossa vontade é sentida com grande intensidade. Por outro lado, não faz sentido pretender, num contexto de pluralismo político, a aprovação universal. Além disso, há poucas evidências indiscutíveis, em política, de que se teve êxito ou se fracassou. Tudo isso somado faz a experiência política comum ser a de certo fracasso. O biógrafo de Chamberlain sublinhava sem paliativos o elemento trágico: "Todas as vidas políticas acabam em fracasso. É assim a natureza da política e das coisas humanas" (Powell, 1977, p. 151).

A acrobacia lógica das memórias políticas costuma ignorar esse tipo de coisa, do mesmo modo que quando estavam no ofício os políticos exibiam os êxitos próprios e se protegiam de seus futuros fracassos exagerando as dificuldades do momento. Um político é alguém que combina o juízo sobre a herança recebida e o que é politicamente possível, de maneira que seja julgado com a maior benevolência.

Se falta algo nas memórias políticas é a modéstia e, no entanto, seria essa a conclusão lógica de qualquer vida política examinada com sinceridade. Há muito mais razões para não alardear do que para se gabar, porém os seres humanos nem sempre optam pelo mais razoável. Gostaria de chamar atenção para duas circunstâncias que aconselham os políticos a não se gabarem muito dos próprios feitos. Há uma primeira que tem a ver com a dificuldade de medir o sucesso e imputá-lo indiscutivelmente a alguém. O impacto real dos governos na economia, por exemplo, só se consegue medir por seus custos de oportunidade, ou seja, em relação aos efeitos que poderia ter tido uma decisão alternativa. Qualquer êxito devia ser ponderado levando-se em conta a dificuldade do tema, bem como as outras possibilidades. Quantas decisões políticas são criticadas duramente sem considerar aquilo que era possível fazer no momento em que foram adotadas? Aquilo que merece elogio ou censura está tão dependente de determinado contexto que deveríamos ser sempre muito cautelosos nas nossas avaliações.

Há outro motivo para a modéstia e está ligado ao fato de no contexto político intervirem muitos atores. Tendo em conta a extrema contingência da política no seu todo, a adjudicação de mérito ou culpa não é um problema menor e raras vezes possuímos evidências necessárias para determinar a quem se deve que as coisas estejam como estão, tanto fazendo se estão bem ou se estão mal. Os cidadãos tendem a confirmar seus governos quando a situação econômica é boa e a expulsá-los do poder em momentos de crise, sem que tais situações se devam necessária ou exclusivamente ao governo vigente. Em ambientes de interação densa, o sucesso ou o fracasso têm muitos autores, o que em parte desculpa e em muitas ocasiões desresponsabiliza e diminui a magnitude do triunfo, obrigando a partilhá-lo com muitos outros.

A atribuição de um êxito ou um fracasso a um governo concreto é tanto mais difícil quanto mais entrelaçados estiverem os problemas e mais indiretas forem as consequências dos programas políticos sobre a realidade social. A crise é culpa daqueles que estavam no governo quando ela estourou? Sua solução terá ficado a encargo de quem governou depois? De que modo as circunstâncias globais influenciaram um e outro? Há muitos riscos que repercutem na confiança do eleitorado, mas que têm pouco a ver com a ação concreta dos atores políticos eleitos. Nesses casos, pode acontecer de os princípios elementares da democracia se verem debilitados – alguém está legitimado por eleição popular para tomar as decisões e é responsável por elas perante um eleitorado concreto – quando realmente não se consegue fazer nada ou quando foram assumidos certos riscos de que ninguém é totalmente responsável. As políticas, face às alterações climáticas ou em relação à crise financeira, colocam problemas desse tipo, em que se pode tomar muitas medidas no nível estatal, mas cujo resultado final escapa aos atores isoladamente considerados.

Quando a realidade é tão intrincada e complexa, os efeitos práticos de nossas decisões são menos transparentes e todo o debate político gira em torno da interpretação da situação. Não é estranho que nesses casos reine uma confusão gerada pela dificuldade em imputar responsabilidades, pela

A CONDIÇÃO POLÍTICA 91

abundância de desculpas e pelas manobras populistas que, com satisfação, parecem saber a quem atribuir os acertos e os erros.

Será que isso significa que tudo é relativo, que não podemos fazer nada ou que a política é um espaço de responsabilidades impossíveis de imputar? Não, é um convite para olhar a situação de outra maneira. O que podemos fazer e exigir dos outros deve ser formulado em seu contexto e não no das possibilidades abstratas. A política consiste em fazer o possível num dado contexto e não num contexto qualquer. Tanto para as conjunturas favoráveis quanto para as adversas, quem lidera assume a responsabilidade, mas sabemos bem que essa ficção não corresponde a uma autoria ou responsabilidade completas. Apesar disso, faz parte da lógica política saber reconhecer e aproveitar essas conjunturas. Nietzsche resumia a nossa responsabilidade dizendo que devíamos estar à altura do acaso. Tratando-se de assuntos políticos, esse dever é muito exigente. É do antigo primeiro-ministro inglês Harold Macmillan aquela afirmação lacônica, em meio a euforia planificadora da década de 1960, quando lhe perguntaram o que teria modificado mais com a sua política: "Os acontecimentos, meu caro, os acontecimentos."

O sucesso e o fracasso não são algo absoluto. Pode inclusive ocorrer o caso de o fracasso objetivo se converter num êxito político ou moral e acabar por integrar o âmbito do heroísmo. Assim foi com Catão, o Jovem e seu célebre suicídio, por meio do qual quis expressar sua recusa a viver num mundo governado por César, ou o lugar honorável que a história reservou a Henning von Tresckow, o inspirador do atentado fracassado contra Hitler, em 1944. Seja como for, o juízo político não é nunca definitivo porque se exerce na história aberta que somos todos nós. Em outras palavras, deveríamos contar sempre com a fragilidade do poder ou do reconhecimento de que às vezes se desfruta, e que não convém nunca desanimar quando o êxito resiste a coroar os nossos esforços, porque a democracia é um sistema político que não nega a ninguém, por princípio, essa possibilidade.

O horizonte a partir do qual se avalia o sucesso ou o fracasso é diferente porque aquilo que é politicamente possível em cada momento está em constante mutação. Além disso, o êxito não é determinado pelos resultados imediatos; há muitos exemplos de derrotas que foram vitórias no longo prazo, do mesmo modo que há demissões que são, implicitamente, uma vitória. Claro que faz parte da arte da política intuir um estado de opinião do eleitorado, antecipar-se e corresponder às suas expectativas, mas isso não basta para definir, com suficiência, uma política bem-sucedida, já que nesse caso o seu melhor exemplo seria o populista com menos escrúpulos. O sucesso na política e o sucesso político não são necessariamente idênticos.

Numa sociedade estão sendo feitos, constantemente, juízos políticos no curto prazo (pesquisas, opinião nos meios de comunicação, eleições etc.), mas cada uma dessas avaliações tem um prazo de validade próprio. As avaliações potencialmente duradouras exigem certo distanciamento. Aquilo que parece um êxito visto de perto pode ser um fracasso contemplado a partir de longe. Os livros de história são reescritos e as estimativas mudam com a passagem do tempo, pouco a pouco ou de maneira abrupta. A agitação midiática, o ciclo eleitoral e o juízo da história são regidos por registros temporais diferentes e é quase impossível jogar bem em todos os terrenos. Aos grandes assuntos políticos, apenas a posteridade é que pode julgá-los com rigor, algo que sem dúvida deixará insatisfeito o político que os cidadãos julgaram, pensa ele, com muito rigor... O que mostra bem que a política é uma tarefa tão difícil quanto pouco rigorosa.

CAPÍTULO 6
O DISCURSO POLÍTICO

A política é uma forma de agir com palavras. Para aqueles que suspeitam da retórica e consideram todos os tipos de teatralização pública embustes perversos, torna-se necessário recordar que a democracia é impensável fora desse espaço contraditório de discussão pública que configuramos com nossas palavras e nossos gestos. Defender hoje o caráter polêmico da política é uma forma de proteger as instituições democráticas da sua possível coisificação, fundamentalmente porque dessa maneira estamos defendendo, no fundo, a ideia do cidadão como alguém que pode modificar as próprias opiniões, que é capaz de dizer certas verdades, mas que também não é detentor delas. Nós só discutimos porque há muitas coisas em relação às quais não temos a certeza e porque pressupomos nos outros uma disposição para se deixarem convencer que é semelhante à que eles pressupõem em nós.

O valor da democracia consiste precisamente em permitir aos cidadãos mudar de opinião e de dirigentes sem que isso implique pôr em risco a ordem política em seu conjunto. Para entender a natureza do discurso político, precisamos rever nossa concepção de verdade em política, não para justificar tudo, mas para ampliar o contrato que vincula governantes e governados, o qual não se resolve com a arbitragem de uma objetividade supostamente indiscutível.

a. A retórica e as ideologias sob suspeita

Há uma velha suspeita quanto à eloquência como uma arte desnecessária, enganadora e ardilosa no pior dos sentidos. Platão formulou a versão mais irreconciliável do antagonismo entre o poder e a verdade ao considerar que a política democrática prefere sistematicamente a popularidade à verdade. O medo dos demagogos alimenta, desde a Antiguidade, uma desconfiança generalizada em relação à política, como se a arte de governar não fosse mais do que a capacidade de enganar os outros e o exercício do poder estivesse irremediavelmente ligado à mentira. Convencer os outros, a missão fundamental do ofício político, é algo que se assemelha a enganá-los, e por isso pode ser confundido com falácia. Na história das sociedades humanas, a sedução e o engano são tão parecidos que muitas vezes não é possível estabelecer uma distinção entre uma e outro. A retórica mobilizou as pessoas a perseguirem grandes objetivos, mas também foi capaz de realizar promessas insensatas apresentando-as como possíveis e razoáveis.

Grandes teóricos do pensamento político moderno desconfiaram da capacidade do entendimento humano para resistir aos encantos de um discurso bem articulado. Como escrevia Thomas Paine com sarcasmo, qualquer pessoa que fale bem é capaz de convencer os outros de que os burros voam. E John Stuart Mill conjecturava que, se por acaso submetêssemos o sistema newtoniano ao voto de uma assembleia democrática que incluísse um bom retórico defendendo o sistema ptolemaico, não seria estranho se este último ganhasse a votação.

Ora, quem desconfia excessivamente da retórica é porque confia demais na verdade. A suspeita quanto à retórica baseia-se no pressuposto de que é uma afronta para a verdade contemplar sua necessidade de ser convincente e sua plausibilidade prática. A verdade, dizem eles, é algo tão importante que não tem nada a ver com suas condições de exequibilidade, nem necessita de uma estratégia especial de comunicação para ser aceitável e para impor, como diz Habermas (1981, p. 51), "a força do melhor argumento". Basta a evidência que a acompanha. Na minha opinião, esse modo de ver as coisas desconhece a dimensão retórica da política, porque tem uma ideia objetivista da verdade, como uma evidência que se impõe sem precisar de persuasão e se realiza na história sem nenhum gênero de resistência.

O preconceito contra a retórica pode ter origem num excesso de ingenuidade quanto à força da verdade, mas também é possível que esconda intenções piores e prejudiciais para a democracia. Por trás da acusação de que a política é verborreia pura está implícito que o melhor regime político seria aquele em que não se discutisse, ou seja, um que obedecesse à realidade ou, melhor dizendo, aos detentores da interpretação correta da realidade. Daí que as tentativas de renovação da democracia tenham vindo acompanhadas, na recente filosofia política, de reabilitações da retórica como um elemento legítimo do processo de deliberação face às derivas autoritárias de certas pretensões de objetividade (Bohman, 1996; Young, 2000; Richardson, 2002; Garsten, 2006).

Em todas as atividades humanas que, como a política, partilham uma inevitável falta de exatidão, esconde-se sempre a nostalgia pela precisão. Não são raros aqueles que desejam acabar com essa exatidão, do mesmo modo que na tradição positivista foram vários aqueles que elevaram a exatidão das linguagens científicas à norma universal e ao paradigma da superação das discordâncias. É certo que se nota um progresso no fato de boa parte da ciência ter conseguido racionalizar sua linguagem ao ponto de ter alcançado algumas formulações precisas. Carnap ou o primeiro Wittgenstein tinham esperança de que a linguagem positiva só deixasse de fora a música e a mística. No entanto, a linguagem da política não é científica, nem musical, nem mística, o que constitui um escândalo para seus críticos positivistas. Partindo desta perspectiva não se consegue compreender a racionalidade própria da política e do uso particular que ela faz da linguagem.

Quanto à nostalgia pela exatidão, é importante dizer que as configurações da linguagem ideológica são muito mais amplas do que um mero registro de fatos positivos. Inventar os slogans eleitorais, as palavras de ordem e os lemas, mobilizar com discursos, configurar a opinião pública são tarefas mais importantes do que aquilo que supõem os nostálgicos da objetividade. Além disso, por que razão considerar que os dispositivos retóricos são um impedimento para a comunicação e não precisamente o contrário? A mobilização emocional, as metáforas e os demais recursos da eloquência podem muito bem fortalecer o diálogo e favorecer a compreensão mútua.

A reabilitação da retórica tem muito a ver com a função das ideologias como disposições que nos permitem fazer frente à necessidade de compreender a realidade política. Não deveríamos prescindir de nenhum elemento de descrição da realidade e de comunicação pública, nem daqueles que gozam de pouca estima entre os administradores da objetividade. Essa necessidade de pôr em jogo todos os recursos é mais acentuada na sociedade contemporânea, uma vez que, dada a complexidade social, os objetivos políticos em cujo nome se atua quase nunca têm uma evidência imediata.

A sociedade moderna seria politicamente amorfa caso não conseguisse traduzir as circunstâncias complexas num meio acessível a todos. As ideologias, cujo esgotamento costuma ser tão celebrado, são meios que procuram a integração da sociedade e dos seus grupos, de tal modo que seja possível atuar em seu nome, isto é, configurar algo parecido com uma vontade política. As ideologias não pretendem demonstrar a verdade, referem-se, isso sim, a disposições práticas: confirmam preconceitos, dão livre curso à dúvida, impõem ou dissuadem, libertam-nos de ressentimentos ou nos alimentam, proporcionam sentimentos de pertencimento, certezas e precauções...

Vamos pensar de forma concreta no modo como as ideologias nos ajudam a formar uma opinião sobre os acontecimentos políticos (por mais que essa função tenha sido pervertida ou frustrada, em diversas ocasiões, pela realidade). Estamos transbordando de informações de todo o tipo que superam francamente as nossas possibilidades de assimilação e comprovação direta. Não está ao alcance da nossa capacidade individual fazer uma ideia cabal do funcionamento dos mercados financeiros, das complexidades da geopolítica ou dos pormenores orçamentais. Estamos sob uma pressão que nos obriga a opinar sobre os assuntos mais diversos, sem interrupção, com escassez de tempo e desprovidos de capacidade para os comprovarmos pessoalmente ou para os medirmos com o critério da nossa experiência segura.

Uma das primeiras funções das ideologias, dos partidos políticos e dos sindicatos é simplificar e esquematizar o mundo social. Em outras palavras, ao estilo kantiano: a própria opinião é formada pelas ideologias a partir da confusão das informações mediante o *a priori* dos interesses de grupo. Reduzem a contradição que existe entre a obrigação de opinar e a capacidade de opinar que sente qualquer pessoa que é bombardeada diariamente com assuntos sobre os quais não tem nenhuma experiência direta.

Claro que essa função pode ser pervertida ou, simplesmente, revista por cada um de nós, mas não faz sentido desprezá-la logo de início. Há um mínimo de integração ideológica que é necessário para pré-configurar uma vontade política coerente e uma ação política que tenha um mínimo de constância. Graças às ideologias, traçam-se objetivos políticos e estabelecem-se solidariedades entre os diversos agentes; trata-se de categorias que nos permitem saber quem somos e o que é que devemos saber, que instituem as distinções fundamentais em virtude das quais podemos nos permitir fazer uma primeira tentativa para nos orientarmos no espaço público. Que os principais conceitos fornecidos pelas ideologias – direita e esquerda, economia social de mercado, Estado-providência, intervenção humanitária, liberalização, pluralismo, solidariedade – sejam pouco precisos não é uma carência, mas antes uma condição de possibilidade da sua eficácia política. Seu caráter genérico permite que se adaptem ao imprevisto por meio da interpretação adequada em cada caso. É justamente por causa de sua inexatidão que elas nos proporcionam um mínimo de orientação sem a qual a ação política seria impossível: fixam a opinião, tornam possível o sentido de pertencimento, estabelecem algumas cumplicidades, mobilizam-nos ou nos dissuadem.

A política seria impensável sem essa inexatidão da linguagem, que tem sua principal expressão na inevitabilidade da retórica e na função orientadora das ideologias. A linguagem política não é precisa porque o mundo político também não o é. E o combate contra essa confusão começa com esse primeiro esquematismo ideológico que cada um vai completando como pode e na medida em que for capaz de gerir a própria aprendizagem da decepção.

b. Fazer coisas com palavras

Aristóteles recomendou que não se discutisse sobre as palavras, algo como declarar a paz perpétua no que diz respeito às palavras. Referia-se, é claro, àquele tipo de discussão sobre as palavras que substitui a discussão sobre as coisas. Não parece que a Aristóteles tivesse escapado o óbvio, ou seja, que muitas vezes as palavras são justamente aquilo sobre o que se deve discutir.

O mesmo Aristóteles que nos desaconselhava a discutir acerca das palavras dizia que não deliberamos sobre o que achamos não poder ser de outra maneira. Ao colocar os assuntos políticos sob a categoria do contingente, ele reconhecia que a política não pode ser nada além de discussão. Em *Eumênides*, de Ésquilo, a política é caracterizada como *agathon eris*, ou luta pelo bem. A *pólis* e o polêmico estão intimamente ligados. O político é o polêmico e a política é um caso especial de discussão acerca das palavras. A recomendação aristotélica de não discutir sobre palavras não pode ser seguida em todas as situações. Isso seria possível unicamente em espaços semânticos despolitizados. Dá-se inclusive o paradoxo de que o próprio apelo ao consenso supõe que de fato ele não existe, que na realidade estamos no meio de um desacordo a respeito das questões políticas, nas quais não impera uma evidência pacífica.

Há uma desconfiança persistente em relação à dimensão retórica da política, desde a velha crítica conservadora ao Parlamento até as modernas críticas de aspecto populista ou tecnocrático às instituições da representação, as quais são, no fundo, instituições da discussão. Uma atividade que consiste fundamentalmente em falar, discutir e criticar pode parecer suspeita a quem está acostumado, no seu trabalho, a resultados claros e indiscutíveis, razão pela qual esperam dos políticos algo semelhante.

Em toda essa antiga crítica, lamenta-se que o sistema político seja um espaço onde se fala em vez de se fazer. Esses são aqueles que prefeririam atuar sem ter de dar explicações, que estão na posse de uma objetividade sem réplica e que pretendem evitar a discussão para chegar o mais rapidamente possível à eficácia, que desejariam ver-se livres do aborrecimento de terem que persuadir os outros, que sabem o que o povo quer sem nem mesmo precisar perguntar e perder tempo num longo processo de deliberação com o objetivo de formar a vontade política. Seria o caso, em última instância, de substituir a discussão pelo ditame dos especialistas, na sua versão tecnocrática ou populista. Isso pressupõe a existência de uma realidade objetiva perante a qual a figura do político tagarela surge como um simulacro e como uma teatralização, carente de efetividade e decisão. Há também uma versão populista, que coincide com a tecnocracia na medida em que ela, de igual modo, toma uma coisa como certa; neste caso, trata-se da vontade imediata do povo, que é tão inapelável quanto a autoridade dos especialistas no pensamento tecnocrático.

Gostem ou não, pecando por excesso ou por falta, é preciso que saibam que a política é ação por meios linguísticos, para tomar de empréstimo o título do célebre livro de John Austin (1962), "fazer coisas com palavras". A política é exercida mediante a linguagem. Quando se deixa de falar, a política acaba. Por isso a linguagem significa para o político algo diferente daquilo que significa para um cirurgião ou um jogador de futebol. Pode haver excelentes cirurgiões e jogadores que não sabem o que fazer com a linguagem sem que isso tenha grande importância, já que o decisivo na sua profissão não reside no terreno da linguagem.

Na política, pelo contrário, não é fácil distinguir as palavras das ações. Os enunciados do discurso político têm sempre caráter de ação e ocorrem num contexto prático. Referem-se sempre a circunstâncias políticas, e sua mera enunciação intervém nelas. A tradição retórica sempre soube disso e proporcionou muitas pistas para entender o significado dos discursos políticos: quando se pretende conseguir a adesão ou a rejeição, quando se almeja a mudança ou a estabilidade. Seria um erro encarar o elemento retórico do discurso como uma aplicação posterior, cosmética ou decorativa, de umas palavras que apenas tiveram como função refletir uma situação objetiva.

Isso significa, em primeiro lugar, que na política a linguagem tem um caráter performativo; falar é uma forma de fazer. Temos exemplos recentes que mostram o poder dos discursos e das palavras: pensemos no discurso de 1960 em que Charles de Gaulle declarava o caráter francês da Argélia e, ao mesmo tempo, abria caminho à sua autodeterminação; no sonho pessoal a que se referia Martin Luther King em Washington, em 1962, e que foi decisivo para mobilizar o combate pelos direitos civis; ou nas palavras mágicas de Mario Draghi em 25 de julho de 2012, quando assegurava a sua intenção de tomar as medidas necessárias (*"whatever it takes"*) para salvar o euro, a fim de apaziguar os mercados. Uma única palavra de um ministro da Economia pode fazer movimentar muito dinheiro na Bolsa e desvalorizar uma moeda; a afirmação descuidada de um ministro das Relações Exteriores pode prejudicar as relações com um país durante muitos anos; quando uma linguagem política não chega aos cidadãos, por acharem esta incompreensível ou por falta de interesse, é a própria política que se vê afetada em sua natureza.

A política também faz coisas com palavras porque nessa área há sempre algo mais do que meras descrições. Na linguagem política quase nunca se transmitem informações neutras, já que dizer algo implica sempre algum tipo de avaliação e de atuação. Por isso a política é um espaço de promessas, aspirações, apostas, no qual se faz avaliações ou se mobiliza, operações que vão muito além da mera descrição de realidades objetivas. Claro que na política também se pressupõe que haja informações acerca de fatos objetivos. Mas nela as coisas não acabam, e sim começam, com a informação.

A ação visa sempre modificar a situação, tanto que quem informa normalmente também quer fazer algo pela situação, assume-se como alguém que é muito mais do que um mero anotador de fatos e, inclusive, quando aparenta não ser mais do que isso, está fazendo mais do que apenas se limitar a registrar, ou seja, está conservando, conseguindo o aplauso, instigando a mudança ou demonstrando ser merecedor de respeito. Na política não existe a não ação, a mera descrição, a neutralidade; quem não faz nada também está fazendo algo e por isso está sujeito a responsabilidades; quem se limita a descrever exclui dessa descrição as avaliações que lhe são menos favoráveis e quem se exibe como neutro está desse modo tomando certo partido ao simular não tomar.

Outro campo da discussão política é o combate pelas palavras apropriadas. Quem afirma que a política é apenas falar parece não entender que as palavras não são apenas palavras, e sim tomadas de posição. O combate pelas palavras é mais do que apenas uma luta por palavras. Como dizia Richard Rorty, mudamos nossa maneira de pensar quando começamos a usar palavras diferentes e, em muitas ocasiões, o verdadeiro combate político consiste em ganhar a batalha em torno de quem tem o poder de nomear ou de relatar certas coisas. Esse é o contexto em que decorre o combate pelo "relato" acerca de um determinado acontecimento ou a utilização de eufemismos para nomear uma realidade. O confronto político é uma luta por palavras, uma disputa pelas formas de nomear as coisas ou de resgatar determinadas palavras do uso que delas faz o adversário (Lübbe, 1975).

A escolha de palavras é atualmente uma questão muito sutil, e a luta contra o adversário político inclui também a luta contra o uso político que aquele faz da linguagem. Da mesma forma, existe um combate que consiste em libertar as palavras do adversário, em determinar o seu "verdadeiro sentido", o que, mais do que uma constatação de fatos, implica uma linguagem performativa: queremos que essa palavra designe algo diferente daquilo que o adversário pretende. A política é a arte de procurar a aquiescência num meio de confronto público, para o qual é necessário utilizar palavras que representem algo que é apreciado pelo destinatário. Não utilizar essas palavras porque o rival as emprega com outro sentido significaria aceitar que ele tem o monopólio do direito a representar os valores que são aludidos mediante tais expressões. Como é óbvio, poderíamos dizer: deixemos essas palavras para o inimigo e nos dediquemos antes aos assuntos por elas nomeados. Seja como for, em política não se deveria abdicar facilmente do direito de se fazer o uso que se quer das palavras.

Seja como for, as mudanças de vocabulário não podem ser decretadas e ocorrem em meio a um combate no qual os outros propõem diferentes palavras e significados. As coisas não se passam como naquele filme de Woody Allen em que um chefe da guerrilha de um país latino-americano decreta que o novo idioma vai passar a ser, dali em diante, o sueco. No meio de um espaço de controvérsia pública, os agentes políticos propõem certo uso da linguagem, um relato dos acontecimentos ou certo significado para determinados termos... mas o resultado final da batalha, a aceitação pública desse relato ou esse significado é tão indeterminado quanto a própria democracia.

Há outra dimensão desse "fazer coisas com palavras": agir por meio de gestos ou a teatralização política. É próprio da política decorrer no mundo do "aparecer"; não se processa no âmbito privado da consciência nem nas profundidades escondidas da autenticidade. Não se pode fazer política sem certa teatralização: a política implica uma constante encenação. Qualquer encontro entre seres humanos tem algo de teatral. Precisamos representar para nos fazer entender, em especial na política, na qual estão em jogo assuntos que dizem respeito a muitas pessoas, na qual se trata de convencer os outros e geralmente não há uma objetividade indiscutível. A política da decisão é inseparável da política como representação.

A mesma suspeita que era dirigida contra a dimensão retórica da política encontra motivos de desconfiança quanto à teatralidade e à tendência a ser reduzida a uma mera forma de espetáculo e simulação. A encenação é considerada algo inautêntico, como aparência sem realidade. Ora, a política é um conjunto de ações que incluem conteúdo, expressão e gesticulação, sem que pareça possível prescindir, em princípio, de qualquer um desses elementos. Quem quer transmitir de maneira convincente determinados conteúdos tem de encontrar os meios de expressão mais adequados, o que implica também certo conjunto gestual.

A encenação é criticável quando pretende enganar ou está em contradição com o assunto que está sendo tratado. Esse é mais um dos aspectos ambivalentes da política atual, que não pode ser pensada sem a dimensão comunicativa e as formas simbólicas, mediante as quais uma realidade complexa se torna compreensível, mas que costuma exagerar a dimensão teatral a ponto de a agitação gestual acabar por substituir a forma e o conteúdo do debate. Para ajuizar corretamente de que modo se articulam todas essas dimensões da política é necessário refletir acerca do sentido que nela deve desempenhar o valor da verdade.

c. Verdade e mentira no sentido extrapolítico

Do mesmo modo que Nietzsche (1999) estendeu a suspeita contra a verdade considerando-a uma construção mental para nomear outras coisas, poderíamos dizer que há certo uso do termo "verdade" cujo objetivo é fingir a objetividade de que alguns se julgam possuidores. Só se entende a lógica política se a verdade e a mentira forem concebidas em sentido extrapolítico, ou melhor, unicamente de acordo com a lógica que define o jogo peculiar da política e não com parâmetros de outras atividades. A democracia é um regime de opinião e não um conflito de verdades em busca de corroboração científica. "A democracia é governar discutindo porque governar é opinar" (Urbinati, 2014, p. 31). A democracia não tem como objetivo atingir a verdade (embora muitos cidadãos pensem assim e muitos políticos corroborem com essa ideia), e sim decidir com a contribuição de todos os cidadãos, partindo do princípio de que ninguém – maioria triunfante, elite privilegiada ou povo incontaminado – tem acesso privilegiado à objetividade que nos pouparia o longo caminho da discussão pública. Nesse sentido, é compreensível por que Rawls (1999, p. 579) dizia que certa concepção da verdade ("*the whole truth*") era incompatível com a cidadania democrática e o poder legítimo.

A forma de luta especificamente política é resultado de uma tensão complexa entre os sujeitos. A interpretação desse resultado faz parte do próprio objeto dessa luta. Por isso a política é um combate pela interpretação, e portanto é perfeitamente razoável o litígio acerca de como devem ser interpretados, por exemplo, os dados eleitorais ou a situação econômica.

A tentativa de impor determinados critérios para avaliá-los é inútil e tende a despolitizar as discussões, já que em política, geralmente, não há um juiz ou uma objetividade que esteja além da própria discussão. A democracia não é um sistema para resolver determinados problemas, e sim para identificar os problemas e convertê-los em algo que deve ser publicamente discutido. A própria noção de político é um conceito político, ou seja, tem um sentido polêmico. Decidir se algo é político ou não, se deve ou não entrar na agenda política, é sempre uma decisão política. Isso quer dizer também que, propriamente falando, não existem problemas políticos; existem problemas que são chamados assim e enfrentados politicamente. O político é construído precisamente na definição da situação.

Sob essa perspectiva é possível entender que a tarefa das instituições políticas não é configurar procedimentos para ditar a verdade das opiniões em conflito. O elemento cognitivo é aqui essencial, mas não é um fim em si mesmo, nem precisa, sobretudo, ser avaliado; não é algo "objetivo" como podem ser alguns juízos das ciências da natureza; pelo contrário, é do tipo normativo, que costumamos encontrar nos procedimentos jurídicos.

Quem se indigna porque a política está imbuída de retórica, muito próxima da simulação e da demagogia, talvez esteja se esquecendo daquilo que a distingue da ciência. Nesta última, o que está em jogo é a verdade; na política, é o correto (oportuno, justo, viável, econômico, integrador...). A questão da verdade só tem lugar na política no seio de uma pluralidade de valores em conflito dentro do qual se decide o que é correto. Determinado imposto não é verdadeiro ou falso, mas justo ou injusto. Sua oportunidade só pode ser determinada se se levar em conta uma diversidade de aspectos: necessidades financeiras do Estado, possibilidades econômicas dos indivíduos, critérios de justiça e redistribuição... Por isso é normal que na política os agentes avaliem de maneira diferente os mesmos fatos e cheguem a conclusões acerca daquilo que é correto de maneira também diferente.

Tudo o que acabou de ser dito deveria nos servir para matizar bastante a opinião corrente de que os políticos mentem ou não cumprem o que prometem. Há quem defenda que se mente mais do que antigamente, a ponto de se afirmar que vivemos num ambiente de pós-verdade (Oborne, 2005). Se estou colocando em questão essa afirmação não é para defender ninguém, e sim para defender o ofício, que é algo muito diferente. Não digo isso para eximir os políticos de suas obrigações, mas para evitar que se simplifique o contrato que vincula os eleitos com os eleitores e para lhe dar toda a força que ele deve ter numa sociedade democrática.

O que pode significar aqui falar sobre verdade e mentira num sentido extrapolítico? Para começar, que a política não diz a verdade simplesmente porque muitas vezes não há uma verdade simples para se dizer. Para muitos assuntos políticos, tentar julgá-los com o parâmetro da adequação à realidade objetiva é uma simplificação muito tosca. O que podemos e devemos esperar dos nossos políticos é algo muito mais exigente do que ouvir a verdade.

Por outro lado, para estimar a questão da verdade ou da mentira em política é preciso fazer isso em meio a uma confusão formada pela cumplicidade de alguns políticos hipócritas, uma cidadania que nem sempre quer que lhe digam a verdade e alguns meios de comunicação que dariam cabo de quem dissesse a verdade. Esse é o contexto que obriga os políticos a se manterem na defensiva e na ambiguidade, porque sabem que os cidadãos se habituaram a orientar-se no campo político com esquemas de polarização, ao passo que os meios de comunicação quase não oferecem espaço para a discussão equilibrada, seduzidos como estão por aquilo que gera escândalo e dissensão.

Não nego que os políticos mentem, mas considero que a palavra "mentira" é muito rude para descrever suas práticas de comunicação. O discurso político possui uma lógica própria irredutível a outro tipo de atos ou linguagens. Deve-se desconfiar, aconselha Brno Latour, daqueles que acusam os outros de mentir em política. A mentira é uma categoria que pertence ao âmbito da moral. É muito frequente, por exemplo, que depois de ter feito uma promessa a realidade, ou seja, a relação de forças, o contexto limitativo, impeça ou condicione o seu cumprimento. Isso não significa que não existe qualquer noção de "verdade" na política e de seu contrário. A verdade existe em política "dispersa nas instituições, inscrita nas práticas, cativa nas nossas indignações e opiniões... Há todo um *savoir-faire* do bem falar e do mal fazer em política" (Latour, 2012, p. 348). É nessas práticas da maneira de falar em política que nos deveríamos fixar a fim de conseguir formular juízos mais certeiros.

Com isso não quero retirar importância ou diminuir as responsabilidades políticas, pelo contrário. Se mantivermos um critério de verdade em política como algo vinculado de maneira redutora à objetividade, estaremos eximindo de responsabilidades todo e qualquer uso da linguagem, a qual, tal como as promessas ou as apostas, tem uma relação muito indireta com a objetividade e das quais só se presta contas com outros registros, diferentes ao da adequação a uma realidade objetiva. Os juízos que emitimos acerca das obras musicais não é menos exigente do que os dos enunciados científicos, embora naquelas a questão da objetividade não faça muito sentido. Pois bem, fazer coisas com palavras, no que consiste a tarefa política, pode ser uma missão ainda mais difícil do que dizer a verdade. Temos direito de exigir do sistema político muito mais do que isso, principalmente porque não devemos perder tempo exigindo dele.

CAPÍTULO 7
A POLÍTICA DAS EMOÇÕES

Uma das mais antigas dicotomias da nossa cultura é a que opõe os sentimentos à razão, e a política também foi construída com base nessa antinomia. A modernidade foi uma era de racionalização do espaço social, entendida fundamentalmente como uma instrumentalização das paixões por parte da razão ou como uma subordinação das emoções à lógica burocrática. Madison (1995, p. 371) advertia contra as paixões desordenadas que colocavam em perigo "o sentimento sóbrio e deliberado da comunidade". Ficou célebre, nesse sentido, a afirmação de Max Weber (1992, p. 62) de que a política devia ser feita com a cabeça e não com outras partes do corpo. O conceito weberiano de "desencantamento" ou "racionalização" do mundo não é outra coisa senão uma tentativa de neutralizar o mundo obscuro das emoções. Daí o prestígio da impessoalidade, da objetividade e da distância que caracterizam a burocracia moderna.

Esse modo de pensar sofreu profundas transformações que afetaram também o papel que o processo político concede às emoções. A oposição entre objetividade e paixões, entre argumentos e emoções, tão querida pelos iluministas e pelos pais da república norte-americana, é na realidade altamente suspeita. Pretender que o discurso desapaixonado seja um meio mais neutro e mais racional de proceder não passa de uma estratégia retórica cuja pretensão é dissimular os interesses sob a máscara de uma neutralidade fictícia (Young, 2000, p. 63).

O problema da retórica, para a democracia, não é a introdução das emoções no jogo político, mas o fato de a relação entre elites e cidadãos ser constantemente dominada pelas tendências plebiscitárias, que simplificam os problemas e reduzem as opções possíveis a esquemas binários. Aquilo que encontramos nas formas contemporâneas de populismo é um tipo de sentimentalismo que vem preencher o vazio de uma política sem paixão nem entusiasmo, e não conseguiremos evitar a instrumentalização sentimental enquanto não formos capazes de conceder às emoções um lugar digno nos processos políticos das sociedades democráticas.

a. Racionalistas e sentimentais

As emoções têm grande importância quando se trata de configurar o espaço público (Camps, 2011; Nussbaum, 2013). Está equivocado aquele que enxerga nelas unicamente um fator que tende a distorcer a racionalidade dos processos políticos.

Para começar, o aspecto retórico e hipotético, no que concerne a coisas futuras, de uma decisão faz com que a deliberação política tenha muito mais do que apenas uma função cognitiva; é um processo emotivo e complexo, no qual intervêm, além do par verdadeiro/falso, os critérios de justo/injusto ou oportuno/inoportuno, no qual se põem em marcha ações de identificação e mobilização.

Por outro lado, se é certo que as emoções podem atuar como elementos de despolitização, não é menos verdadeiro que também podem contribuir de modo insubstituível para a configuração de bens públicos. Um bom exemplo disso é a necessidade de confiança para a economia ou de esperança coletiva para a mobilização política. É o caso das autoridades de segurança rodoviária que tentarão garantir que os motoristas não sejam tão intrépidos e inclusive que tenham um pouco de medo; também àqueles que têm a responsabilidade de fomentar a inovação interessa que os cidadãos sejam menos temerosos e arrisquem mais... Esses são exemplos que ilustram até que ponto a ação política está ligada ao governo das emoções sociais, sobre as quais deve incidir, da mesma forma que se geram outros aspectos da cidadania não menos relevantes para a consecução do interesse geral.

É verdade que somos o produto de uma cultura que não sabe muito bem o que fazer com as emoções e que, neste tema, as posições tendem a se polarizar entre aqueles que nutrem uma profunda desconfiança quanto à presença dos sentimentos na política e aqueles que, conhecendo esse vazio sentimental, utilizam os sentimentos de um jeito populista. Como tantas vezes acontece com os antagonismos, eles se realimentam: o empenho de uns em esvaziar sentimentalmente a política é visto por outros como uma oportunidade de preencher esse fosso por meio da mobilização sentimental, o que por sua vez aumenta a desconfiança nos primeiros e continua a alimentar o ciclo.

O ponto secreto em comum consiste na concepção de que os sentimentos são motivações irracionais, que irrompem no campo político a partir de fora e o distorcem. O único elemento que diferencia os racionalistas dos sentimentais é que enquanto uns temem essa irrupção, outros a celebram, ambos coincidindo, no entanto, na defesa de uma ideia despolitizada da esfera emocional, autossuficiente em relação à esfera política. Entendem os sentimentos como algo que os indivíduos possuem, mas não como algo que é socialmente construído. Concebidos de maneira essencialista, os sentimentos ficam de fora da esfera e do discurso políticos; são pensados como um recurso de que se pode dispor a qualquer momento e passíveis de ser integrados num projeto político que tende a enfraquecer a democracia, ou seja, como uma ameaça latente.

Essa despolitização do sentimental é um dos fatores que mais empobrecem a vida pública. Os sentimentos podem estar a serviço da renovação das democracias, embora para isso tenhamos de pensar na sua articulação de outra forma. Que a política e o sentimento se excluem mutuamente é um dos mitos modernos que precisam de urgente revisão; é o corolário de outras antinomias, como as de razão-sentimento, conhecimento-emoção, cultura-natureza, homem-mulher, público-privado, de cujo simplismo não vem nada de bom e que não serve para nos ajudar a compreender a nossa realidade social ou sequer para intervir positivamente nela.

Um dos efeitos colaterais desses dualismos foi terem favorecido a hegemonia masculina. O modelo burocrático-racionalista não serviu para que a neutralidade e a imparcialidade triunfassem, e sim para consagrar a polarização dos gêneros, ou seja, para remover as emoções do mundo público dos machos e tornar o mundo privado das mulheres o reino por excelência da emotividade, um esquema que continua a ser dominante apesar de se promoverem cotas e igualdade no mercado de trabalho. É porque a burocracia não é neutra do ponto de vista do gênero, pelo contrário, corresponde ao apagamento do feminino no espaço público. A ideia weberiana de racionalidade pressupõe a construção de um tipo particular de masculinidade baseado na exclusão do pessoal, do sexual e do feminino de toda e qualquer definição de "racionalidade" (Pringle, 1988, p. 88).

Nosso modelo de cidadão ativo é um macho sem emoções que persegue racionalmente os seus interesses de acordo com um cálculo de utilidade. A emotividade no âmbito público é desvalorizada como um sinal de incompetência. As instituições e os processos políticos são concebidos como algo alheio à condição pessoal ou sexual de seus "autores", como instrumental e desprovido de emoção. As emoções ou o gênero têm, no máximo, o estatuto de variáveis externas do espaço público. Os sentimentos são politicamente disfuncionais e promovem tendencialmente o caos, na medida em que impediriam o conhecimento e dificultariam a tomada de decisões. Como é possível que alguém fique surpreendido pelo fato de o vestuário de uma política mulher nos chamar atenção? Não será porque isso desperta, lá nas profundezas dos nossos estereótipos dominantes, o receio atávico de que as mulheres, tal como os sentimentos, são um fator de distorção na política?

Um dos nossos grandes desafios quando se trata de pensar de novo na função da política consiste precisamente em examinar de que modo os sentimentos configuram o espaço público e qual função podem exercer nele. Somente então poderíamos estabelecer quando e por que os sentimentos enfraquecem a democracia e em que condições, pelo contrário, servem como recursos democráticos e emancipadores.

Devemos considerar os sentimentos como uma forma de experiência política e de inteligência social. As emoções estão presentes em todos os âmbitos da vida e em todas as ações. Não há, por exemplo, conhecimento sem emoção. Os sentimentos e a racionalidade não são qualidades que se excluem. Ambos são práxis sociais e ambos são formas específicas de conhecimento. Também se aprende por intermédio do medo e da confiança, que são formas de nos relacionarmos cognoscitivamente com a realidade.

É verdadeira a ideia de Norbert Elias (1978), segundo a qual o processo de civilização implica um controle sobre a efetividade, mas tal não pode ser interpretado como se as emoções fossem selvagens e sem nenhuma função na nossa vida, tanto pessoal quanto coletiva. Os sentimentos não são reações com origem no mais profundo e irracional das pessoas e que irrompem daí para o espaço da política. Os sentimentos não podem ficar enclausurados numa esfera privada, onde podem ser "satisfeitos". A esfera pública é um âmbito igualmente legítimo para exibir emoções. Politizar as emoções pode ser um fator de renovação democrática. O espaço público não se revitaliza ao ser mantido afastado das emoções, e sim quando se volta a politizar e a democratizar os sentimentos.

O enfraquecimento das instituições que proporcionavam identidade e integração deixou um vazio que costuma ser preenchido com discursos emocionais populistas. Uma nova ordem dos sentimentos tem se configurado, e governá-los de forma adequada é uma tarefa tão difícil quanto inevitável. Seria fazer algo muito parecido ao que Marcuse propunha quando falava de erotizar a política, talvez o único procedimento para atrair os interessados e voltar a fazer dela algo interessante.

b. A desordem emocional-populista

O avanço do populismo na Europa é um problema que deveria ser considerado um sintoma. O populismo parece convincente porque algo não vai bem, e o sismógrafo populista serve para identificarmos o quê. Para que o populismo seja algo mais do que o sectarismo de uns exaltados marginais é preciso que coincidam no tempo um problema por resolver e algumas instituições fracas. O êxito dos intrusos carismáticos só se consegue explicar por um déficit nas elites dirigentes, como uma derrota dos seus discursos, que não parecem inteligíveis ou convincentes, sem esquecer que os populismos não teriam sucesso se não houvesse sociedades dispostas a lhes dar ouvidos. Quais são as condições estruturais da nossa cultura política que explicam essa desordem emocional-populista?

Poderíamos começar pela seguinte constatação: os atuais espaços sociais, disformes e difusos, cada vez menos governáveis pelos Estados, unificados pelos meios de comunicação e atravessados por um processo de globalização que ainda não os articula institucionalmente, são muito vulneráveis às convocatórias de aspecto sentimental. Em cada país e no espaço global sucedem acontecimentos que provocam uma forte descarga emocional. Quando os espaços políticos não delimitam nem protegem, então não há quem detenha a globalização sentimental. A descarga emotiva decorre livremente sem que nada limite o seu desenrolar. A desregulação, além de um processo econômico, é também algo que afeta o registro dos sentimentos. Pensemos no efeito emocional das tragédias, que não são mais dramáticas do que as de outras épocas, mas que nos atingem agora com uma inaudita capacidade de comoção. Há algo de comum na resposta que provocam o tsunami, o terrorismo, as guerras ou o pânico bolsista: uma eletricidade sentimental que configura comunidades de indignação, tão poderosas quanto efêmeras.

Entre essas paixões ocupa um lugar fundamental o medo e suas retóricas. Vivemos num mundo de espaços abertos, o que significa também certa desproteção. Os cidadãos mais favorecidos celebraram essa intempérie como um ganho de liberdade (como mercados menos regulados ou uma mobilidade maior), mas os mais vulneráveis se sentem inseguros, abandonados e são pasto para as promessas populistas. Muitos dos arroubos emocionais da sociedade têm a ver com o fato de as pessoas sentirem medo, um medo que está mais relacionado com a desproteção na esquerda e mais com a perda de identidade à direita, embora tudo isso esteja misturado, dando lugar a sentimentos de difícil interpretação e gestão. Neste mundo, as garantias que funcionam apenas em espaços fechados perderam eficácia, o que não quer dizer que as pessoas não tenham direito, nas novas condições, a uma proteção semelhante. Enquanto a política não for capaz de proporcionar uma segurança equivalente, as sociedades terão motivos para confiar nas promessas irrealizáveis do populismo.

Os espaços emocionais surgem a partir de uma suscetibilidade social muito particular; vivemos numa cultura da afetação, numa "sociedade das sensações" (Schulze, 1992), que tudo espetaculariza, dramatiza e converte em vivência emocional. Os meios de comunicação desencadeiam permanentemente o alerta emocional da sociedade e mantêm assim a atenção necessária para despertar em cada caso o correspondente conteúdo sentimental. O espaço emocional é agora o espaço por excelência, o substituto daquele que imaginávamos orientado pela confrontação ideológica e articulado pelas instituições correspondentes.

As catástrofes têm agora uma enorme capacidade aglutinadora. As correntes de solidariedade a que dão origem modificaram também nossa sensibilidade moral, dando lugar a uma ética da assistência a distância, própria do mundo unificado (Chatterjee, 2004). Nelas se verifica uma autêntica relação com "o outro generalizado" (George H. Mead). As catástrofes têm, além disso, um grande significado político, a ponto de às vezes serem o único evento capaz de provocar reviravoltas eleitorais quando o público é, ao mesmo tempo, politicamente apático e emocionalmente histérico.

Há muitos exemplos de guinadas eleitorais que não teriam ocorrido se não tivessem sido intermediadas por um acontecimento emocional desse tipo, no qual os eleitores sancionaram as reações correspondentes. Como é lógico, as guerras são outra fonte de dramatização com especial capacidade de convocatória. Num momento em que as identificações são mais frágeis, a indignação parece ser o aglutinador social mais poderoso. E a política se converte em vitimologia: a arte de dramatizar de maneira convincente e utilizar em benefício próprio a força emocional gerada pelas vítimas de injustiças.

Todos esses fenômenos colocam em evidência a debilidade institucional de nossas sociedades, a dificuldade da política para dotar as emoções coletivas de uma forma razoável e proporcionar-lhes uma via de atuação adequada. Provavelmente, será preciso levar a sério Luhmann (1984, p. 365), quando adverte que "a sociedade moderna está mais ameaçada pela emotividade do que se supõe". Os diversos conteúdos éticos, afetivos e emocionais – que conferem significado subjetivo e propriamente humano às relações entre as pessoas – não desapareceram, mas tendem a se expressar à margem, contra as instituições, nos espaços da intimidade ou num registro emocional no caso de acontecimentos específicos, como as catástrofes ou os atentados terroristas.

Na nossa sociedade, os sentimentos coletivos "flutuam", desarticulados e dissociados dos mecanismos de regulação da vida social. Há como que uma espécie de energia subjetiva sem ancoragem nem sentido de responsabilidade. A desregulação emocional parece decorrer em paralelo com os processos similares da economia globalizada e reproduzem, apesar de sua simultaneidade e universalidade, a mesma carência do mundo comum.

A carga emocional que os acontecimentos dramáticos geram não seria possível sem os meios de comunicação atuais. Se em 1755 Londres e Paris só tomaram conhecimento do terremoto em Lisboa duas semanas depois, hoje o atual universalismo dos telespectadores converte as catástrofes em eventos imediatos e simultâneos. Ao contrário do que pensava Rousseau, que estava longe de poder imaginar uma sociedade com meios de comunicação como a nossa, o sentimento de humanidade não fica enfraquecido quando se estende por todo o planeta; as desgraças não nos afetam menos quanto maior for a distância onde ocorrem. O distante e o próximo são magnitudes que se transformaram no mundo global por causa dos meios de comunicação (Ritter, 2004). E uma das distâncias que foram suprimidas foi a distância geográfica. Uma sociedade, desde a doméstica até a mundial, mantém-se unida de acordo com o tempo e o modo dos meios de comunicação. Em outras palavras, com as mesmas características que rodeiam o mundo dos meios de comunicação, ou seja, com as leis que regem esse peculiar mercado da atenção, que é seletivo, inconstante, sensacional, simplificador, emotivo e esquemático.

Para os meios de comunicação, o mundo acontece como escândalo e catástrofe. Daí que mantenham permanentemente despertos os sentimentos de vulnerabilidade, desproteção e insegurança. Nos espaços da mídia, as notícias e suas correspondentes cargas afetivas decorrem em grande velocidade, sem o efeito moderador da distância ou da compartimentalização. Essa desmesura está ligada à fragilidade institucional de um mundo que não está formatado e que carece de protocolos; o caráter amorfo dos sentimentos tem correspondência, por sua vez, com as propriedades da "sociedade do risco" (Beck, 1986), com um tipo de socialização que não se baseia em valores e normas partilhados, e sim em ameaças comuns, como os riscos, as catástrofes ou as crises. Nossos vínculos são constituídos mais por aquilo que tememos e nos indigna do que por uma integração positiva.

A compaixão, que é um sinal de humanidade, também tem seus caprichos (Lipovetsky, 1992; Béjar, 2001). Nossos espaços emocionais, como a nossa atenção em relação ao mundo, são frequentemente seletivos, arbitrários e inconstantes. A agenda da atenção é configurada de maneira bastante caprichosa e tende a dar prioridade àquilo que se revela mais sensacional. Também tem memória ruim. As emoções mais intensas costumam ser as mais rapidamente esquecidas. Essa facilidade para o esquecimento, tratando-se da desgraça alheia, já foi assinalada por Adam Smith em sua *Teoria dos sentimentos morais*. Seja qual for o caso, os dramas existem antes de os meios de comunicação se fixarem neles e persistem também depois que não recebem mais atenção.

A indignação ou o sentimento de compaixão são reações especialmente valiosas que também podem se tornar extravagantes. É verdade que a sociedade ficaria mais pobre sem essa compaixão que o mal alheio suscita ou sem a ira que a injustiça provoca. No entanto, as correntes emocionais, quando não são articuladas política e institucionalmente, provocam tanto ondas de generosidade quanto de histeria. Não é que os seres humanos tenham se tornado mais egoístas ou insensíveis; nunca deixaram de se interessar uns pelos outros e de promover correntes muito poderosas de solidariedade. Mas não é possível colocar essas disposições amorfas de serviço da sociedade sem mediações institucionais. A política, às vezes tão injuriada, não raro por motivos sentimentais, serve precisamente para dar a tudo isso uma forma concreta, duradoura, razoável e eficaz.

A política consiste em civilizar o emocional e impedir a instrumentalização das paixões; transforma o sentir em atuar e atribui responsabilidades onde elas estavam ausentes ou onde não havia mais que imputações genéricas. A política não reprime as emoções, das quais aliás vive; quantas conquistas sociais tiveram sua origem numa determinada indignação. Mas sem esse trabalho sobre o imediatismo emocional aquela inquietude latente nos nossos melhores sentimentos ficaria insatisfeita.

Por isso, o combate contra a desordem emocional-populista não passa tanto pelo apelo a valores intangíveis, mas sobretudo na mobilização de recursos emocionais, desde o medo até a esperança. A política é uma forma de canalizar as emoções sociais, de maneira que se tornem construtivas e não destrutivas. O populismo é precisamente uma reação à falta de política, que no seu formato atual não permite uma articulação política das paixões. O êxito do populismo explica-se porque a política não conseguiu traduzir institucionalmente uma série de sentimentos amplamente disseminados em certos setores da população que já só confiam em quem promete aquilo que não pode proporcionar.

Se expulsarmos da política os excessos emocionais e os momentos imponderáveis, estaremos acabando com a própria política, da qual faz parte a paixão. O espaço público não é uma conversa de salão entre intelectuais; as emoções fazem parte da sociedade de massas, assim como certa dramatização.

Se os políticos moderados ignorarem essas condições emocionais, estarão convidando os demolidores de tabus, que encontram o palco à sua inteira disposição.

CAPÍTULO 8

A IMPORTÂNCIA DE SE CHEGAR A UM ACORDO

Levi Eshkol, um antigo primeiro-ministro israelita, era um político incansável quando se tratava de chegar a um acordo. Dizia-se que ele era tão partidário do compromisso que, quando lhe perguntavam se queria chá ou café, respondia: "Metade chá e metade café." Às vezes, o desejo de encontrar um compromisso pode acabar por ocultar o fato, tão próprio da nossa condição política, de que geralmente é preciso escolher entre bens que não são de todo compatíveis, que o acordo nem sempre é possível e que muitas vezes se torna necessário optar ou decidir.

Uma democracia, mais do que um regime de acordos, é um sistema cujo objetivo é conseguir conviver em condições de profundo e persistente desacordo. Ora, em assuntos que definem nosso contrato social ou quando se dão circunstâncias especialmente graves, os acordos são muito importantes e vale a pena investir neles os melhores esforços. Embora manter a discordância possa ser melhor do que chegar a um mau compromisso, embora os compromissos sejam considerados (às vezes com razão) o resultado de uma negociação entre partes que carecem de princípios ou uma mera questão de equilíbrio de poderes, uma realidade é inevitavelmente imposta: os desacordos são mais conservadores do que os acordos; quanto mais polarizada estiver uma sociedade, menos capaz será de se transformar. Ser fiel aos próprios princípios é uma conduta admirável, mas defendê-los sem flexibilidade é ser condenado à estagnação.

A política democrática não consegue operar mudanças na realidade social sem algum tipo de concessão mútua. Se os acordos são importantes, é porque os custos de não se chegar a um acordo são muito elevados. Os desacordos promovem fundamentalmente a acomodação ao status quo, o que é algo relevante sobretudo num mundo cujos sérios problemas tendem a piorar quando abandonados à inércia. Hoje, menos do que nunca, não podemos ficar parados, porque os custos de atrasar as decisões oportunas são muito elevados.

a. A encenação do antagonismo

O desacordo goza, em política, de um prestígio exagerado. Radicalizar a crítica e a oposição é o procedimento ao qual mais se recorre para se fazer notar, uma exigência imperiosa nesse combate pela atenção que é travado nas nossas sociedades. É verdade que sem antagonismo e dissensão as democracias seriam mais pobres, mas isso não constitui uma prova a favor de toda a discrepância e nem sempre prestigia o opositor. A maioria não tem necessariamente razão, como é óbvio, o mesmo se aplicando a quem se opõe por princípio. Em muitas ocasiões, estar contra é um automatismo menos imaginativo do que procurar chegar a um acordo. O antagonismo ritualizado, elementar e previsível, transforma a política num combate no qual o que está em causa não é discutir assuntos mais ou menos objetivos, mas encenar algumas diferenças necessárias para se manter ou conquistar o poder.

O antagonismo em nossos sistemas políticos funciona assim porque as controvérsias públicas têm menos de diálogo do que de combate para obter o favor do público. Os que discutem não dialogam entre si, antes pugnam pela aprovação de um terceiro. Já Platão considerava que essa estrutura triádica da retórica impossibilitava o verdadeiro diálogo, substituindo-o por uma competição que é decidida, no final, pelos dos aplausos.

Para entender o que está realmente em jogo, deve-se levar em consideração que os litigantes não estão falando entre si, pelo contrário, estão se dirigindo, no fundo, a um público por cuja aprovação competem. A comunicação entre os atores é fingida, uma mera ocasião para se prestigiar aos olhos do público, o verdadeiro destinatário da sua atuação. Os discursos não são feitos com o objetivo de discutir com o adversário ou de tentar convencê-lo, possuem sobretudo um caráter plebiscitário, de legitimação perante o público. A comunicação política representa um tipo de confrontação elementar na qual o acontecimento está acima do argumento, o espetáculo sobre o debate, a dramaturgia sobre a comunicação.

A esfera pública fica assim reduzida ao que Habermas (1968, p. 138) chamou de "espetáculos de aclamação". As próprias opiniões políticas são apresentadas de tal modo que não podem ser respondidas com argumentos, mas com adesões ou rejeições de outro gênero.

Isso explicaria a tendência dos políticos a exagerar, a enfatizar o polêmico até extremos muitas vezes grotescos ou pouco verossímeis. É que os atores sociais vivem da controvérsia e do desacordo, porque assim obtêm não apenas a atenção da opinião pública, mas também a liderança dentro da própria pandilha, que premeia a intransigência, a vitimização e a firmeza. Não raro, isso leva a um estilo dramatizador e de denúncia, que mantém unida a facção em torno de um eixo elementar mas que dificulta muito a consecução de acordos que vão além da própria paróquia. As virtualidades desse procedimento chocam também com seus limites. Quem se apetrecha com o único argumento da sua radical coerência tem pouco futuro na política, pois essa é uma atividade que está ligada com a procura de espaços de encontro, com o compromisso e com o envolvimento de outros.

Há uma profunda razão democrática que joga a favor de um tipo de discurso diferente. Quando os líderes se dirigem diretamente ao povo radicalizando os assuntos, as negociações entre os partidos ficam mais difíceis; "o terreno da política torna-se mais fértil para o ativismo dos líderes, o que, porém, não implica ativismo do povo" (Urbinati, 2014, p. 171). Talvez beneficie os políticos, oferecendo-lhes um repertório de argumentos e atitudes que, requerem menos sutileza e imaginação, mas não torna o povo mais protagonista do seu destino. Aquilo a que poderíamos chamar de "a publicidade negativa" costuma funcionar no início, mas depois afasta as pessoas comuns da política e gera um clima de desconfiança que tende a contaminar tudo.

A incapacidade de chegar a um acordo produz vários efeitos ao retardador, como os bloqueios e os vetos, mas sobretudo constitui uma forma de fazer política muito básica, à qual se poderia aplicar aquela caracterização que Michel Foucault fazia do poder como "pobre em recursos, parco nos seus métodos, monótono nas táticas que utiliza, incapaz de inventiva".

Pelo contrário, o talento do político para resolver os problemas, para reconciliar posições aparentemente irreconciliáveis de um modo aceitável para todos os envolvidos, depende da sua capacidade de reformular os problemas e os desacordos de maneira que a reconciliação seja possível. "Em outras palavras: o político deve possuir o talento estético de ser capaz de representar a realidade política de um modo novo e original. Devemos esperar pouco do político que não tem esse talento e que se limita a nos dar "fotos" da realidade política" (Ankersmit, 1997, p. 117). A política deve ser capaz de transformar a representação em síntese, deixar de ser um mero confronto entre os interesses fixos dos representados e se converter na construção de algo verdadeiramente comum.

Para dar conta do lugar-comum da criatividade da divergência, há determinadas ficções de oposição que são tão monótonas quanto escassas de originalidade. Contrariamente ao que se costuma dizer, definir as próprias posições com o automatismo da confrontação e mantê-las incólumes é um exercício que não exige muita imaginação. No negativismo da oposição e no hooliganismo daqueles que apoiam o governo, concentram-se uma série de lugares-comuns e de estereótipos.

O antagonismo também tem suas poses e sua estandardização. Várias experiências históricas mostram, pelo contrário, que os partidos dão o melhor de si quando são obrigados a entrar em acordo, instados pela necessidade de se entenderem. Os melhores produtos da cultura política tiveram origem no acordo e no compromisso, ao passo que a imposição ou o radicalismo marginal não geraram quase nada de interessante.

Um dos resultados mais improdutivos desses rituais do desacordo é que intensificam, no seio das organizações políticas, o dualismo entre duros e brandos, intransigentes e possibilistas, os guardiões das essências e aqueles que fraquejam. Trata-se de uma distribuição do território ideológico que dificulta enormemente os acordos políticos ou, quando estes se produzem, geram má consciência, rupturas entre os negociadores e decepção generalizada. O antagonismo do espaço social se reproduz no interior dos grupos numa versão igualmente simples e empobrecedora. Por isso é frequente que se produza um dualismo, no seio dos grupos políticos, entre aqueles que preferem o prestígio externo e aqueles que vivem da aclamação interna.

Essa polarização tem algo de trágico, quase inevitável, como a velha tensão entre as convicções e as responsabilidades. Nas decisões que os partidos políticos devem tomar, esse drama traduz-se numa lei que é praticamente inexorável: o que favorece a coerência interna costuma impedir o crescimento para fora; no radicalismo, todos – ou melhor, poucos – se mantêm unidos, enquanto as políticas flexíveis permitem obter mais adesões, embora a própria unidade fique menos garantida. O primeiro sempre se sai bem e se afirma no curto prazo, embora os resultados a que chega sejam, com frequência, desastrosos; o segundo é mais arriscado, só se sai bem às vezes, mas quando isso acontece proporciona resultados extraordinários.

Como decidir então entre uma e outra possibilidade? A escolha que um partido enfrenta não costuma ser tão dramática e, não raro, permite combinações e equilíbrios diversos. Em qualquer caso, nunca deveríamos nos esquecer de que um partido vale pela soma dos seus votos e das suas alianças potenciais, que o poder tanto reside num quanto no outro. Com amigos dentro e inimigos fora não se consegue fazer quase nada em política; as integridades imaculadas que ninguém pode partilhar, as pátrias onde não podem conviver os diferentes ou os valores que só servem para agredir nunca deram origem a nada de duradouro.

b. Os princípios e os compromissos

Seja como for, convém não banalizar essa questão, porque os acordos não são fáceis e exigem sacrifícios de todas as partes. Isso de ceder no acessório e manter o fundamental não é mais do que uma intenção piedosa. Quando se pretende avançar é preciso estar disposto a abandonar pelo caminho algo de valioso. Claro que existem os acordos "integradores", os jogos de soma positiva, ganha-ganha, que não propõem renúncia nenhuma aos atores e em que todos se beneficiam. Não é isso que impõe dificuldades, embora exija um esforço para descobrir aquelas soluções que nem sempre são evidentes à primeira vista: aumentar o tamanho do bolo, criar compensações simbólicas e descobrir novas opções.

De qualquer forma, as possibilidades de alcançar esse tipo de acordo são mais raras do que aquilo que os entusiastas do consenso supõem. A dificuldade de se chegar ao acordo provém do fato de qualquer acordo implicar concessões e, em muitas ocasiões, exigir também o sacrifício de algum tipo de princípio: requer, pelo menos, ter percebido que existe uma grande diferença entre expressar uma aspiração e decidir entre as alternativas possíveis, isso levando em conta que em política, regra geral, nenhuma delas está isenta de inconvenientes.

Geralmente, não costumamos conseguir fazer tudo aquilo a que nos propomos no plano pessoal ou coletivo, aquilo que está em primeiro lugar da nossa lista de prioridades. As circunstâncias nos obrigam a ficar satisfeitos com menos e, às vezes, com muito menos. Pois bem, Avishai Margalit (2010) propõe valorizar as pessoas (ou partidos, sindicatos e instituições) não pelos seus ideais, mas pelos seus compromissos, ou seja, por aquilo que estamos dispostos a aceitar como suficiente, pela nossa segunda melhor opção. Nossos ideais dizem algo sobre o que queremos ser, ao passo que nossos compromissos revelam quem somos.

Todos temos coisas que valorizamos acima de outras e às quais nos custa renunciar, especialmente quando consideramos que está em risco algo que afeta nossos princípios. Esse apelo aos princípios pode ser, em certos casos, um exagero intransigente ou uma desculpa para não fazer nada, mas também uma expressão de lealdade para com os valores centrais que cada um defende. O verdadeiro dilema dos acordos políticos consiste em dirimir essa difícil questão, ou seja, o limite que separa os compromissos razoáveis dos acordos indignos. Devemos ser capazes de combinar a necessária firmeza na preservação dos nossos princípios com a abertura à mudança e à capacidade de autocorreção, sem o qual todo o processo de deliberação política não passaria de um simulacro.

Manter-se fiel aos próprios princípios é uma atitude muito nobre em política. O discurso mais conhecido a esse respeito talvez seja o de Edmund Burke [1774] (1987, I, p. 391), em Bristol, no qual defendia seguir a sua consciência inclusive contra a opinião dos eleitores. Burke representa a versão conservadora dessa lealdade, mas há muitas outras. Numa sociedade democrática deve haver um espaço para quem faz política sem vontade de firmar compromisso, salvaguardando os princípios ou expressando valores que devem ser considerados.

É nesse âmbito que se enquadram diversos movimentos sociais, protestos ou organizações cívicas. Ora, confiar a eles responsabilidades de governo seria um erro tão grave quanto eliminar esse espaço de vigilância e expressão que lhes é próprio. Alguns mal-entendidos com relação ao Movimento

15-M[8] decorrem precisamente dessa confusão entre dois planos legítimos em igual medida, com sua grandeza e suas limitações próprias: o daqueles que pretendem transformar a realidade aspirando a governar e o dos que preferem salvaguardar determinados valores mantendo-os imunes aos vaivéns e aos manejos da política.

Claro que essa tenacidade é mais fácil se o nosso voto não for decisivo e por isso a encontramos com mais frequência nos partidos pequenos, sem vocação de governo. Esse radicalismo não significa que sejam moralmente melhores, mas que muitas vezes são politicamente irrelevantes e que, por isso, podem permitir-se, digamos assim, uma dose maior de princípios que os partidos que costumam compor o governo.

Há quem recomende, para favorecer os acordos, que se deve tratar os princípios como se fossem interesses, em vez de se considerar os interesses como princípios, que tendem a dificultar os acordos (Wolff, 1965, p. 21). A transformação das disputas de princípios em disputas de interesses negociáveis parece tornar tudo mais fácil, porém a verdade é que levanta alguns problemas porque, para começar, essa distinção é muito vaga, e depois porque não é óbvio que seja mais fácil negociar assuntos materiais (entre os mais importantes) que estão indissoluvelmente vinculados a questões de princípios, como tudo o que envolve redistribuição, assistência sanitária, igualdade ou mercado de trabalho. Por outro lado, o normal é que as questões de princípios acabem por ser mais ou menos respeitadas, com alguma gradação, e quase nunca segundo o tudo ou nada.

É parte integrante das obrigações de um bom político tentar descobrir as oportunidades para o acordo e seus limites. Nesse contexto, faz todo o sentido falar de gradação ou de paciência democrática, aquela que sabe renunciar ao maximalismo dos próprios princípios, mas também à grandiloquência de retóricas unanimistas. Os acordos tipo consenso, embora não sejam impossíveis, são raros, e o apelo a eles costuma dificultar os acordos

---

8 O Movimento 15-M refere-se a uma série de protestos que se iniciaram em 15 de maio de 2011 na Espanha, inicialmente organizados por redes sociais. Foram protestos pacíficos que reivindicaram mudanças políticas na sociedade espanhola (contando com o apoio de mais de duzentas pequenas associações e 58 cidades). Os protestantes consideraram que os partidos políticos não os representavam nem tomavam medidas que os beneficiassem e tal iniciativa gerou ainda uma série de reivindicações políticas, sociais e econômicas heterogêneas.

modestos, que são bastante necessários para a convivência democrática. As chamadas ao consenso podem assustar os seguidores, que intuem uma traição aos próprios valores e, portanto, uma rendição da própria identidade. Seria preferível circunscrever a vontade de chegar a acordos a alguns espaços concretos e definidos como particularmente decisivos. O que torna mais difícil executar os sacrifícios que qualquer acordo exige é dar a impressão de que se está disposto a sacrificar tudo. Não podemos nos esquecer de que os compromissos são muito vulneráveis à crítica. Em qualquer acordo, é necessário mostrar que ele foi vantajoso para todas as partes, caso contrário poderá ser entendido como uma capitulação.

c. O peso das campanhas sobre os governos

As maiores dificuldades dos acordos políticos não derivam tanto do modo como nos relacionamos com os princípios, mas de uma razão estrutural associada à nossa cultura política: o domínio da campanha sobre o governo (Gutmann/Thompson, 2012, p. 24). Há um conflito estrutural entre fazer campanha e governar; atitudes que servem para um dificultam o outro. Essa contradição intensifica-se quando se faz campanha com um estilo que acabará por dificultar os futuros (e inevitáveis) acordos, como fazer promessas incondicionais ou desacreditar os rivais.

A retórica das campanhas faz parte das nossas práticas democráticas, porém governar é algo diferente, que obriga a pactuar e a fazer concessões; quem governa precisa de oponentes que colaborem e não tanto de inimigos para desacreditar a todo o momento. "A animosidade que emerge em todos os processos eleitorais não favorece o estabelecimento das relações de que os candidatos necessitarão posteriormente para governar com eficácia" (Gutmann/Thompson, 2012, p. 151-152). "Proteja-se daquilo que deseja" é a lição que se pode tirar da dificuldade de governar mediante acordos quando se exagerou durante muito tempo as diferenças e se fez com que o espírito de facção acabasse por polarizar a sociedade (Brownstein, 2008, p. 367).

Uma campanha é competitiva, um jogo de soma zero e, por isso, caracteriza-se inevitavelmente pelo objetivo de derrotar o adversário. Ainda assim, há alguns recursos que servem para a campanha (como prometer excessivamente ou dramatizar a polarização), mas que, depois, são pouco úteis para governar bem. Quanto mais as atitudes tomadas durante uma campanha eleitoral contaminarem o processo legislativo, mais se debilita o respeito pelo adversário e mais improváveis se tornam os acordos entre competidores. O fato de termos convertido a política numa campanha permanente é uma das razões que explicam o fato de ter se fortalecido a mentalidade contrária aos acordos nas sociedades.

Quem governa é obrigado a levar em consideração a campanha anterior (aquilo com que se comprometeu) e a seguinte (na qual, logicamente, deseja ser reeleito). Todavia, o sistema se desequilibrou e governamos com o mesmo espírito da campanha, suas atitudes e seus vícios. A campanha permanente apagou quase por completo a diferença entre estar em campanha e estar governando. Em outras palavras: os políticos fazem campanha demais e governam muito pouco (King, 1997, p. 180). Isso torna-se evidente inclusive no fato de não haver praticamente divisão do trabalho entre ambas as tarefas e, não raro, aqueles que serviram como assessores para ganhar as eleições continuam depois como assessores do governo.

A democracia precisa de instituições que moderem a influência que as campanhas têm sobre o governo, bem como o cinismo e a mútua desconfiança que geram. Seja como for, para que exista uma boa cultura política é preciso economizar o desacordo (Gutmann/Thompson, 1996, p. 84), não o exagerar, defender a própria posição de modo que não implique necessariamente a rejeição de posições diferentes. Supor as piores intenções naqueles que nos opõem pode ser, às vezes, psicologicamente gratificante, mas também corrói as bases do respeito mútuo, que é necessário para construir compromissos no futuro.

As campanhas não são um meio apropriado para a deliberação. Claro que é preciso melhorar os argumentos e as discussões das campanhas, a qualidade dos debates, como se exige constantemente. Reconheçamos, porém, que não há grande remédio: as campanhas proporcionam muito pouca ou nenhuma possibilidade de diálogos construtivos porque servem fundamentalmente para exacerbar o contraste e polarizar, simplificando a escolha que vem depois. Poderíamos dizer que não é possível tornar as campanhas muito melhores e que vale mais a pena tentar encontrar processos deliberativos em outro local, basicamente impedindo que o espírito de campanha se instale e colonize todo o processo político.

Aquilo que deveria nos preocupar é que as campanhas, e em particular o seu estilo competitivo, por vezes irresponsável e afetado, ocupem um espaço exagerado na democracia. O ideal seria "restringir o espírito competitivo no governo para alcançar compromissos e moderar a ambição deliberativa nas campanhas a fim de facilitar as eleições" (Gutmann/Thompson, 2012, p. 157), fazendo o governo mais deliberativo e as campanhas mais competitivas, pois ambos têm sua função no processo democrático.

Os políticos deveriam poder governar sem ter de olhar constantemente para os resultados das pesquisas de opinião ou preparar as eleições seguintes. Há quem proponha, com este objetivo, limitar os mandatos precisamente para permitir que os políticos se dediquem exclusivamente a governar e não tanto a preparar a sua reeleição. Não se trata, porém, de uma fórmula mágica e pode ter inclusive o efeito oposto: a confiança e o respeito mútuos que os acordos requerem precisa ser cultivado no tempo. Pode, além disso, facilitar a ruptura absoluta das promessas ou a não ponderação das consequências das decisões tomadas pelo governo. Por esta razão, os últimos mandatos são uma oportunidade para a magnanimidade, mas também estão especialmente ameaçados pela irresponsabilidade.

d. A cultura política em relação aos "outros"

A existência de uma cultura democrática propensa ao acordo não depende unicamente do sistema político. As instituições educativas desempenham um papel fundamental na implantação dos hábitos que permitem o bom funcionamento do jogo democrático. A sociedade contemporânea favorece um tipo de fragmentação social que é a antessala da polarização política: vivemos em comunidades muito homogeneizadas e tendemos a fortalecer nossos preconceitos na escola e com a influência dos meios de comunicação e das amizades, furtando-nos assim ao benefício do contraste e da diversidade (Bishop, 2008). A educação é muito importante, entre outros fatores, porque nela se pode oferecer uma imagem caricaturada ou justa dos adversários e dos "outros" em geral, bem como mostrar a importância dos acordos na história das sociedades.

Os meios de comunicação talvez sejam a instituição que mais contribuiu para que vivamos em campanha permanente: tendem a informar sobre o governo como se a campanha ainda estivesse em andamento e a informar sobre as campanhas como se elas tivessem pouco a ver com o governo. Os políticos e os apresentadores preferidos para os debates nos meios de comunicação costumam ser os mais extremistas ou combativos, os que melhor representam o conflito das posições; quem é mais inclinado ao compromisso não se sai bem na televisão. Esse é mais um dos efeitos que decorrem da dura competição pelas audiências. Torna-se mais atrativo em termos informativos apresentar os políticos numa batalha feroz pela sobrevivência do que as complexidades de uma negociação sutil.

A melhor contribuição que os meios de comunicação podem dar é oferecer uma dieta informativa mais rica quanto ao conteúdo político daquilo que está em discussão e limitar os aspectos sórdidos, pessoais ou extremos. Que não se faça o jogo daqueles que se empenham única e exclusivamente em chamar atenção. O objetivo é que os meios de comunicação apresentem uma imagem mais equilibrada da política, com menos campanha e mais governo.

Como sempre, a democracia é um equilíbrio entre acordo e desacordo, entre desconfiança e respeito, entre cooperação e competição, entre o que os princípios exigem e aquilo que as circunstâncias permitem. A política é a arte de conseguir distinguir corretamente, em cada caso, as situações nas quais se deve entrar em acordo das que podemos e até devemos manter o desacordo.

CAPÍTULO 9
A DECEPÇÃO DEMOCRÁTICA

"Há um fracasso sempre que há uma ação"
(Sartre, 1983, p. 450)

Convém que comecemos a nos habituar com a ideia: a política é fundamentalmente uma aprendizagem da decepção (Innerarity, 2002). A democracia é um sistema político que gera decepção... especialmente quando é bem-feito. Quando a democracia funciona bem converte-se num regime de desvendamento, em que se vigia, se mostra, critica, desconfia, protesta e impugna. Ao contrário dos sistemas políticos em que se reprime a dissidência, obstaculiza-se a alternativa ou ocultam-se os erros, um sistema no qual existe liberdade política tem como resultado uma batalha democrática em virtude da qual o espaço público se enche de elementos negativos – uns criticam outros, os escândalos são magnificados, os protestos se organizam, ninguém elogia o adversário, a honra não é notícia, as pessoas tendem a fazer valer seus interesses o mais ruidosamente possível – e é conveniente que de tudo isso se saiba tirar as conclusões corretas.

Pensemos em duas das fontes da hostilidade cidadã em relação aos nossos representantes: a corrupção e o desacordo. Uma pessoa menos informada pode ter uma impressão muito negativa e cair no típico erro de percepção que a corrupção desmascarada ou o desacordo institucionalizado próprio do antagonismo democrático geram. A corrupção é sempre intolerável, é claro, e a incapacidade de se chegar a grandes acordos está na origem de muitos de nossos erros coletivos, mas também deveríamos ser sinceros e reconhecer que boa parte do nosso mal-estar com a política corresponde a uma nostalgia insensata pelo conforto em que se vive quando não se sabe dos problemas e os desacordos são reprimidos. A antropologia política ensina que há um sentimento atávico, nunca plenamente superado, de saudade por formas de organização social nas quais reina uma plácida ignorância e os políticos, como reza a queixa habitual, não estejam sempre discutindo.

Há outra fonte de decepção democrática que está relacionada com a nossa incompetência prática quando se trata de resolver os problemas e tomar as melhores decisões. A política é uma atividade que gira em torno da negociação, do compromisso e da aceitação daquilo a que os economistas costumam chamar "decisões subótimas", que representam o preço que é preciso pagar pela partilha do poder e pela limitação da soberania.

Todas as decisões políticas, a não ser que se viva no delírio na onipotência, sem constrangimentos nem contrapesos, implicam, mesmo que em pequena medida, certa forma de falha. No mundo real não há iniciativa sem resistência, ação sem réplica. As aspirações máximas ou os ideais absolutos se submetem ou cedem face à dificuldade dos problemas e às pretensões dos outros, com os quais é preciso jogar o jogo. Não há nada de estranho, por isso, no fato de os militantes mais fervorosos assegurarem que não era a isso que aspiravam. Se, além disso, considerarmos que a competição política cria incentivos para que os políticos insuflem as expectativas públicas, um alto grau de decepção torna-se inevitável.

Está incapacitado para a política quem não tiver aprendido a gerir o fracasso ou o êxito parcial, porque o êxito absoluto não existe. Faz falta, pelo menos, saber lidar com o fracasso habitual de não se conseguir levar adiante, completamente, aquilo a que cada um se propunha. A política é inseparável da disposição para o compromisso, que é a capacidade de aprovar o que não satisfaz por completo as próprias aspirações. Similarmente, os pactos e as alianças não garantem o próprio poder, mas mostram que necessitamos dos outros, que o poder é sempre uma realidade que se constrói com a partilha. A aprendizagem da política fortalece a capacidade de conviver com esse tipo de frustração e convida a respeitar os próprios limites.

Tudo isso dá origem a um carrossel de promessas, expectativas e frustrações, de enganos e desenganos, girando a uma velocidade a que não estávamos acostumados. Os tempos da decepção – quanto demora para o novo governo defraudar nossas expectativas ou desiludir os carismas, para os projetos se desgastarem, para a competência se enfraquecer – parecem ter encurtado dramaticamente. Que racionalidade podemos introduzir em meio a toda essa agitação?

Creio que o melhor é partir de uma constatação muito libertadora: a política é uma atividade limitada, medíocre e frustrante porque a vida também é assim, limitada, medíocre e frustrante, o que não nos impede, em ambos os casos, de tentar fazer o melhor. E, em segundo lugar, nossas melhores aspirações não deveriam ser incompatíveis com a consciência da dificuldade e das limitações de governar no século XXI. O que os políticos fazem é bem conhecido e pouco entendido. A sociedade compreende pouco os condicionamentos no meio dos quais é preciso se mover e as complexidades da vida pública. Isso não deve ser entendido como uma desculpa, pelo contrário: é o elemento de objetividade que nos permite afinar nossas críticas e impedir que dominem de forma desenfreada o espaço da impossibilidade.

Lembrar-se disso em meio a essa debandada a que chamamos desinteresse pela política, quando vêm à tona múltiplos casos de corrupção e a política se revela incompetente para resolver nossos principais problemas, pode parecer uma provocação. Se quem está lendo agora tiver um pouco de paciência, talvez concorde comigo em três teses: que a política não está à altura do que podemos esperar dela, que não é inevitavelmente desastrosa e que tampouco deveríamos alimentar muitas ilusões a esse respeito. É que as queixas em relação ao primeiro (a incompetência) perdem força quando se dá a entender que se aceita o segundo (que a política não tem remédio) e quando deixam transparecer uma expectativa desmesurada acerca da política. Com isso não pretendo desculpar ninguém, mas propiciar uma crítica mais bem direcionada, porque nada deixa a política realmente existente mais ilesa do que expectativas desmesuradas por parte de quem não entendeu sua lógica, suas limitações e aquilo que razoavelmente podemos exigir dela.

Agora que tudo está repleto de propostas de regeneração democrática, talvez não fizesse mal analisar com menos histeria o contexto em que se produz a nossa decepção política, para estarmos em condições de avaliá-la de maneira justa e para não cometermos o erro de tirar as consequências erradas. Deveríamos ser capazes de apontar para um horizonte normativo que nos permitisse ser críticos sem nos abandonarmos comodamente ao ilusório, que ampliasse o possível quanto aos administradores do realismo, mas que tampouco esquecesse as limitações da nossa condição política.

a. O desconcerto de Leviatã

Desde os mais céticos até os mais entusiastas, tanto aqueles que estão indignados quanto aqueles que não sabem quem é o culpado da sua insegurança, todos partilham a impressão de que algo de muito sério está acontecendo ao nosso sistema político. Não é que os tempos anteriores tenham sido especialmente plácidos do ponto de vista político. Houve seguramente mais guerras e conflitos, as instituições políticas tinham mais defeitos e não era possível esperar grande coisa da política. Mas talvez as orientações básicas fossem mais claras: os limites e as regras do jogo, o Estado nacional como grande instrumento de condução da mudança social, até os amigos e os inimigos eram mais identificáveis do que atualmente, a época da violência difusa, das ameaças correntes e da imperiosa necessidade de cooperar.

Quanto maior a incerteza, mais aumenta a carga emocional. A paisagem política tingiu-se ultimamente de tons sentimentais negativos: desconfiança, indignação, medo, insegurança, desespero... Não é uma profecia muito audaz pensar que anos vindouros serão caracterizados pela decepção. Vem aí uma época de desilusão democrática. O fantasma que atualmente percorre a Europa é a decepção: a democracia não é aquilo que tínhamos imaginado; a participação é escassa; a nossa opinião não é suficientemente levada em conta; somos sempre governados por outros (mesmo quando são os nossos que nos governam eles acabam por se transformar em outros). Como sempre acontece com as desilusões, elas podem nos tornar mais cínicos e menos ingênuos, mas também podem ser a origem de aprendizagens coletivas e de inovações políticas que não seriam possíveis em tempos de menor agitação.

A decepção é lógica não tanto porque estamos fazendo um péssimo trabalho, mas sobretudo pelo fato de a realidade se mover mais rapidamente do que os nossos conceitos e procedimentos de governo. O que se passa com o Leviatã é que está mais desconcertado do que nunca, diante de um sistema econômico que parece ingovernável, perante desafios que excedem a sua esfera de eficácia e legitimidade, habituado a um estilo no tratamento dos problemas que não se caracteriza pela modéstia e pela disposição para aprender. O poder político foi muitas vezes excessivo, arbitrário e até despótico, mas agora tem de aprender a viver numa situação de debilidade e desconcerto a que não estava acostumado.

Há uma dupla pressão sobre os representantes políticos: por um lado, os problemas gerados por um sistema financeiro desregulado exigem reações nacionais e intergovernamentais rápidas e coordenadas, mas, ao mesmo tempo, a cidadania crítica reclama procedimentos mais democráticos que permitam configurar a vontade democrática. O velho dilema entre efetividade e democracia, entre *demos* e *cratos*, reaparece com mais força nos momentos mais críticos. Tudo isso coincide no tempo com a constituição das sociedades do conhecimento, que podem tudo menos uma massa informe de cidadãos incompetentes, que, cada vez mais, dispõem de conhecimento e tecnologias que aumentaram enormemente a sua capacidade de vigilância e controle.

Ninguém pode negar, portanto, que estamos em meio a uma crise política, embora não seja possível que todas as soluções para essa crise estejam corretas, simplesmente porque são muito diferentes e até contraditórias entre si. Algumas são razoáveis, mas outras também são frívolas e peregrinas.

Não é que os cidadãos saibam com certeza aquilo que querem e se limitem a exigir isso. O desconcerto não podia atormentar os poderosos e deixar tranquilo o povo, como se este gozasse do privilégio de ser depositário de certezas que as elites perderam. De fato, essa cidadania faz certas exigências ao poder que por vezes são muito difíceis de conciliar: queremos que o Leviatã cumpra a promessa de proteger, mas que nos deixe em paz; reclamamos liderança, mas rejeitamos o estilo autoritário.

O desinteresse não nos levou a rebaixar nossas exigências nem nossas expectativas em relação à política; reivindicamos atenção para os nossos interesses mais imediatos e setoriais ao mesmo tempo que atribuímos ao sistema político uma responsabilidade para com o longo prazo ou os interesses gerais da sociedade no seu conjunto...

Como é típico em todas as situações críticas, de mudança ou pelo menos de agitação, há um elemento de ambivalência que dificulta a tarefa dos futurólogos. Estamos à porta de uma radicalização democrática ou na antessala da sua degeneração? Enquanto resolvemos essa e outras interrogações, talvez devêssemos abandonar a retórica das grandes transformações que acontecem porque certas forças inexoráveis assim o quiseram e então podemos substituí-la pela análise das possibilidades de aprendizagem coletiva que tudo isso nos oferece.

b. A democracia era isso

Num livro particularmente lúcido, Myriam Revault d'Allones (2010) tentava explicar "porque é que amamos a democracia". Oferecia então uma série de respostas que me permito sintetizar na ideia de que a democracia não é algo que se possa amar de fato, que nunca se apresenta como uma realidade categórica em relação à qual só nos resta mostrar que estamos plenamente satisfeitos. A inevitabilidade da antipatia dirigida contra a política tem a ver com a impossibilidade de a democracia se deixar amar. Na época do desencantamento, que segundo Max Weber é uma propriedade geral do mundo moderno, a democracia parecia se distinguir das outras formas de governo porque é a única que contempla a suspeita de que talvez não exista ou, para usar expressões menos audazes, de que provavelmente não seja algo mais que fugaz (Wolin, 1996), inacabado e inacabável (Rosanvallon, 2000), que "está sempre por vir" (Derrida, 1991), incompleto ou incapaz de manter suas promessas, fantasmagórico (Mori, 2014).

A democracia é um sistema político decepcionante porque aponta para ideais inalcançáveis. Faz parte da sua própria natureza ser sempre algo inacabado e aperfeiçoável, da mesma forma que o curso da história está sempre em aberto. A democracia, ao contrário de outras formas de organização política que reclamam para si a perfeição ou o fim da história, é um espaço onde crescem em liberdade a decepção, o protesto, a desconfiança, a alternativa e a crítica. A história da democracia é a história da sua crise; a crise da democracia não é uma fase transitória, e sim uma situação permanente, porque é um sistema aberto. A condição democrática é sempre decepcionante, está constantemente sendo confrontada com uma realidade problemática, porque se trata de um processo sempre inacabável.

Há quem tenha radicalizado esse ponto de vista e interprete essa imperfeição como um modo elegante de não reconhecer a sua inexistência. Hoje, se levarmos em conta a erosão dos sistemas de legitimação democrática em virtude da presença de forças que impõem ou condicionam o campo de jogo e parecem converter a livre autodeterminação numa quimera, não faltam razões para se falar de "pós-democracia" (Crouch, 2004). Pessoalmente, considero que esse diagnóstico, apesar de contar com muitos argumentos a seu favor, descreve a questão a partir de uma polarização entre vítimas e culpados que não leva em conta até que ponto o próprio sistema político colaborou para sua própria fragilização. Isso nos leva a nos rendermos diante da nova realidade social e evita o esforço de pensar como os ideais democráticos podem ser realizados em constelações muito mais complexas do que aquelas em que nasceram. É por isso que prefiro fazer os diagnósticos, exercer a função crítica e pensar nas soluções políticas no horizonte daquilo que se poderia denominar uma "democracia pós-heroica" (Innerarity, 2009) ou "democracia complexa".

A primeira designação nos convida a pensar o exercício da democracia a partir da categoria de contingência, ou seja, com uma carga épica mais reduzida, que vá além das cômodas antinomias, e com uma liderança menos enfática. A adequação da democracia à nova complexidade significa perceber que governar em democracia, autogovernar-se democraticamente, é algo precário, até decepcionante, mas que não há alternativa alguma que não acabe por resultar em decepções futuras ainda maiores.

Ora, e se a democracia fosse isso? Por que temos de relacioná-la unicamente com o registro do amor ou do ódio? Por que devemos descrevê-la com esse tom nostálgico, que não passa da antessala de uma frustração? E, para que nossas expectativas normativas possam se espraiar adequadamente, é necessário sempre remeter a um horizonte inalcançável? Não é mais razoável descrevê-la sem ressonâncias sacras, como uma realidade ao mesmo tempo secular, banal e aperfeiçoável?

Não deveria nos escandalizar, por isso, o fato de o aumento do número de democracias coincidir com o desencanto democrático. Por acaso poderia ser de outra maneira? Por que olhar para essa decepção como a antessala de um desastre e não como um indicador de maturidade? Para continuar com as analogias amorosas, poderíamos dizer que o erotismo se transformou em convivência e a falta de paixão indica que o sistema pode funcionar sem esse poderoso motor.

A democracia não se deixa amar por razões práticas e por sua própria natureza. As primeiras estão relacionadas com o que poderíamos chamar de "a inverossimilhança do bom governo". A democracia é uma forma bem-sucedida de governo; porém, a julgar pela incompetência dos seus representantes e pela ignorância dos representados, o mais certo seria que não funcionasse de todo. É mais verossímil que funcione mal, mas acontece que, se levarmos em conta que partimos de análises superficiais sobre os candidatos, de erros inclusive de especialistas, informação insuficiente ou equivocada, ocultação de informação, falta de neutralidade dos meios de comunicação, preconceitos insuperáveis ou desequilíbrio dos interesses, a democracia até funciona relativamente bem (Oppenheimer/Edwards, 2012).

Como se explica, então, que as coisas saiam razoavelmente bem? A participação e o combate eleitoral, a possibilidade de expulsar quem tem poder, a vigilância sobre os governantes, tudo isso estabelece uma série de pressões e incentivos para se fazer melhor. É claro que ninguém pode gostar de um regime cujo bom funcionamento depende de magnitudes negativas. Podemos gostar de um soberano, mas não de um equilíbrio; os afetos podem se sentir atraídos por um instrumento que nos permite eleger, mas ninguém se apaixona por um dispositivo que apenas nos permite demitir quem foi eleito; podemos nos fascinar por uma possibilidade, mas nunca por um limite...

De qualquer modo, a razão mais poderosa para explicar nossa falta de afeto é que a democracia não pode ser amada porque não há nada para amar. Devemos a Claude Lefort a explicação para esse estado de coisas quando definiu a democracia como a experiência de uma sociedade que não é manejável, na qual se experimenta "a dissolução das referências da segurança"; a democracia inaugura uma história na qual os seres humanos experimentam "a indeterminação final quanto ao fundamento do poder, da lei e do saber" (Lefort, 1986, p. 29). Não existe saber incontestável, nem fundamentos que não possam ser postos em risco, nem ordem imutável. O conhecido está sempre sendo assediado pelo desconhecido e a identidade nunca consegue se desembaraçar da experiência da divisão. A democracia é um espaço de dúvida, de conflito e de invenção imprevisível. O poder não pertence a ninguém; é um lugar vazio ocupado apenas provisoriamente.

Como o poder democrático não possui uma garantia transcendente, seus alicerces dependem de um debate constante acerca da sua legitimidade e, por isso, não tem outro remédio senão acolher e institucionalizar o conflito, quer se trate da divisão social, do choque entre as diversas lógicas que caracterizam cada uma das esferas política, econômica ou jurídica, ou ainda da irredutível oposição entre valores. O *homo democraticus* vive num ambiente de incerteza que, longe de responder a uma ausência ou vazio de sentido, decorre da sua pluralização: eleições contraditórias cuja necessidade não é totalmente óbvia, rodeado por estilos de vida diferentes, múltiplos pertencimentos, alternativas possíveis, crítica e contestação.

Os polos de identificação que se encarregam de designar "o comum" – a nação, o povo, o Estado, a Europa, a humanidade – nunca são plenamente atualizáveis e só conseguem se expressar por meio do conflito das suas interpretações. Todo o poder deriva do povo, certamente, mas isso só acontece de forma plural e conflituosa; sua identidade nunca se realiza, apenas se reitera e se expressa mediante a divisão. A democracia é uma forma de organização política da sociedade na qual o conflito nunca é definitivamente reabsorvido na unidade de uma vontade comum.

Quem não tiver entendido tudo isso terá uma grande dificuldade de pensar em termos "políticos". Quem ainda pensa que a democracia assim entendida é algo que pode e deve ser amado, que enfraqueceria caso não demonstrássemos afeto a ela, não entendeu a lógica da política numa democracia e estaria condenado a uma melancolia improdutiva.

O que mais me chama atenção para o atual regime de descontentamento em relação à nossa forma de vida democrática é o fato de haver tantos vaticínios antidemocráticos que encontram eco numa geração desprovida de memória e cultura política. As sensibilidades políticas dominantes continuam sem conseguir se acomodar produtivamente a essa forma secular de convivência democrática. Nem a melancolia da esquerda nem o cinismo da direita foram capazes de construir o tipo de afeto que nossas instituições democráticas merecem. Sentimos, por um lado, a dificuldade da esquerda reformista em conceber instrumentos de compreensão e análise, e a obstinação da extrema esquerda que se contenta com gestos críticos sem nenhuma consequência prática. Daí a tentação do radicalismo democrático de entoar a ladainha da democracia não suficientemente realizada, dos objetivos perdidos e das aspirações traídas, da mediocridade daquilo que existe em comparação com o que poderia e deveria haver (Revault d'Allones, 2010, p. 138). A esse respeito, a direita não tem nada melhor para apresentar porque seu regime de expectativas e o consequente balanço de resultados são mais planos, estão ligados a uma racionalidade de custos e benefícios, menos suscetível a se embolar com aspirações impossíveis de cumprir e, portanto, menos propensa a causar decepções.

Secularizar a relação com a democracia, reduzir as expectativas dos nossos afetos, é uma condição necessária para abandonarmos a atitude hipercrítica em relação à democracia sem que isso sugira render-se cinicamente perante uma suposta objetividade.

c. Um regime de negatividade

Uma das razões pelas quais a democracia promove inevitavelmente a decepção está relacionada com o próprio jogo da competição política. Anos de aprendizagem coletiva nos levaram a estabelecer procedimentos para controlar o poder e esses mesmos mecanismos de controle tendem a transmitir uma desconfiança excessiva e uma visão fundamentalmente negativa da política. A democracia é um sistema político que possibilita a alternância e que, por isso mesmo, promove a crítica, ou seja, favorece um discurso político habitualmente caracterizado pela negatividade. Claro que nossos sistemas políticos não têm cumprido as expectativas aos quais endereçamos, mas há também uma percepção muito negativa da política que poderia muito bem ser explicada por esse *blame game* em que as nossas democracias se converteram (Hood, 2010).

A competição política, essencial numa democracia, desenrola-se no meio de discursos com um tom essencialmente negativo: de críticas, incriminações, queixas, desgostos, acusações... Se queremos que a democracia continue a ser um combate aberto e em que a crítica está protegida, a situação não poderia ser de outra maneira, embora os menos avisados possam ficar com uma percepção errada de tudo isso.

Governar é uma atividade que se desenvolve em ambientes de baixa confiança e crítica elevada, no qual o êxito não costuma ser reconhecido com frequência, ao passo que o fracasso é amplificado por um grande número de atores que têm algo a ganhar por adotarem uma atitude cínica. As tensões internas do sistema democrático tendem a criar um mundo de queixas e acusações, no qual se passa a impressão de que o governo falha sempre e os políticos não são pessoas de confiança. Nesse contexto, parece inevitável a tendência a encarar todas as questões políticas em termos de conflito e oportunismo (Jacobs/Shapiro, 2000).

Se a isso acrescentarmos que os problemas são especialmente complexos e muito limitada a nossa capacidade coletiva de intervir neles, o resultado é um jogo que não pode deixar de ser uma fonte de constante decepção e frustração. Todo esse jogo é benéfico para a vida democrática, embora também seja potencialmente prejudicial anular outros mecanismos que nele devem intervir, como a cooperação ou a confiança, mas, seja como for, seria enganador acerca da verdadeira natureza da política. Com isso não quero dizer que a política não deve ser criticada, pelo contrário: há certo estilo de crítica que magnifica seus fracassos e transmite uma imagem demasiado negativa dela.

Como é bem sabido, o combate democrático se desenrola, cada vez mais, no espaço dos meios de comunicação, que contribuem tanto para torná-lo possível quanto para exagerar alguns dos seus defeitos, sobretudo aquele cinismo potencial que tende a promover um regime baseado na negatividade.

Os meios de comunicação social, num momento em que os cidadãos têm tanta necessidade de informação para conseguir construir uma ideia acerca do que está se passando e para tomar as decisões apropriadas, estão distorcendo a visão da política de tal modo que acabam por gerar cinismo e desespero.

Esses meios alimentam o desencanto e a desconfiança em vez de explicarem a normalidade democrática. As pessoas ficariam surpresas, por exemplo, se soubessem que a maior parte das votações nos nossos parlamentos se decide por unanimidade ou que a relação habitual entre seus representantes é de confiança e cordialidade, exceto quando é preciso encenar, aos olhos do público, um momento de confronto.

Ao mesmo tempo, é frequente verificar que os cidadãos concedem mais atenção aos detalhes triviais das pessoas do que aos assuntos políticos centrais e que estes não sejam expostos em toda a sua complexidade. É mais excitante o escândalo das remunerações dos dirigentes do que explicar a gestão irresponsável que conduziu ao resgate de certas instituições financeiras. Essa preferência pelo sensacional explica-se pelo fato de a política geralmente ser um tema aborrecido, o que coloca os meios de comunicação diante do desafio de torná-la interessante para as pessoas sem a banalizar.

Além de desempenhar o papel de observadores e críticos, tão necessária, os meios amplificam o desacordo e os escândalos, simplificam os assuntos narrando-os em tom de confronto, descrevendo responsabilidades complexas ou cedendo ao encanto das teorias da conspiração... enquanto apresentam a si mesmos, conscientemente ou não, como lutadores heroicos que protegem o público desamparado dos políticos malvados. Tudo isso retrata a política com um alto grau de negativismo. Por que é que continuamos a estranhar que as pessoas odeiem a política se sua opinião se nutre apenas de tais informações?

O cenário político costuma ser descrito por meio de distinções binárias – heróis e vilões, triunfos e desastres, inocentes e culpados, dominadores e dominados –, precisamente numa época em que há muitas zonas cinzentas e em que praticamente não existe debate sobre outras opções. Na linguagem coloquial, "politizar" implica criar tensões num espaço binário, quando na verdade é justamente o contrário; no sentido mais nobre do termo, politizar quer dizer discutir sobre as diversas opções, tornar inteligível a complexidade dos assuntos, procurar alternativas...

Um espaço político binário é, no fundo, um espaço despolitizado. O que acontece é que as organizações de protesto, tão essenciais como são para o bom funcionamento da democracia, na medida em que se apoiam nos meios de comunicação, tendem a oferecer uma ideia muito simplista das questões políticas. As prioridades da mobilização exigem mensagens simples para questões complexas. A política é necessária rigorosamente quando os conflitos não apresentam frentes de batalha nítidas e as soluções não são óbvias.

Não seríamos capazes de ter uma ideia formada sobre os acontecimentos atuais tão confusos da política se não prestássemos atenção no papel dos meios de comunicação. Esse é o típico caso em que, apesar do provérbio popular, convém também olhar para o dedo e não apenas para o céu.[9] Não é possível que a política, como asseguramos, esteja fazendo tudo errado, e, ao mesmo tempo, os meios de comunicação e seus consumidores estejam fazendo tudo certo. O triângulo formado por políticos superados pelas circunstâncias, meios de comunicação social que dão aos espectadores e leitores carniça para entretenimento e alguns cidadãos convertidos em espectadores passivos é fatal para a vida democrática.

---

9 Referência ao provérbio: "Quando o dedo aponta para o céu, o idiota olha para o dedo." A versão original, diz-se que chinesa, é a seguinte: "Um homem aponta para o céu. O tolo olha para o dedo, o sábio vê a lua." (N. do T.)

A CONDIÇÃO POLÍTICA   137

Pensemos no caso concreto da corrupção, que é um dos motivos que estão na base da antipatia pela política e em torno da qual talvez exista um erro de percepção. Em qualquer democracia estável há uma infinidade de representantes políticos que realizam honradamente o seu trabalho, porém só é notícia a corrupção de alguns. A sensação que fica é que a política é sinônimo de corrupção e não percebemos que só o escândalo é notícia, quando o normal é que as coisas sejam relativamente bem-feitas. Acontece o mesmo com os erros médicos: nunca se fala nos meios de comunicação sobre as operações bem-feitas, e sim das que correram mal e daí até se chegar à conclusão de que os médicos fazem tudo errado é apenas um pequeno passo.

Graças aos meios de comunicação, o poder se tornou mais vulnerável à crítica, enquanto a sua linguagem crispada e a mensagem de fundo assim transmitida acabaram por disseminar uma mentalidade antipolítica. Uma coisa é desvendar a mentira, ridicularizar a arrogância e dar espaço às vozes diferentes, porém a insistência nos aspectos negativos tende a ocultar outras dimensões da política tão importantes, como os acordos ou a normalidade pouco espetacular dos comportamentos honrados. Os casos de corrupção deveriam nos preocupar menos do que a debilidade cotidiana da política e, sobretudo, o fato de o foco no primeiro nos impedir de reparar no segundo.

A corrupção é intolerável, é óbvio, além de ser a origem de duas coisas que costumamos deixar passar e que têm graves consequências políticas: muitas vezes não olhamos para onde é preciso olhar e tiramos conclusão erradas e contribuímos, ainda mais, para estragar a nossa tão maltratada cultura política.

Em primeiro lugar, prestamos mais atenção no detalhe excitante do que no fracasso político que ele implica, ao escândalo do que às más decisões políticas. E, em segundo lugar, costumamos ficar com uma impressão negativa depois de se descobrir um caso de corrupção e quase não nos fixamos no fato de termos um sistema político, judicial, policial e comunicacional em que é possível denunciar a corrupção, sem percebermos que a pior corrupção é aquela que não se vê e que o pior que nos podia acontecer era que continuasse a não se ver.

Quando temos conhecimento de uma nova notícia de corrupção, é inevitável que o primeiro sentimento seja negativo; somos colocados diante de fatos injustificáveis e lembramos o mal que causou alguém que mereceu nossa confiança como representante popular; porque a justiça chega quase sempre tarde e não é completa, como fica patente em toda a história da humanidade; mas também porque nos faz pensar que há outros que nunca pagarão pelos seus crimes e essa suspeita desencadeia em nós a tentação de generalizar.

Embora aquilo que agora vou propor implique navegar contra a corrente dos sentimentos desenfreados de indignação, permitam-me defender a importância de dar livre curso à expressão de algumas emoções positivas precisamente nesses momentos. Bem sei que parece inaudito, mas a verdade é que deveríamos nos alegrar quando se persegue ou castiga os culpados e avaliar com um pouco mais de generosidade a autoestima que as sociedades democráticas devem ter de si próprias.

Quando se castiga quem merece numa sociedade, há motivos para nos sentirmos satisfeitos. Não sejamos injustos com as instituições cujo trabalho tornou possível trazer à luz do dia os casos de corrupção. Haverá sempre aquele que prefere nos recordar, justamente em dias como esses, que isso não deveria ter acontecido, que a justiça deveria ser automática e a reparação dos males causados absoluta.

Mas não sejamos injustos com a nossa vigilância crítica, com a aprendizagem que colocamos em prática enquanto sociedade. Se não fosse pelo fato de termos vigiado o comportamento dos nossos representantes, se não fosse porque depositamos democraticamente a confiança que os corruptos merecem, os corruptos não saberiam que, além do castigo penal, deverão contar com nosso mais completo desprezo.

d. O que podemos esperar numa democracia?

O ceticismo em relação à política pode representar uma enorme oportunidade, um requerimento para que a política reflita sobre suas obrigações e recupere a estima pública. Para isso é necessário que todos reavaliemos nossas expectativas com relação à política e examinemos se em determinados momentos não estamos esperando aquilo que ela não pode proporcionar ou exigindo ações contraditórias. Na realidade, ainda não conseguimos equilibrar esses três fatores que compõem a vida democrática: aquilo que os políticos prometem, aquilo que o público exige e aquilo que o poder político é capaz de proporcionar.

Gostaria de concluir com uma breve reflexão acerca de como devemos gerir nossas expectativas públicas. Como conseguiremos manter uma atitude razoável com relação à política, uma exigência que não seja desmesurada e um ceticismo moderado que não acabe por se transformar em cinismo corrosivo? O que provavelmente está acontecendo é que a política tem oferecido menos do que aquilo que os cidadãos têm direito a exigir e, ao mesmo tempo, as pessoas continuam a esperar demais da política.

Um dos melhores livros de filosofia política é a defesa da política que Bernard Crick (1962) escreveu e na qual sustentava que a política é uma atividade que tem de ser protegida tanto contra aqueles que querem corrompê-la quanto contra aqueles que alimentam expectativas desmesuradas em relação a ela. Talvez estejamos exigindo muito ou pouco do sistema político, esperando que ele nos torne felizes ou dando por certo que não tem remédio. Ambas as expectativas são politicamente improdutivas e instalam a melancolia ou o cinismo.

Boa parte do descontentamento com a política é explicada por uma série de mal-entendidos sobre sua natureza. Há críticas certeiras em relação ao modo como a política é posta em prática e outras cujo radicalismo provém do fato de não se ter a menor ideia daquilo que ela implica. Muitas pessoas se manifestam de maneira ressentida com relação à política, a qual desqualificam globalmente como um assunto sórdido, porque não tiveram a experiência direta de se verem obrigadas a "sujar as mãos" ao ter de tomar decisões políticas em meio a uma rede complexa de interesses e valores em conflito.

Devemos desconfiar em especial daqueles que prometem soluções simples para problemas complexos. Quem não tiver entendido a essência da política pode alimentar expectativas exageradas e inclusive desmesuradas. Pretender a felicidade por meio da política é tão absurdo quanto esperar consolo do banqueiro, fazer negócios com a família ou desejar a amizade dos companheiros de partido. Nessas situações, as coisas ocorrem de maneira diferente. Cada âmbito tem suas regras e sua lógica, e as nossas expectativas deveriam ser formuladas de acordo com elas.

A democracia desilude sempre, como defendi, mas essa decepção pode ser mantida num nível aceitável dependendo da forma como configuramos nossas expectativas. O fato de não termos conseguido encontrar esse ponto de equilíbrio explica o modo tão simples como se estabeleceu o campo de batalha em nossas democracias. A paisagem política se polarizou em torno do pelotão de cínicos tecnocratas e de sonhadores populistas; os primeiros se servem da complexidade das decisões políticas para desvalorizar as obrigações de legitimação, ao passo que os segundos costumam desconhecer que a política é uma atividade que é exercida sob inúmeros fatores condicionantes; uns parecem recomendar que limitemos ao máximo nossas expectativas e outros que as façamos levantar voo sem qualquer limitação. Esse é hoje, a meu ver, um eixo de identificação ideológica mais explicativo do que o de direitas e esquerdas. Equilibrar razoavelmente esses dois aspectos é a síntese política em torno da qual vão girar de agora em diante os nossos debates.

Com essas reflexões, gostaria de contribuir para que entendêssemos melhor a política, porque me parece que só assim poderemos julgá-la com toda a severidade que for necessária. Não pretendo desculpar ninguém, nem os representantes nem os representados, e sim calibrar bem quais são as obrigações de uns e de outros, identificar o que poderemos fazer, uns e outros, para melhorar os sistemas políticos.

Não partilho o pessimismo dominante em relação à política, e não porque faltem motivos para crítica. Pelo contrário: porque só um horizonte de otimismo aberto, que acredite na possibilidade do melhor, é que nos permite criticar com razão a mediocridade de nossos sistemas políticos. Otimismo e crítica são duas atitudes que se dão muito bem, ao passo que o pessimismo costuma preferir a companhia do cinismo ou da melancolia.

PARTE III

A POLÍTICA EM TEMPOS DIFÍCEIS

CAPÍTULO 10
A ERA DOS LIMITES

Se me pedissem para sintetizar numa expressão o caráter geral desta nova época em que vivemos, aquilo que ela tem de inédito e que precisa ser compreendido, eu me atreveria a afirmar que estamos entrando num período caracterizado pela presença de cada vez mais limites para a ação dos governos do que aqueles a que estávamos acostumados, algo que nos obriga a reinventar a política e a função dos governos.

Vamos precisar ainda de algum tempo para entender essa nova situação, para comunicá-la e geri-la. Minha geração tinha – e em parte ainda tem – uma concepção ambiciosa de política; empenhou-se numa transformação da sociedade e mobilizou-se por grandes causas... esquecendo-se às vezes de algumas pequenas responsabilidades. Não faltaram, como é óbvio, os erros, e houve muitos simplismos com relação às exigências do exercício do poder, mas em geral supervalorizou as capacidades de intervenção na realidade social, ao mesmo tempo que subestimava os limites e as condicionantes.

Boa parte do descontentamento com a política está ligada a esse contraste entre aquilo que se quer e aquilo que se pode. Quando comprovamos a quantidade de fracassos dos governos, costumamos cometer o erro de pensar que se devem à sua incompetência – e apenas a ela – sem percebermos que eles também se devem, em grande medida, a certas expectativas que alimentamos em relação à política e que esta já não pode satisfazer.

No âmago da nossa insatisfação está o contraste entre uma política que é cada vez mais incapaz e que, ao mesmo tempo, está mais sobrecarregada do que nunca. Um dos maiores problemas da política atual é que as capacidades de controle dos Estados foram enormemente reduzidas, ao passo que as expectativas criadas a esse respeito se mantinham ou até aumentavam.

Essa divergência tem muito a ver com o fato de se ter verificado uma mudança na mentalidade das pessoas, a qual se poderia resumir dizendo que a descrição dos processos e acontecimentos passou da infelicidade para a injustiça. O que em outros momentos era entendido como o resultado de circunstâncias contingentes, que não estavam à nossa disposição, hoje é interpretado como resultado de uma ação ou omissão em relação à qual alguém pode ser declarado responsável. Onde antes o acaso ou o destino funcionavam como explicação, temos agora responsabilidade política, quer se trate de epidemias, catástrofes naturais ou situações de pobreza.

Em vez de explicar essa divergência entre o que se espera e o que realmente é possível, suscitando assim certa compreensão com relação às limitadas capacidades de ação do Estado, a política fez o contrário: simulou uma capacidade de iniciativa onde não havia mais nada além de uma mera reação. O sistema político caiu na armadilha da onipotência sugerida pelos meios de comunicação social, mas convertida na regra da competição entre os agentes políticos que se acusam mutuamente de não terem feito o suficiente.

Essa armadilha afeta de diversas maneiras os agentes políticos e explica porque as atuais circunstâncias, em geral, repercutem mais à esquerda. Enquanto a direita costuma se sentir confortável nesse cenário de política mínima, a esquerda ainda não conseguiu estabelecer a distinção entre disposições injustas e pressões inevitáveis, o que lhe dificulta a tarefa de encontrar uma posição com a qual se sinta identificada, sabendo que o erro, quando se torna necessário determinar o campo do possível, pode situá-la fora do espaço real das soluções. O cenário político está repleto de conservadores que fizeram das limitações a sua grande desculpa, de progressistas que não sabem como gerir essas limitações e de um público que ainda não conseguiu compreender muito bem o que está acontecendo e que se sente cada vez mais desencantado.

Quando falo de limites não me refiro às limitações de crescimento ou orçamento, mas a algo que obedece a uma forma de pressão mais geral. Não estamos diante de uma espécie de reedição dos "limites do crescimento", que remetem aos recursos naturais ou a questões demográficas, exteriores ao sistema político, e às quais se referia o célebre relatório do Clube de Roma no início da década de 1970. Refiro-me fundamentalmente à debilidade de nossos instrumentos de governo quanto a certas tecnologias que começam poderosas, mas que acabam por revelar uma fragilidade com a qual nossos sistemas políticos mal conseguem lidar. Uma crise é precisamente isto: a transformação do poder em fraqueza. O caso dos atuais mercados financeiros é o melhor exemplo de uma sofisticação que acaba por se manifestar como algo fraco.

A repetição de crises financeiras mostra que o sistema de autoridade dos Estados, segundo o modelo da soberania territorial, já não permite assegurar a estabilidade de uma economia de criação e circulação de crédito. O Estado não consegue garantir o desenvolvimento econômico quando o risco financeiro é sistêmico, ou seja, quando pode fragilizar o conjunto da atividade econômica.

Há algum tempo, Susan Strange diagnosticou essa disparidade entre o espaço da autoridade e a mobilidade do capital como a causa de uma tripla debilidade da política: ambiental, financeira e social. A política é incapaz de abordar os grandes problemas ambientais, de evitar as crises financeiras e de manter o equilíbrio social no seio dos Estados (Strange, 1988). Essa incapacidade ou fracasso não se refere mais a um colapso iminente do que ao fato de que a política só conseguirá manter sua capacidade configuradora se puder entender as novas circunstâncias e modificar suas práticas de governo, algo que na minha opinião tem muito a ver com o desenvolvimento de uma capacidade para gerir os próprios limites.

Os problemas gerados pelo endividamento, o desequilíbrio ecológico ou a crescente complexidade do mundo são complicados demais para que os agentes políticos consigam, ao mesmo tempo, considerar a dimensão global na qual estão inseridos, propor políticas realistas e apresentá-las aos cidadãos de maneira convincente.

As coisas nunca foram fáceis para a política, mas em outros momentos havia pelo menos um conhecimento assegurado, um espaço limitado, uma legitimidade reconhecida e uma soberania respeitada que bastavam para eludir as dificuldades de se governar.

Atualmente, a política é assediada por pressões imprevistas oriundas do desajuste entre certas realidades que transbordaram as margens estatais e que agora se articulam em contextos globais. Tudo isso num momento em que ainda não dispomos de instrumentos para governar esses sistemas e que, ao mesmo tempo, tornou-se manifesta a sua limitada capacidade de autorregulação.

Os primeiros embates da crise geraram uma ilusão de ótica que parecia pressagiar um regresso do Estado, e essa ilusão sobrevive agora no atual discurso que contrapõe heroicamente Estado e mercado. A euforia neokeynesiana nos impediu de compreender que o Estado que volta não é aquele que conhecíamos, mas outro, que só conseguirá ganhar capacidade de configuração se for trocado por soberania; que é obrigado a passar da unilateralidade para a cooperação; e que não se define por contraposição a outros Estados ou a uma esfera civil que lhe estaria subordinada. "Não é possível salvar o Estado em sua até então tradição de herói da sociedade. Como forma heroica da história, o Estado envelheceu; como garantia do bem comum, está sobrecarregado; como benfeitor da sociedade, carece de recursos; como centro de governo, já não se vê diante de uma periferia, mas de um exército de outros centros" (Willke, 1997, p. 347). Seja como for, o Estado que regressa já não está em condições de adotar decisões soberanas; a sua dependência do saber partilhado, da capacidade de decisão partilhada e dos recursos financeiros partilhados é grande demais. É um ator semissoberano.

Essas pressões a que estou me referindo poderiam ser agrupadas em três categorias: saber, poder e dinheiro. Há limites cognitivos, limites de autoridade e limites de recursos econômicos, ou seja, limitações concernentes ao conhecimento como recurso de governo, limites relacionados com o recurso que se costuma entender como poder e limites que provêm dessa escassez de recursos que se tornou especialmente aguda nisso que poderíamos designar como época da austeridade, e nas quais me concentrarei agora. Governar é uma operação que se realiza com certezas escassas, que exige uma delimitação rigorosa do possível em meio a uma autoridade contestada e com recursos escassos.

a. A política em meio à austeridade

Um dos princípios elementares da nossa teoria política assegura que a democracia consiste essencialmente em ter possibilidade de escolha. Costumamos pensar que esta capacidade se refere à cidadania, que deveria poder influenciar os governos por meio da opinião livre e das eleições, e até mudá-los. Esse princípio é comumente aceito e o que podemos discutir são mecanismos como o grau de delegação, os procedimentos para tornar efetiva a correspondente prestação de contas ou a articulação mais desejável entre eficácia do governo e participação cidadã. A crise econômica introduziu uma nova versão desse princípio, e o que nos perguntamos agora não é tanto (ou não apenas) se os cidadãos conseguem fazer valer a sua opinião, mas se os governos conseguem governar, se é possível fazer política em meio à austeridade.

A gestão da crise econômica desembocou numa nova ortodoxia que alguns qualificam como "estado de austeridade" (Pierson, 2001). A "era da austeridade" (Schäfer/Streeck, 2013) é um tempo histórico em que a prudência fiscal e a consolidação orçamentária passaram a ser as novas normas, ao passo que a própria ideia do déficit público prolongado no tempo parece ter ficado no passado. Desde a década de 1990, a falta de crescimento e o incremento dos gastos sociais (em parte devido ao envelhecimento da população, mas também por causa do gasto público que obrigava a enfrentar as consequências sociais da crise) levaram a uma situação na qual a ideia de austeridade se impôs como uma evidência. Acabou-se a era do crédito fácil (Brownlee, 1996, p. 416) e ainda nos falta avaliar em que medida tudo isso vai influenciar as nossas práticas políticas.

Para começar, o principal impacto da crise nas nossas democracias consiste no fato de os governos aparentemente não terem outra possibilidade, nem margens de manobra, nem verdadeira capacidade de decidir. Os déficits e a dívida acumulada tiveram como consequência uma diminuição drástica do gasto disponível e do investimento social. É muito difícil transferir recursos de um objetivo para outro, dado que os gastos obrigatórios tendem a consumir todo o orçamento. A diminuição do gasto discricionário significa uma diminuição das opções e das alternativas políticas. Quando um novo partido chega ao governo vê-se atado pelas decisões dos anteriores (seguramente numa medida menor do que dizem, mas maior do que aquilo que o governo anterior reconhece). A crise não fez outra coisa senão agravar a redução do espaço de manobra dos governos.

Enquanto os Estados continuam precisando de crédito, os mercados financeiros continuarão a mantê-los sob supervisão, mesmo que se tenha conseguido reduzir a dívida e estabilizar o equilíbrio orçamentário. Essa pressão é de tal envergadura que condiciona extraordinariamente nossos sistemas políticos e suas decisões. O capitalismo financeiro lança um desafio enorme ao nosso modelo de democracia na medida em que esta agora tem de prestar contas a dois eleitorados: o do povo e o dos mercados (Schäfer/ Streeck, 2013, p. 19). O surgimento dos mercados financeiros e sua escassa regulação converteram as pressões dos mercados em algo muito importante, talvez até mais do que as pressões cidadãs quando se trata de tomar decisões políticas.

Essa pressão é exercida tanto sobre os governos atuais quanto sobre os futuros. Os partidos da oposição nos países fortemente endividados não estão em condições de prometer que não vão cortar nos gastos para consolidar as finanças públicas, o que diminui as possibilidades de o eleitorado eleger algo realmente diferente. Essa falta de alternativa desanima os eleitores e é uma das causas que explica o surgimento dos partidos populistas, os quais (provavelmente porque não sonham com a possibilidade real de governar) não se importam de fazer promessas impossíveis de cumprir. Para os partidos com vocação de governo, prometer o que não podem cumprir é tão letal quanto dar a impressão de que não fariam as coisas de forma diferente daquela que seus rivais fazem. Ou não há alternativa ou a alternativa é tão irracional que é como se não existisse.

Os cidadãos já notaram isso e, dentro do desconcerto geral, reagem de maneiras distintas, porém com o mesmo tom de fadiga democrática: votando em quem não gostariam de ver no governo, mas que expressam seu mal-estar, diminuindo a participação eleitoral – tudo isso em meio a um desinteresse crescente. Aquilo que está no coração do atual mal-estar democrático é a diferença entre responsividade e responsabilidade, entre o que os cidadãos esperam dos governos e o que os governos estão dispostos a fazer ou, se preferirmos, entre a capacidade dos governos de explicar suas decisões e a capacidade dos cidadãos de compreendê-las.

Como se isso não bastasse, na Europa as medidas de ajustamento são impostas de uma forma que ninguém é capaz de vincular com uma decisão livre e democrática, sendo apresentadas sobretudo como uma exigência difusa e irresistível. Como consequência da imposição que os mercados exercem sobre os Estados, as pessoas têm cada vez mais a sensação de que os governos não atuam em seu nome, e sim no de outros Estados ou organismos internacionais, que estão livres da pressão eleitoral. Tudo isso gera uma perplexidade geral, senão mesmo indignação. Os campos de batalha em que as crises do capitalismo se desenrolam converteram-se em algo cada vez mais complexo, ao ponto de ter se tornado muito difícil para quem não faça parte das elites financeiras reconhecer os interesses que estão em jogo e identificar quais são os seus próprios interesses.

A POLÍTICA EM TEMPOS DIFÍCEIS   149

Uma das tarefas de reflexão política mais urgentes é determinar a natureza desse condicionamento e investigar as possibilidades que, apesar de tudo, continuam em aberto. Uma estratégia muito utilizada consiste em assinalar a globalização ou a integração europeia como principais culpados pela atual limitação das margens de manobra da política. É cômodo poder colocar a culpa nos outros por aquilo que está acontecendo, no euro, na Alemanha, na *troika* ou na globalização em geral (sobretudo quando há bons motivos para essa queixa) e eludir, assim, a própria responsabilidade.

De um ponto de vista formal, é verdade que a capacidade dos poderes públicos de atuar sobre a economia era maior quando a globalização não era tão densa ou quando não existia o euro. Era possível proteger os mercados domésticos ou desvalorizar a moeda, por exemplo. É inegável que as interdependências globais estreitam as margens de atuação e que, na Europa, os Estados-membros têm um reduzido controle efetivo sobre as variáveis macroeconômicas. As políticas monetárias estão sob a autoridade do Banco Central Europeu (BCE) e as políticas fiscais são supervisionadas, cada vez mais, pela Comissão Europeia. Ora, o uso concreto que se faz dessa reduzida capacidade varia em função de cada país. Pensemos, por outro lado, que a Grã-Bretanha não está no euro e, embora tenha utilizado o instrumento da desvalorização, não conseguiu incrementar amplamente o controle sobre sua economia.

É verdade que foi o desenho incompleto do euro, em boa medida, que provocou esta crise e não tanto o comportamento dos Estados da Zona do Euro. O governo do euro deveria ter sido concebido para regular o aumento das interdependências que iriam surgir dentro das economias europeias. Sem negar as dificuldades que as atuais realidades implicam para a ação política, o problema é que, muitas vezes, os Estados precisam de uma desculpa que atenue a sua responsabilidade. Por outro lado, torna-se difícil comparar a situação atual com a hipótese alternativa: como estaríamos fora do euro, um mundo não globalizado seria mais justo etc. Os juízos que fizermos devem levar em conta esse outro possível lado da moeda e, em consequência dessa comparação, valorizar o panorama atual.

As limitações da interdependência são a outra face da moeda das vantagens da cooperação. Atuar em cenários de cooperação permitiu aos Estados recuperar possibilidades que teriam se perdido caso tivessem mantido a sua autarquia. A gestão da interdependência, e não se fechar em si mesmo, é o verdadeiro procedimento para preservar uma autonomia política. Partilhar a soberania restringe o próprio poder, mas às vezes menos do que a obstinação por mantê-la intacta. Há milhares de exemplos na história recente de agentes políticos que aumentaram suas capacidades de ação em zonas onde nunca teriam chegado sozinhos, enquanto outros preferiram não participar desse jogo de trocar soberania por poder, cuja lógica, aliás, parecem desconhecer.

Já não estamos naquela época em que as tensões entre economia e sociedade podiam se resolver dentro das comunidades políticas nacionais. Nenhum governo pode governar sem prestar grande atenção nas constrições internacionais, em especial aos mercados internacionais que o obrigam a impor sacrifícios à sua população. As crises e as contradições do capitalismo se internacionalizaram; já não ocorrem unicamente dentro dos Estados, e sim entre eles, simultaneamente a ambos os níveis e com combinações até agora desconhecidas.

Que consequências tem tudo isso no atual enquadramento ideológico? Talvez a principal seja o fato de ter surgido um novo debate entre austeridade e crescimento, que deveríamos ser capazes de interpretar corretamente, já que nem uns nem outros podem assegurar que se trata de uma receita automática para a criação de emprego. Minha proposta é pensar nela como a formulação de um novo eixo de polarização ideológica, traçado em torno da questão sobre a quem devemos confiar a recuperação econômica – se ela deve vir mais dos mercados ou dos Estados e de qual dos dois desconfiamos menos. Ou melhor, do que temos mais medo: do lastro que uma dívida excessiva pressupõe para o crescimento ou da falta de consideração dos mercados em relação aos bens comuns e à proteção social?

Se esse diagnóstico é correto, então temos uma explicação para o fato de atualmente a direita estar ganhando as eleições na Europa. A direita costuma ganhar porque as pessoas confiam menos no Estado do que no mercado (daí que o atual linchamento da classe política, mesmo que tenha motivos em que se apoiar, beneficia sobretudo os conservadores, já que debilita a confiança no Estado e, comparativamente, fortalece a confiança nos mercados). Essa hegemonia deve-se também a outra assimetria ideológica. O que destroça a esquerda é a falta de input, que os seus governos não façam o que os eleitores desejam; o pior que pode acontecer à direita é a ineficácia. Nesses momentos, é mais forte o sentimento de insegurança pelo futuro econômico do que a indignação pelas promessas não cumpridas e, por isso, a direita é preferida em épocas de austeridade. O eleitorado se sente mais seguro com ela e não consegue acreditar nas propostas social-democratas.

Aqueles que rejeitam, por exemplo, a atuação do BCE como prestamista de última instância é porque continuam pensando que a pressão dos mercados é o melhor meio para fazer com que cada um atue disciplinadamente, enquanto o mutualismo acordado pelos Estados equivaleria a regressar ao endividamento irresponsável; outros pensam que partilhar os riscos é a única forma de nos protegermos da volatilidade dos mercados financeiros e que é essa vulnerabilidade que impede o crescimento.

Seja como for, as tentativas de politizar o espaço público oferecendo uma nova alternativa entre austeridade e crescimento fracassaram; para começar, porque tanto a direita quanto a esquerda concordam com a necessidade de tentar alcançar ambos os objetivos. As duas pretendem fazer os mercados funcionarem. Saber se é mais efetivo tornar isso possível mediante a contração fiscal ou por meio de estímulos mais diretos à economia é um debate que dificilmente consegue fazer desaparecer a perplexidade do eleitor. Como se torna evidente, todos os dias, na linguagem da política, o objetivo partilhado é o crescimento e a criação de emprego; o que é diferente é o procedimento para consegui-lo, bem como a distribuição dos sacrifícios que parece mais razoável.

Ora, convém não nos equivocarmos pensando que essa distinção devolve todo o esplendor à clássica divisão entre a esquerda e a direita. Entramos num período em que a tradicional distinção entre esquerda e direita continuará, com grande dificuldade, a ser visível. Podemos chamar isso de desideologização, pragmatismo ou política pós-heroica (Innerarity, 2009). E afinar o tom com que recebemos esta nova época, do entusiasmo tecnocrático à melancolia social-democrata, porém, é para esse horizonte que vamos seguir durante algum tempo e diante do qual teremos de reinventar as possibilidades políticas. Claro que se deve continuar a cultivar aquilo a que Freud chamava "o narcisismo das pequenas diferenças", mas esta polarização não é nem tão forte nem tão exclusiva quanto alguns pretendem. A razão pela qual se atenuaram as diferenças entre uns e outros não é a debilidade ideológica nem a vontade de encontro, mas o duro fato de os partidos políticos terem menos espaço de manobra sobre os resultados econômicos do que aquilo que costumam admitir. Ninguém defende o dirigismo econômico nem mercados completamente desregulados. Há diferenças, é claro, mas estas são cada vez mais diferenças de ênfase. Uns e outros colocam as suas expectativas numa economia que, no máximo, só pode ser estimulada externamente e diferem quanto ao grau dessa estimulação. Quem é que lidera a consolidação fiscal, a pressão do mercado ou a vontade institucional? O mais provável, na Europa, é que surja finalmente um compromisso que equilibre ambas as posições.

Há algum tempo que as diferenças ideológicas nítidas desapareceram do sistema político e torna-se cada vez mais difícil distinguir entre aquilo a que chamamos de "os grandes partidos" ou os partidos convencionais, de massas, clássicos. Não vamos regressar ao debate entre Estado e mercado tal como se esboçou no século passado – Estado mínimo contra socialismo num único país –, mas a uma forma mais sofisticada e menos nítida de configuração das alternativas políticas.

Existirá ainda, apesar de tudo, alguma possibilidade de politizar, de fazer política, algo que está sempre relacionado com a diferença e a alternativa? A meu ver há três grandes oportunidades para o debate ideológico nas quais faz sentido exercer certa repolitização das nossas sociedades: dar uma maior importância às qualidades pessoais dos representantes, entender a complexidade dos novos conflitos e, aceitando as nossas limitações quando se trata de controlar os resultados econômicos, identificar as possibilidades que nos são oferecidas num espaço economicamente condicionado, que costumam ser mais do que aquelas que estamos acostumamos a reconhecer.

1. *Personalização da liderança* A atenção às qualidades pessoais de quem nos representa é, ao mesmo tempo, o resultado da atual despolitização e uma oportunidade de repolitização. É lógico que ao se atenuarem os perfis ideológicos também diminuam as grandes legitimações e as desculpas que estas proporcionavam, daí que a dimensão pessoal daqueles que se dedicam à política ocupe quase toda a nossa atenção.

Quando se tem a sensação, mesmo que ela não esteja totalmente certa, de que o modo como os governos atuam sobre a sociedade e afetam a minha própria vida não passa por um compromisso ideológico, então é normal que as qualidades pessoais dos políticos ocupem o primeiro plano ao determinarmos as nossas preferências. A confiança, a credibilidade, a honestidade ou a competência são o que marca a diferença, e não os discursos ideológicos abstratos. A opção pela esquerda ou pela direita se explica melhor pelas qualidades pessoais de seus líderes e pelos valores que eles simbolizam do que suas inscrições ideológicas, por aquilo que pensam do mercado ou do Estado. Essa circunstância explicaria também o fato de os atuais debates políticos se referirem mais a questões de estilo e qualidade democrática – transparência, participação, responsabilidade – do que aos clássicos valores ideológicos.

2. *Transformação dos conflitos* O segundo espaço no qual os agentes políticos devem encontrar as suas possibilidades de diferenciação tem a ver com a atual transformação dos conflitos, os quais já não se limitam à típica divergência redistributiva no seio do Estado de bem-estar. Na verdade, se repararmos bem, os conflitos de classes se nacionalizaram e se converteram em conflitos internacionais, e o conflito entre sociedade e mercados financeiros está resvalando para o conflito entre uma nação contra outra.

Na Europa, o norte contra o sul e até os países de cultura protestante contra os de cultura católica. Os países incapazes de saldar a sua dívida são apresentados como pecadores coletivos contra a razão econômica e a prudência fiscal, os preguiçosos contra os trabalhadores. Essa forma de ver a situação parece conceber as sociedades como comunidades unitárias que não são atravessadas por nenhum conflito interno, nem por classes, nem por diferenças. Ricos e pobres parecem ser agora os países e não as pessoas. A suposta solidariedade transnacional dos trabalhadores cedeu adiante da identificação nacional.

Se a esquerda se limitar a se queixar de que esse campo de batalha é pouco favorável para si, não estará fazendo outra coisa senão um exercício de melancolia. Os problemas de redistribuição não desapareceram totalmente, embora as preferências das pessoas tenham se diversificado. Ao socioeconômico junta-se agora um conjunto de valores que estão ligados ao cultural e ao identitário, aos estilos de vida, à igualdade de direitos e às liberdades pessoais. O conflito se converteu em algo multidimensional.

A emergência de novas linhas de conflito não se compadece com a percepção de que não existem espaços para a política; o que aconteceu é que eclodiram outras possibilidades de contestação às quais os partidos tradicionais não souberam se adaptar bem. Essa incapacidade explica, em boa medida, o surgimento de partidos populistas ou *single-issue* (partidos baseados numa agenda única) que articulam novas reivindicações ou certos movimentos sociais por meio dos quais se expressam exigências a que as opções políticas dominantes têm dado pouca atenção.

3. *Possibilidades no contexto de políticas econômicas fortemente condicionadas* Na política econômica continua a haver um terceiro âmbito para a configuração de opções políticas. A austeridade, que pode soar puro senso comum, é, na sua formulação dominante, uma opção política que beneficia certos interesses econômicos e é apoiada por um campo ideológico que exalta os valores da frugalidade, especialmente no setor público, apesar dos enormes custos sociais que isso supõe, ao mesmo tempo que fecha os olhos aos lucros espetaculares no setor privado, por exemplo, no setor dos planos de pensões.

Começando pela Europa, podem ser discutidas, por exemplo, muitas das atuais fronteiras de nossa configuração econômica, algumas das quais acabaram por se impor sem o debate necessário ou se revelaram claramente ineficientes em plena crise, como a função do BCE, cujo mandato exclusivo para combater a inflação foi uma decisão política. Seria necessário redefinir a sua função e interpretar de outra forma os tratados, de maneira a fazer com que a política monetária europeia fosse diferente.

No espaço doméstico dos países, embora as possibilidades fiscais sejam limitadas, e inclusive aceitando que os governos não devem permitir grandes déficits, há diversos modos de obter orçamentos equilibrados. Podem ser taxados os rendimentos mais elevados e poderíamos discutir se a fuga de investimentos não tem sido propositadamente exagerada. Seria também possível lutar com mais rigor contra a evasão fiscal, sobretudo considerando que muitos paraísos fiscais são países europeus ou territórios ultramarinos que fazem parte dos Estados-membros.

Também em matéria de gastos é possível continuar a fazer política. É certo que ficaram limitadas as possibilidades do gasto discricionário dos governos a partir do momento em que uma grande parte do gasto público tem de ir para as pensões ou para financiar a dívida. Uma vez que a maior parte da consolidação fiscal é praticada por meio de cortes nos gastos mais do que aumentando os impostos, a definição das prioridades é fundamental.

Dando por bom que é preciso diminuir os gastos, os cortes podem afetar despesas não produtivas em vez dos investimentos para estimular o crescimento; o gasto redistributivo pode ser destinado para os pobres e para os jovens, mais do que para manter os rendimentos dos pensionistas da classe média. Não debater abertamente essas possibilidades e se equivocar nas decisões é um erro político e não o resultado das constrições que a economia globalizada impõe.

b. As novas tarefas da política

Não conseguiremos governar de forma eficaz se não procedermos a uma transformação que terá de começar com a pergunta a nós mesmos sobre para que serve a política, e então deixar de responder a esta pergunta com uma proposta de reforma administrativa. A pergunta que deveríamos nos fazer é: o que a política consegue fazer que os outros sistemas sociais não conseguem? Longe dos lamentos pelo desaparecimento da política, se pelo menos fosse capaz de fortalecer a sua capacidade cognitiva teria uma enorme tarefa para realizar no que se refere à regulação, aos riscos sistémicos, à proteção do futuro e à coerência social (Innerarity, 2013, p. 148-155).

Uma sociedade moderna é uma sociedade cujos sistemas sociais (o direito, a ciência, a economia, a cultura etc.) respondem cada vez mais a uma lógica própria, mas se essa lógica não for articulada com as demais tende a desequilibrar o conjunto. Contrabalançar a dinâmica centrífuga desses sistemas, suas turbulências e ameaças internas constitui a verdadeira contribuição da política numa sociedade complexa. Ora, esses sistemas são tão complexos, dinâmicos e especializados que excluem um controle estatal autoritário. A política pode proporcionar a esses subsistemas sociais uma reflexão que lhes permita superar a autodestruição que pressuporia que cada uma dessas lógicas não levasse em conta que vive num ambiente limitativo. Para poder desempenhar essa tarefa, a política tem de estar também, por sua vez, consciente de seus limites, dos efeitos perversos que uma forma de intervenção excessiva poderia desencadear.

Não se trata, portanto, de decidir entre mais ou menos Estado (um debate antigo e superado), mas de concebê-lo de outra maneira. Deveríamos pensar, por exemplo, num Estado que não nega as forças do mercado mas que, pelo contrário, estimula-as, organiza-as e coloca-as ao serviço da melhoria do bem-estar coletivo (Aghion/Roulet, 2011). Parece, por isso, inoportuno e injusto insistir em fórmulas de intervenção sobre os mercados que não querem saber dos efeitos sistêmicos que podem provocar, ao ponto de poderem tornar inviável a manutenção do Estado-providência. Salvar essa conquista social implica, principalmente hoje, suprimir aquelas prestações que foram introduzidas em seu nome, mas que o tornam inviável ou que geram maiores desigualdades, por exemplo, a que cada vez mais existe entre os que estão no mercado de trabalho e os que não conseguem ingressar nele.

Precisamos de uma nova sabedoria dos limites e de uma nova inteligência para compreendê-los como uma oportunidade para praticar uma política que volte a combinar efetividade e democracia. A política só conseguirá liderar as novas transformações se conseguir aprender essa nova linguagem, caso contrário continuará a se queixar da pouca margem de manobra que as novas circunstâncias lhe concedem. Seja como for, na esteira da recomendação que Disraeli dirigiu aos políticos, não convém se lamentar muito; as limitações e os condicionamentos fazem parte da vida política.

Na política democrática há limitações exteriores, mas também autoli mitações internas que constrangem o poder para proteger as liberdades ou o direito de outros a intervir num campo de decisão que é sempre partilhado. A política é sempre decisão condicionada, ação em contexto. Esse contexto é definido atualmente por uma austeridade que é em parte razoável e em parte ideologicamente determinada. À política corresponde indagar o âmbito do possível e alargá-lo ao máximo. Se a política goza hoje de tão pouco prestígio é porque no fundo estamos nos habituando a pensar que tudo é regido pela necessidade.

CAPÍTULO 11
A POLÍTICA DEPOIS DA INDIGNAÇÃO

O ano de 2011 talvez já tenha ficado conhecido na história como o ano da indignação. Essa palavra sintetiza um movimento que transformou o descontentamento generalizado com relação à política num novo tipo de protesto. Estamos diante de uma versão nova da conhecida prática revolucionária? Como se relacionam as instituições e as ruas num mundo sem intermediários? Será a desconfiança um anúncio da crise da democracia ou mais uma etapa da sua consolidação. Seja como for, a própria ideia de representação tem sido questionada com uma reivindicação que pode derivar em populismo na medida em que não parece compreender as limitações da autodeterminação democrática e os limites da nossa condição política.

A política já foi alvo de todas as apreciações possíveis, desde as que mais a estimavam até as que mais a desprezavam; de tarefa de alguns, passou depois a ser de todos e finalmente de ninguém; já foi a solução e agora parece ser o problema. Considerada em certos momentos da história a ocupação mais nobre, supervalorizada inclusive como um meio de salvação, temida como sede do poder, chegou muitas vezes a ser vista como irrelevante e até abertamente desprezada por ser a causa dos nossos piores males.

Seguramente, a política nunca mereceu tão elevada consideração e talvez exista mesmo, no atual menosprezo, alguma falta de sinceridade da sociedade para consigo mesma. De qualquer forma, a política na sua forma atual é algo passível de ser melhorado. O descontentamento com a política é compatível com o fato de lhe ser exigido mais do que aquilo que alguma vez se esperou dela, como deixam em evidência a vigilância cidadã sobre o poder, os movimentos de reivindicação e protesto. Fenômenos como o Movimento 15-M contradizem aqueles que tinham interpretado esse descontentamento como indiferença.

Essa circunstância suscita um sem-número de questões em torno da função que a política pode exercer no mundo atual e acerca da qualidade das nossas democracias. Para começar, seria importante evitar equívocos nas tentativas de interpretação do sentido do nosso mal-estar. Estamos diante de um protesto que deve ser entendido em estilo revolucionário ou se trata, pelo contrário, de um fenômeno de insurreição que deve ser interpretado de outra maneira? Como se articula a discordância e o protesto na sociedade contemporânea? Será a confiança uma atitude que fortalece ou debilita a democracia? A atual transformação dos espaços públicos em virtude da globalização e das novas tecnologias de comunicação tornam desnecessárias as mediações e impossíveis as representações? Em suma, estamos num momento de crise, de esgotamento ou diante de uma oportunidade de transformação das nossas democracias?

a. Da revolução à indignação

Os sistemas se estabilizam quando tornam inviável ou desnecessária a revolução, o que não significa que impossibilitem o protesto. Apenas os regimes estúpidos são incapazes de entender que o protesto lhes proporciona estabilidade. O que acontece, então, é que o protesto deixa de ser revolucionário e se torna expressivo. Por isso não faz sentido atirar na cara dos indignados do Movimento 15-M ou de qualquer outro movimento similar porque eles carecem de um plano concreto de ação ou não oferecem alternativas. A função deles é expressar um mal-estar, chamar atenção para algo, não competir com os programas eleitorais dos partidos. Nas democracias imperfeitas que realmente existem, o aumento dos protestos não é um sinal de debilidade democrática, mas de crescimento do nível de exigência que os cidadãos colocam aos governantes.

Boa prova disso é que o Movimento 15-M desencadeou uma verdadeira competição pelo slogan mais engenhoso, substituindo assim um debate que em outras épocas teria ocorrido com o objetivo de saber qual a ação mais apropriada para sabotar ou subverter. Entender isso é fundamental para lhe dar a resposta adequada. Ao protesto expressivo não deve corresponder propriamente uma intervenção das autoridades para restaurar a ordem pública, e sim, na mesma lógica, uma reflexão para interpretar adequadamente o que esse gesto significa ou põe em evidência. O conflito passou a fazer parte de um contexto expressivo; trata-se é de comunicar e entender. Não estamos numa nova fase das grandes revoluções que foram pautando a evolução das sociedades democráticas, e sim diante de um fenômeno ligado à espetacularização da nossa vida pública.

Há algum tempo surgiu o termo "pós-democracia" para designar uma situação de estabilidade das democracias contemporâneas que, para os mais otimistas, pressupunha celebrar a sua implantação definitiva e, para os pessimistas, uma etapa caracterizada pela mediocridade e pela degeneração. Talvez as duas perspectivas não sejam contraditórias, mas formas de enxergar a mesma realidade, que se banaliza na mesma medida em que se consolida. As análises de Crouch, Rancière, Zolo e Guéhenno foram esgotando todas as possíveis tônicas de interpretação. No fundo, será que se tornou impossível mudar o que quer que seja ou será que toda a mudança só pode ser feita no interior do sistema que se pretende mudar?

Para resolver esse enigma é preciso perceber como é que se gera o mal-estar na sociedade contemporânea. E aqui observamos alguns fenômenos que podemos qualificar de "pós-revolucionários", na medida em que se tratam mais de insurreições expressivas do que de subversões desestabilizadoras. Um indignado não é um revolucionário, do mesmo modo que a agitação não equivale necessariamente à capacidade de transformação. Não há revoluções pelas mesmas razões que explicam a ausência de um verdadeiro antagonismo político: há diferenças e mudanças, é claro, porém o tempo político deixou de se reger por uma lógica de sublevações. O confronto político não é um choque de modelos. Esse tipo de contraste não é verificado no antagonismo oficial, regido por um tempo político plano, no qual atuam governos que resistem e oposições que ficam a aguardar a sua vez (a melhor justificativa para uma mudança de governo é o seu caráter higiênico, não o seu projeto alternativo). Todos aqueles que não estão no governo representam a "mudança", que em si mesma não é um valor nem de esquerda nem de direita, mas da oposição.

A atual desestruturação da linguagem relativa à mudança tem várias consequências ao nível da concepção do tempo histórico e da intervenção política. Na linguagem progressista, a revolução foi substituída pela modernização, pela adaptação e pela inovação; as reformas são um termo sobretudo de direita; e na extrema esquerda há gestos críticos, mas não uma teoria crítica da sociedade (muito menos ainda um programa de ação). Boa parte do que ela diz e faz não é mais do que trejeitos de "heroísmo diante do mercado" (Grunberg/Laïdi, 2007, p. 9) ou mera melancolia.

Da mesma forma, também não encontramos um contraste revolucionário no exterior do sistema político, na força exógena que talvez tenham representado os movimentos de protesto ou indignação. O atual desencanto ideológico torna-se evidente no fato de nem a extrema esquerda nem a extrema direita estarem especialmente interessadas em intervir com habituais procedimentos de representação. Tanto o individualismo conservador quanto o esquerdismo radical se veem como "contrapoderes", como "parapolítica". No ideário de ambos, o pirata representa o paradigma da luta contra a rigidez do Estado ou contra a ordem neoliberal; por diferentes motivos, e inclusive contraditórios, a pirataria é considerada a estratégia mais adequada às evoluções econômicas e culturais do capitalismo.

Uns apelam à *sociedade civil* e outros, na esquerda pós-comunista, à *multidão* (Hardt/Negri, 2000), ambos conceitos muito líquidos e muito pouco políticos. Já não estamos na era da direita e da esquerda institucionalizadas, e sim da do Tea Party e dos movimentos sociais. A direita prefere o mercado ao Estado e a esquerda formula, em vez das tradicionais formas de luta sindical, social, institucional ou armada, certos substitutos do combate, como o exílio, a deserção ou a nomadização.

Conforme sugerem Deleuze e Guattari (1972), o nômade, mais do que o proletário, é o resistente por excelência. No âmbito da esquerda, as estratégias mais inovadoras refletem o ocaso dos ideais revolucionários. O máximo a que se pode aspirar é ao *détournement*, essa paródia satírica avançada pela arte contemporânea a partir de um termo cunhado pelos situacionistas, ou seja, a pretensão de sabotagem, descarrilamento, distorção ou subversão. Trata-se, para utilizar o vocabulário de Deleuze, de interrupções ou microesferas de insurreição. Como é óbvio, nada que se assemelhe à antiga aspiração de assaltar o poder; a proposta mais ambiciosa é a de se beneficiar dos interstícios ou das zonas desocupadas pelo Estado.

Naomi Klein, uma das principais ideólogas dos movimentos antiglobalização, apela àquela forma de resistência denominada *cultural jamming* (interferência cultural), essa interferência que pretende transformar as mensagens publicitárias das marcas sem alterar seus códigos de comunicação, com o objetivo de reformular os valores que essas marcas transmitem (Klein, 2000).

A POLÍTICA EM TEMPOS DIFÍCEIS   161

Qualquer um de nós pode notar a contradição desse altermundialismo, já que a opção pela pirataria significa precisamente que já não se acredita que "outro mundo é possível".

Sempre que esses efeitos de irritação ocorrem há quem os interprete como uma espécie de epifania do verdadeiramente político, em contraste com um sistema ou uma classe política vistos como realidades coisificadas. Na esteira de Guy Debord ou de Giorgio Agamben, Slavoj Žižek documentou recentemente essa expectativa no livro *Living in the End of Times* (2010). Trata-se da evocação de uma ordem mundial completamente diferente que não nos oferece a menor pista sobre a base em que se apoiaria uma mudança de tais dimensões ou do ator social que poderia provocá-la, nem do tipo mais apropriado de ação para esse efeito. Esse leninismo pop equivale à esperança de que a mudança no sentido de uma nova ordem resultará do processo de autodestruição da ordem existente. No cenário milenarista, não há nada que se assemelhe a uma descrição certeira e crítica da sociedade contemporânea. Quando o valor de diagnóstico é praticamente nulo, podemos ter a certeza de que não há nada que possamos fazer, exceto esperar pelo apocalipse.

Tudo isso é sintoma de um tempo em que a política foi despojada de seu sentido de ação, sem o qual não é possível produzir uma mudança para algo melhor. E isso acontece no mesmo momento em que a mudança cultural, social ou tecnológica se tornou uma constante incessante. A esperança desapareceu numa mudança de natureza política. A política é o âmbito social que dá mais impressão de paralisação; deixou de ser uma instância de configuração da mudança para passar a ser um lugar em que se administra a estagnação. Essa circunstância é avaliada de maneira diferente a depender de se tratar de um liberal que lamenta a lentidão das reformas ou de um esquerdista que se queixa da ausência de alternativa.

A indignação, o compromisso genérico, o altermundialismo utópico e o insurrecionismo expressivo não devem ser entendidos, a meu ver, como a antessala de mudanças radicais, e sim como o sintoma de que tudo isso já não é possível fora da medíocre normalidade democrática e do modesto reformismo. O problema dos grandes gestos críticos não é que proponham algo diferente, mas que as coisas tendam a ficar na mesma quando as modificações desejadas ficam fora de qualquer lógica política.

b. Uma tensão democrática

Charles Taylor dizia que a democracia é uma tensão entre as instituições e a rua. Com a política que poderíamos chamar de "oficial", corre todo um magma de processos que condicionam o mundo institucional. Às tensões decorrentes dessa coexistência devemos, entre outras coisas proveitosas, o fato de o sistema político enriquecer, corrigir ou ampliar sua visão estreita.

Não podemos confiar os avanços políticos unicamente à competência de seus profissionais. Boa parte dos progressos que a política realizou teve origem em causas exógenas: é certo que a maioria das conquistas sociais não foi antecipação dos políticos, mas resultado de pressões sociais muito concretas. Na sociedade há uma energia da qual o sistema político se alimenta para exercer a sua função, uns recursos de que não dispõe soberanamente e que por vezes incomodam e até subvertem a ordem estabelecida, mas que condicionam sempre o exercício desse poder estabelecido.

Ora, supor que "a rua" é necessariamente melhor que as instituições é supor muito; também há nela movimentos regressivos, pressões e lobbies, emoções irracionais, representações ilegítimas ou insuficientes. "A rua" pode ser pior, inclusive reacionária.

Do mesmo modo, não deveríamos nos esquecer de que o mundo dos movimentos sociais é tão plural quanto a própria sociedade e de que das energias sociais tanto se pode esperar uma coisa quanto o seu contrário, avanços e retrocessos, porque há os de direita e os de esquerda. Há quem invoque a participação da sociedade e esteja pensando unicamente naquela força específica que mais lhe convém.

Todavia, na sociedade há de tudo, como é lógico. A expectativa de superar o quadro da democracia representativa conta, por certo, com partidários em ambos os lados do espectro político: o que os movimentos sociais da década de 1960 representaram no imaginário da esquerda encontra-se igualmente no apelo neoliberal para a sociedade civil na década de 1990. Trata-se de uma coincidência que deveria, no mínimo, nos fazer pensar.

A democracia é um regime no qual se admitem essas e outras tensões, porque se supõe que ninguém tem a razão absoluta. O que nos salva dos danos das más decisões é que são equilibradas com outros atores, limitações e procedimentos: há governo mas existe também, felizmente, oposição; as pesquisas de opinião nos permitem saber, agora, aquilo que as pessoas querem, mas a liderança política pode se restringir a critérios menos populares; há coisas que devem ser consultadas e outras sobre as quais é proibido consultar; a administração nos protege muito dos políticos originais e estes compensam a falta de imaginação das suas burocracias com decisões audazes; os especialistas limitam a frivolidade de alguns políticos e, graças a estes, não estamos sob a tirania daqueles; sem regras do jogo não poderíamos discutir, mas a discussão nos leva muitas vezes a exigir a revisão de algumas dessas regras... "O protesto proporciona algo que nada mais pode proporcionar. Chama atenção para temas que nenhum sistema funcional reconhece como próprios [...]. Compensa o manifesto déficit de reflexão da sociedade moderna" (Luhmann, 1991, p. 153). O dualismo entre as instituições e a rua é um desses equilíbrios que devem ser levados em conta, como o de representação e participação ou o de obediência e protesto.

E se o grande inimigo das nossas democracias não fosse tanto a força das instituições, mas sobretudo sua debilidade face às veleidades da opinião pública? O que significa regular politicamente os mercados senão impedir o encadeamento fatal das livres decisões dos investidores? Nosso grande problema é o populismo que impede de construir o interesse geral com todas as suas exigências de equilíbrio e responsabilidade. Não foi o distanciamento das elites em relação ao povo que empobreceu nossas democracias, mas, de certa forma, a sua excessiva proximidade, a debilidade da política vulnerável às pressões de cada momento e atenta unicamente aos vaivéns do curto prazo (Bardhan, 1999, p. 95-96; Calhoun, 1998).

Numa sociedade democrática, a política está a serviço da vontade popular, certamente, mas essa vontade é tão complexa, tão necessitada de interpretação, quanto é complexa a realidade do "povo" a que constantemente nos referimos. Como tudo aquilo que é considerado evidente, apelar ao povo serve quase sempre para bloquear a discussão. No entanto, quando se indaga um pouco começam as discordâncias. O povo é o que as pesquisas refletem, o representado pelos representantes, uma realidade atravessada pela globalização ou a unidade autárquica desprovida de toda a interferência? Provavelmente tudo isso; os procedimentos democráticos são formas de verificar de que e de quem estamos falando em cada caso. O povo, para começar, é uma realidade opaca, algo que é preciso fabricar; é para isso que serve todo o trabalho de representação, a discussão pública e os procedimentos institucionais que fixam seus contornos ou os modificam e os traduzem em decisões democráticas.

As instituições nos protegem contra o apelo demagógico para o povo, representam-no e, nessa mesma medida, congregam a sua pluralidade constitutiva e a complexidade da sua vontade. Graças à representação política, a vontade popular é operativa e consegue congregar os momentos que a constituem. Convém lembrar essas coisas, sobretudo quando os lugares-comuns vão na outra direção e quando se verifica um verdadeiro fascínio pela "espontaneidade" popular, a ponto de nos fazer supor que quem protesta tem sempre razão e que quem promove a participação fortalece necessariamente a democracia.

c. As urnas e os sonhos

Um dos slogans mais entoados pelo Movimento 15-M assegura que "os nossos sonhos não cabem em suas urnas". Como todas as reivindicações utópicas, conta com o cômodo prestígio do impossível, o qual nos poupa à pergunta de saber se, às vezes, esses sonhos não serão alucinações nossas ou pesadelos dos outros. Não vou discutir o fato de o leque de nossas opções ser manifestamente melhorável; tentarei apenas chamar atenção para algo que faz parte da nossa condição política: que ninguém, e menos ainda em política, consegue aquilo que quer, o que é, já agora, uma das grandes conquistas da democracia.

Uma sociedade é democraticamente madura quando assimila a experiência de que a política é sempre decepcionante e que isso não a impede de ser politicamente exigente. A política é inseparável da disposição para o compromisso, ou seja, a capacidade de considerar bom aquilo que não satisfaz por completo nossas próprias aspirações. Está incapacitado para a política quem não tiver a capacidade de conviver com esse tipo de frustração e de respeitar os próprios limites. Foi nos ensinado que isso é o que torna a política irresponsável e fraudulenta, porém deveríamos nos acostumar a considerar que é isso precisamente que a constitui.

Numa sociedade democrática, a política não pode ser um meio para conseguir todos os objetivos concebidos à margem das circunstâncias reais, fora da lógica institucional ou sem se considerar os outros, inclusive aqueles que não concordam com esses objetivos. Qualquer sonho político só é realizável em colaboração com os outros que também querem participar da sua definição. Os pactos e as alianças põem em evidência a necessidade mútua de uns e de outros, que o poder é sempre uma realidade partilhada. A convivência democrática proporciona muitas possibilidades, mas impõe também muitas limitações. Sem dúvida, os limites que provêm do fato de se reconhecer que os outros poderes de grupos ou interesses sociais têm tanto direito quanto os outros de disputar o jogo.

Por isso, a ação política implica sempre transigir. Quem abordar todos os problemas como uma questão de princípio, quem sempre recorrer à linguagem dos princípios, do irrenunciável e do combate está condenado à frustração e ao autoritarismo. A política fracassa quando os grupos rivais preconizam objetivos que, segundo eles, não admitem concessões e são considerados totalmente incompatíveis e contraditórios. Todos os fanáticos acreditam que seus oponentes não são permeáveis à persuasão política. Aqueles que forem incapazes de entender a plausibilidade dos argumentos da outra parte não conseguirão pensar, e muito menos atuar, politicamente.

Um dos sintomas da má qualidade do nosso espaço público é a influência crescente de grupos e pessoas que não perceberam essa lógica e praticam uma despolitização contínua. A fragilidade das democracias face à pressão populista torna-se patente em fenômenos como o Tea Party, verdadeiro bastião da inflexibilidade. Não me refiro apenas ao movimento norte-americano, mas também a um fenômeno bastante difundido nas democracias. Pode-se dizer, sem exagero, que todos temos o nosso Tea Party. Partidos, Igrejas, sindicatos e meios de comunicação têm sido inundados por uma série de movimentos que nasceram à sua volta e que tentam condicionar suas práticas habituais ou questionar abertamente a sua representatividade.

Todos têm sofrido esse assédio particular contra os moderados, ou seja, um fogo amigo que estabelece uma marcação férrea de maneira a evitar que se façam concessões ou que se chegue a compromissos com o inimigo. Nesse sentido, um Tea Party é um poder fortemente ideológico, mas desestruturado que parasita outro poder ideológico, oficial, porém debilitado, e ao qual exige a lealdade absoluta a certos objetivos políticos que devem ser alcançados sem contrapartidas nem compromissos com o adversário, desprestigiando assim a figura do pacto ou a importância da negociação. São os guardiões das essências que quase não combatem seus inimigos, antes preferem ficar à espreita dos seus semelhantes, dando razão à máxima que diz que o pior inimigo está sempre entre nós. Pensemos na proliferação das exibições de orgulho ou o significado político que pode ter a qualificação de "sem complexos", que serve atualmente para adjetivar várias renovações ideológicas.

Entre as características que mais contribuem para a despolitização desses movimentos encontra-se a ausência de sentido de responsabilidade, sua falta de disposição para o acordo ou para a autolimitação inteligente; tutelam um núcleo ideológico (a família, a nação, o Estado-providência, o mercado, os valores) que consideram estar sempre ameaçado e suspeitam em particular dos moderados das próprias fileiras; são vulneráveis ao populismo e possuem densidade emocional. Especificamente dispostos a exercer esses condicionamentos ideológicos extremos são os "movimentos de um só tema" (em ambos os extremos do espectro ideológico e com tópicos diversos: a natureza, a mulher, a nação, o aborto etc.), aos quais, porque se preocupam muito com um único assunto e quase nada com todo o resto, tendem a olhar para esse tema tão importante sem estabelecer ligações com suas condições de viabilidade ou com qualquer calendário de urgência ou horizonte de compatibilidade.

Certa debilidade institucional, unida a um conjunto de fatores sociais e tecnológicos, desestruturou o espaço da reivindicação e do protesto, que está tão desregulado quanto os mercados. Em tudo isso desempenham um papel decisivo as redes sociais, que libertaram grandes energias de mobilização, comunicação e instantaneidade, mas que costumam ser um mundo desestruturado no qual cada um tende a se juntar com aqueles que considera mais parecidos consigo. Daí que cada vez menos sejam redes sociais, na medida em que o confronto com o diferente tende a ser substituído pela indignação em aliança com o similar, uma emoção que se alimenta comunicando com aqueles que partilham da mesma irritação.

Provavelmente, isso indica que teremos de voltar a pensar a política em sociedades bastantes desinstitucionalizadas, cujos conflitos não têm a função estruturante do velho conflito social e na qual a representação sindical ou política tem grande dificuldade em enquadrar as exigências dos cidadãos. Porque não estamos numa lógica de equilíbrio democrático, mas de antipolítica. O que existe são autoridades alternativas, que não pretendem equilibrar o poder oficial, e sim neutralizá-lo.

A política disciplinou sempre os nossos sonhos, corporificou-os numa lógica política e traduziu-os em programas de ação. Por isso, quando a política é fraca, nossas expectativas em relação ao futuro coletivo disparam e nos tornamos mais vulneráveis à irracionalidade. O que fazer então com tudo aquilo que esperamos conseguir com a política? Devemos nos render à constatação de que, dada a natureza decepcionante da convivência social, não faz sentido formular ideais ou lutar por eles? Trata-se, na verdade, de fazer uma distinção sem a qual não é possível haver uma convivência democrática.

O que cabe nas urnas são nossas aspirações; o que vem depois – se é que não queremos converter nosso sonho num pesadelo para os outros – é o jogo democrático que limita e frustra, não raro, os nossos desejos, mas que também os enriquece com as contribuições dos outros. Se alguém conseguisse satisfazer todas as suas aspirações não partilharia da nossa condição humana e muito menos da nossa condição política.

d. A desconfiança democrática

É um paradoxo que no momento de maior extensão geográfica da democracia, quando esta é especialmente valorizada pelos cidadãos e não existe um modelo alternativo, observemos sintomas de debilidade e disfunções persistentes. As pesquisas de opinião revelam um desencanto crescente que alguns interpretam – de forma equivocada, a meu ver – como absoluto desinteresse, mas que deveria ser analisado com mais sutileza. Não estamos presenciando a morte da política, e sim uma transformação que nos obriga a concebê-la e a praticá-la de outra maneira.

Não deveríamos analisar a desconfiança com categorias do passado e interpretar essa decepção como se fosse igual ao antiparlamentarismo que enfraqueceu dramaticamente as democracias no início do século XX. Não estamos na antessala de uma crise da democracia, e sim numa nova etapa de sua consolidação. Essa decepção não tem nada de subversivo; é bastante compatível com o respeito da ordem democrática. Engana-se quem vir nesse sentimento outra coisa além de uma decepção plenamente democrática.

E não podemos nos esquecer de que a desconfiança (em relação ao poder absoluto) está na origem de nossas instituições políticas. A democracia se configurou desde sempre como um sistema de confiança limitada e revogável. A democracia é um regime que institucionaliza a desconfiança. Não será que aquilo que costumamos lamentar como sendo uma sociedade despolitizada se deve antes ao fato de ela ter deixado de corresponder ao tipo de liderança política a que estávamos habituados, ou seja, uma liderança enfática e hierárquica, com tendências pouco democráticas?

A desconfiança atual é inerente à transformação lógica de uma sociedade que deixou de ser heroica e vive a política sem o antigo dramatismo. Desconfiança não é o mesmo que indiferença; trata-se de uma decepção "fraca", que produz mais distância do que abatimento (Lipovetsky, 2006, p. 62). Uma coisa é a democracia ter deixado de suscitar grande entusiasmo e outra que essa decepção possa significar desapego por outra forma de vida política. O fato de gostarmos pouco dos jornais ou dos partidos, por exemplo, não quer dizer que aceitaríamos a sua extinção. A dessacralização da política não significa que nada mais importa. O que acontece é que temos em relação a ela um afeto desprovido de paixão e entusiasmo.

Não é verdade que as pessoas tenham deixado de se interessar pela política; vivemos numa sociedade em que se disseminou um sentimento de que todos têm competência para a política; o nosso nível de escolaridade aumentou e todos nos sentimos capazes de avaliar os assuntos públicos, de maneira que toleramos menos o fato de alguém querer nos tirar essa capacidade. E diversos estudos mostram que, quanto mais educação, menor é a confiança nas instituições e nos líderes (Dogan, 2005, p. 14).

Uma das formas a partir das quais se pode medir a opinião da sociedade sobre a política está ligada precisamente à intensidade da sua participação ou interesse. Se respeitamos o pluralismo político em todas as suas vertentes, por que não aceitar que existe também um pluralismo quanto ao grau de participação e compromisso público? Por que é que todos têm de se envolver da mesma maneira nas questões políticas e quem é que estabelece o grau de envolvimento que seria desejável? Quer se interessem mais, quer se interessem menos pela política, os cidadãos sempre emitem sinais que devem ser interpretados do ponto de vista político. O desinteresse é também uma forma respeitável de opinar e decidir, e não necessariamente uma ausência de compromisso político.

Convém não nos equivocarmos neste ponto se quisermos entender a sociedade em que vivemos. Mais do que num horizonte de despolitização, entramos num de dessacralização da política. Uma sociedade interdependente e heterarquicamente organizada tende a atenuar o caráter totalizante da política. O que alguns interpretam de forma precipitada como desinteresse é algo que decorre do fato de vivermos numa sociedade cujo espaço público não consegue absorver todas as dimensões da subjetividade. Se é bem verdade que a política já não mobiliza as paixões mais do que de maneira epidérmica, isso não quer dizer que as reivindicações que dirigimos à política tenham desaparecido. Pelo contrário. Os mesmos que se desinteressam soberanamente pela política esperam dela, o tempo todo, muitas vantagens e não são menos vigilantes quanto ao descumprimento de suas exigências. Suas expectativas, porém, já não se inscrevem no quadro heroico de uma política totalizante.

Podemos com isso perceber que a desconfiança não é o contrário da legitimidade, e sim uma forma sutil, por parte da cidadania, de administrá-la. O desinteresse do cidadão pode ser completamente funcional (Luhmann, 1993, p. 191). Há inclusive quem considere que certa apatia política é até um bom sinal. As democracias conseguem suportar um alto grau de desinteresse; de fato, o interesse repentino das pessoas geralmente apáticas pela política costuma mostrar que algo não vai bem. Faz parte da normalidade democrática certo aborrecimento, e a agitação política muitas vezes não é um bom indicativo.

Tem-se falado muito da transferência de sacralidade das religiões estabelecidas para os projetos políticos por parte das sociedades contemporâneas. Esse quadro poderia ser completado ao se observar que depois dessa transferência de sacralidade sobreveio uma época em que aquilo que passou a ser sacralizado foram as formas não convencionais da política, o que poderíamos chamar de "alterpolítica".

Não deixa de ser curioso esse resvalamento das expectativas sociais, em virtude do qual passamos a acreditar que aquilo que deixamos de esperar da política convencional pode ser alcançado pelas formas alternativas da política, reativando assim certa energia pura que, ao que parece, estava intacta na esfera da sociedade despolitizada — que pode ser chamada de sociedade civil, cidadania ativa, movimentos sociais ou "contrademocracia", para utilizar o termo cunhado por Pierre Rosanvallon (2006).

Na minha opinião, aqueles que esperam da não política o mesmo que antes esperavam da política demonstram não ter compreendido as transformações sociais que se foram produzindo. Vivemos numa sociedade que poderíamos denominar de pós-heroica, na qual as convocações épicas e as mentalidades de resistência encontram cada vez menos eco. Se a política já não é o que era, o mesmo se pode dizer da não política. Da mesma forma, também nas formas alternativas de política (participação, protesto, movimentos sociais etc.) já não encontraremos o heroísmo que se desvaneceu na política institucional. O "alter-heroísmo" é um asilo nostálgico para os desiludidos da política realmente existente mas, como todas as formas de nostalgia, é algo residual.

e. A indignação não é suficiente

Numa sociedade com cidadania de baixa intensidade, de descontentamento galopante em relação à política, de debates monótonos e argumentos inexistentes, qualquer chamamento para juntar-se às críticas encontra um acolhimento imediato. Se quem escreve esse discurso é alguém como Stéphane Hessel (2010), além de um lutador da resistência francesa, um dos redatores da Declaração Universal dos Direitos Humanos, torna-se impossível contrariá-lo ou matizar suas opiniões sem parecer um mercenário do sistema.

E no entanto... a indignação é uma virtude cívica necessária, porém insuficiente. Peço desculpas a Hessel, mas vejo as coisas de outra maneira e identifico o problema fundamental em outro lugar. Não nos falta indignação, pelo contrário: há indignação por todos os lados; basta passear pelos canais de televisão e encontramos, sobretudo, pessoas indignadas (preferencialmente nos canais da extrema direita). Estão indignados, por exemplo, aqueles que acreditam que o Estado-providência está diminuindo, mas também os que consideram que está indo longe demais, os que pensam que há estrangeiros demais, os fanáticos de todo o tipo, aqueles cujo medo foi agitado por quem aspira a gerir as inseguranças das pessoas daí decorrentes.

Nossas sociedades estão cheias de pessoas que estão "contra" e escasseiam os que estão "a favor" de algo concreto e identificável. O problema é como enfrentar o fato de as pessoas se mobilizarem sobretudo pelas energias negativas de indignação, afetação e vitimização. É aquilo que Pierre Rosanvallon denominou como "era da política negativa", em que aqueles que contestam não o fazem à maneira dos antigos rebeldes ou dissidentes, já que sua atitude não aponta para nenhum horizonte desejável nem apresenta qualquer programa de ação. Neste panorama, o problema é como distinguir a cólera regressiva da indignação justa e colocar esta última a serviço de movimentos com eficácia transformadora.

E se o público que ouve com agrado essas imprecações não fosse a solução, e sim parte do problema? Pedir às pessoas que se indignem é o mesmo que lhes dar razão para que continuem como até agora, vivendo num misto de conformismo e indignação improdutiva. O revolucionário seria romper eficazmente com o populismo, com essa instantaneidade e adulação que está na origem de nossas piores regressões. É que esse tipo de apelo continua a oferecer explicações simples para problemas complexos. A indignação deixa de ser uma impertinência inofensiva e ineficaz que procura modificar os fatos intoleráveis que a suscitaram quando inclui, além disso, alguma análise razoável sobre o porquê de a situação ter ficado como está, se for capaz de identificar os problemas em vez de se contentar por ter encontrado os culpados, se propuser algum horizonte de ação.

E se a indignação atuar em benefício daqueles que estão satisfeitos ou que, inclusive, são os responsáveis pelo estado das coisas contra o qual nos indignamos? Pode acontecer que essas explosões de protesto irascível sejam menos transformadoras da realidade do que o trabalho continuado no tempo para formular boas análises e esforçar-se pacientemente por introduzir algumas melhorias. Pode-se falar de uma função conservadora da indignação que estabiliza os sistemas, como o fazem as válvulas de escape ou as infidelidades passageiras, tão funcionais quando o que se quer é deixar as coisas como estão. Esse algo mais de que precisamos para transitar para um mundo melhor não é um grande exagero dramático do nosso descontentamento; é, desde agora, uma boa teoria que nos permite compreender o que está acontecendo no mundo sem cair na cômoda tentação de escamotear a sua complexidade. Só a partir de então é que se pode conceber programas, projetos ou lideranças que permitam um tipo de intervenção social eficaz, coerente e capaz de resultar em algo favorável para uma maioria que não seja formada apenas por pessoas zangadas.

Agora que parecem estar na moda os livros que exortam os outros a fazer algo em política – a se indignar ou a se comprometer –, eu proporia – apesar de quase nunca ter sabido o que os outros devem fazer – um slogan alternativo: Compreendam! Utilizo a palavra compreensão no duplo sentido de, por um lado, se assumir a complexidade do mundo e das constrições que nossa condição política nos impõe e, por outro lado, ser compreensivo com essas dificuldades.

CAPÍTULO 12
DEMOCRACIA SEM POLÍTICA

A narrativa dominante assegura que vivemos numa época pós-democrática (Crouch, 2004). Essa denúncia se desdobra de diversas maneiras: como primazia dos executivos com relação aos parlamentos (Habermas, 2013); como distância das elites em comparação com os governados; como deslocamento dos partidos para um centro que impossibilita as alternativas (Mouffe, 2013); como desconsideração por aquilo que a sociedade realmente quer...

Eu não vejo as coisas assim, peço desculpas. Uma prevenção que se aprende quando uma pessoa não serve para muito mais senão para exercer a dúvida filosófica me leva a ter outros olhos. Não será que aquilo que temos, na verdade, é uma democracia aberta e uma política fraca? A democracia é um espaço aberto no qual, em princípio, qualquer pessoa pode fazer valer a sua opinião, que possibilita mil formas de pressão, e ainda nos dá a possibilidade de mandar embora os governos. Isso funciona relativamente bem. Nas sociedades democráticas não faltam espaços abertos de influência e mobilização, redes sociais, movimentos de protesto, manifestações, possibilidades de intervenção e bloqueio.

O que não está funcionando tão bem é a política, ou seja, a possibilidade de converter essa amálgama plural de forças em projetos e transformações políticas, dar livre curso e coerência política a essas expressões populares e configurar o espaço público de qualidade onde tudo isso possa ser discutido, ponderado e sintetizado.

Certamente isso tem algo a ver com o fato de ser cada vez mais difícil, para aqueles que atuam politicamente, formular agendas alternativas. Estamos numa era pós-política, de democracia sem política, o que Rosanvallon chamou "democracia impolítica" (2006). Temos uma sociedade irritada e um sistema político agitado, cuja interação quase não produz nada de novo, como de resto podemos esperar dada a natureza dos problemas com os quais devemos lidar.

Vou analisar brevemente como funciona esse "soberano negativo" que se converteu numa força tão poderosa quanto ambivalente. Tentarei reconstruir as premissas ideológicas daqueles que celebraram esse fenômeno como uma superação da política em sua forma tradicional (mas que eu interpreto como uma tentativa de superação da política enquanto tal). Um dos efeitos mais ingratos dessa vitalidade democrática é a despolitização do espaço público, fenômeno que pode ser observado em certos conceitos que causaram furor nos últimos tempos, na sequência da crise da democracia representativa. Esses conceitos reivindicam a democracia direta ou plebiscitária, esperam da participação cidadã o que já não esperam obter da delegação representativa ou confiam tudo ao estabelecimento da transparência como princípio universal.

Partindo dessas premissas, o avanço do populismo não é a solução, mas também não é meramente um problema; é um sintoma de que não fomos capazes de pensar bem o lugar das sociedades democráticas numa sociedade política. Só conseguiremos superar algumas dessas disfuncionalidades se exercermos uma crítica da democracia despolitizada ou, formulando positivamente, se fizermos uma defesa da política contra a democracia despolitizada.

A democracia pode prejudicar seriamente a democracia não apenas porque mediante os procedimentos democráticos podem aceder ao poder aqueles que estão interessados em destruí-la, mas também num sentido menos evidente: porque certos procedimentos democráticos, caso não estejam articulados de forma correta, podem prejudicar a qualidade democrática.

Uma vez que esses procedimentos são defendidos em nome da democracia e como a intuição parece nos deixar incólumes à sua reivindicação – o que há de errado em promover mais participação, em levar a transparência ao extremo, em governar com base em pesquisas, em multiplicar as consultas eleitorais, em fazer sempre o que o povo quer, em supor que o mais próximo é necessariamente o mais democrático? –, a política é especialmente vulnerável a esse tipo de exigência. Só poderemos combater aquilo que aparenta ser democrático se chamarmos atenção para seus possíveis efeitos antipolíticos, sobretudo quando tal não está integrado a uma forma equilibrada de entender a política. Concluo, por isso, com uma defesa do que poderíamos chamar de democracia indireta, um território que merece ser explorado, mesmo quando não torna supérfluas as formas diretas de intervenção democrática.

a. Uma cidadania intermitente

Dizem os especialistas que o retrocesso da participação eleitoral não é acompanhado por uma falta de interesse em relação ao espaço político (Dalton, 2004, p. 191). A cidadania não gosta das formas clássicas de organização, o que é compatível com modalidades crescentes de compromisso individual — um ativismo que não está articulado num quadro ideológico que lhe proporcione coerência e totalidade, como poderia ser o caso das tradicionais ideologias abrangentes.

O novo ativismo é individualista, pontual, orientado para questões que se referem aos estilos de vida e cada vez mais apolítico (Norris, 2002, p. 188). É verdade que "a proliferação de oportunidades para o acesso individual ao governo reduziu substancialmente os incentivos para a mobilização coletiva" (Crenson/Ginsberg, 2002, p. 2-3). Para entender de forma correta essa nova situação, deveríamos abandonar o esquema fácil que contrapõe o ativismo clássico ao descontentamento apolítico. Como diversos estudos destacaram, os que se mostram mais descontentes com a política em seu formato tradicional são os mais comprometidos em âmbitos alternativos ou extraparlamentares. Consideram, não raro, que a sua não participação nas eleições é uma decisão marcadamente política (O'Toole/Marsh/Jones, 2003).

As formas do ativismo político estão mudando. As possibilidades de exercer aquilo que Pierre Rosanvallon (2006) denominou "contrademocracia" aumentaram graças à autoconsciência cidadã e aos avanços tecnológicos. É significativo que a maior parte das novas questões políticas suscitadas nos últimos trinta anos tenha sido promovida por manifestações e pela ação direta, mais do que pelas atividades políticas convencionais, ou seja, com os partidos e os parlamentos (Budge, 1996, p. 192).

Durante a primeira metade do século passado, as atividades da sociedade civil decorriam no âmbito das instituições políticas, ao passo que atualmente se distanciam dos lugares do poder. Vivemos numa sociedade que já não tem como objetivo constituir um poder para configurar os processos sociais, e sim impedir o abuso de poder, que prefere a transparência atual à responsabilidade futura, que exerce a desconfiança do soberano negativo. Não conseguimos alcançar o "nível ótimo de desconfiança" (Dahlgreen, 2013, p. 17) e o seu excesso a converteu num produtor de distância antipolítica.

Aquilo que as mobilizações da internet e os protestos mais clássicos de mobilização em espaços físicos têm em comum é o seu caráter pontual e negativo (não no sentido moral, mas pelo fato de estarem acima de tudo orientadas para impedir algo). Trata-se, portanto, de atos apolíticos, já que não estão inscritos em construções ideológicas completas nem em estruturas duradouras de intervenção.

O político surge hoje, em geral, sob a forma de uma mobilização que gera poucas experiências construtivas, que se limita a ritualizar certas contradições contra os que governam, os quais, por sua vez, reagem simulando formas de diálogo e não fazendo absolutamente nada. Regra geral, o compromisso político tem um caráter episódico. As pessoas querem ser implicadas no processo político, mas nos seus próprios termos, ou seja, de maneira intermitente, parcial e esporádica (Hibbing/Theiss-Morse, 2002).

O espaço digital abriu novas possibilidades de ativismo político. Plataformas de mobilização em torno de causas concretas – como Change ou Avaaz – permitem exercer um cliquetivismo concreto a favor de boas causas, que contrasta com os vínculos ideológicos abstratos, objeto de uma incredulidade geral. Para amplos setores da população, a realidade representada pelos partidos hierárquicos deixou de ser atrativa, ao mesmo tempo que a cultura virtual da rede lhes permite, em contrapartida, articular comodamente as suas disposições políticas fluidas e intermitentes, e até posicionar-se on-line a qualquer momento.

Outra das manifestações de nova mobilização política está ligada ao mundo do consumo, cada vez mais utilizado para expressar preferências políticas. Esse ativismo aumentou a olhos vistos a partir de meados da década de 1980 (Pattie/Seyd/Whiteley, 2003). A Organização para a Cooperação e Desenvolvimento Econômico (OCDE) informa que o valor anual do mercado mundial de produtos *fairly treated*[10] estava em 700 milhões de dólares em 2003 (Vihinen/Lee, 2004). Esse tipo de mobilização aponta para o surgimento de um novo estilo de vida em que os cidadãos informados tomam decisões por meio das quais uma massa atomizada se expressa politicamente.

Tampouco faltam exemplos de ativismo e "soberania negativa" no espaço físico, agora também vinculados à mobilização digital: manifestações e performances que tiveram certo impacto, como os fóruns alternativos às conferências mundiais, como o Occupy Wall Street, "somos os 99 por cento", toda

---

10   O autor refere-se aos produtos do chamado "comércio justo". (N. do E.)

a agitação em torno do Movimento 15-M, as plataformas contra os despejos, os protestos contra a privatização dos serviços públicos, a intervenção das acusações particulares nos processos judiciais, a resistência bem-sucedida contra certas obras públicas e de infraestrutura: desde Burgos até Estugarda, passando por Nantes...

Não ponho em questão o valor dessas ações de resistência cívica ou campanhas on-line; limito-me a assinalar que, ao não estarem inscritas em nenhum âmbito político que lhes confira coerência, podem dar a entender que a boa política é uma mera soma de conquistas sociais. A articulação das exigências sociais não funciona em programas coerentes que competem numa esfera pública de qualidade; em suma, a construção política e institucional da democracia falha, seja qual for a emoção do momento, a pressão imediata e a atenção midiática.

É óbvio que daqueles que reivindicam algo que lhes parece justo não temos de exigir que se façam acompanhar de um programa político completo e de um estudo econômico. O espaço público, porém, não se reduz à mera agregação apolítica de preferências incoerentes, agrupadas como se, entre elas, não houvesse nenhuma prioridade e até certas incompatibilidades.

Alguém deveria se ocupar de ordenar essas reivindicações com critérios políticos e de gerir democraticamente a sua possível incompatibilidade. Mas há alguém que o faça? Se a política (e os tão desprezados partidos) serve para alguma coisa é para integrar, com certa coerência e autoridade democrática, as múltiplas exigências que estão sempre aparecendo no espaço de uma sociedade aberta. Bloqueiam-se as obras de infraestrutura, que sem dúvida não deveriam ser feitas, ou não desse modo, mas continuamos sem saber o que deveria ser feito em matéria de infraestrutura; paralisamos as ações de despejo – porque podíamos e devíamos fazê-lo –, mas isso, por si só, não é suficiente para incentivar o crédito e praticar uma política de habitação mais justa; podemos parar a privatização dos hospitais públicos, mas isso não determina que tipo de política de saúde deve ser colocado em prática. A política de cuja presença sinto falta é aquela que começa quando acabam as boas razões da sociedade, onde acaba a tarefa do soberano negativo e começa a responsabilidade do soberano positivo.

À desarticulação das exigências sociais junta-se a circunstância de que tais reivindicações são plurais, é claro, e às vezes incompatíveis ou contraditórias: uns querem mais impostos e outros menos; uns desejam software livre e outros proteção da privacidade e da propriedade; uns estão preocupados com menos liberdades e outros com imigrantes demais... Sem uma avaliação política é difícil saber quando se trata do bloqueio de reformas necessárias ou de um protesto contra o abuso dos representantes.

O protesto contra certas obras de infraestrutura pode ser motivado por razões ecológicas, mas também por outras menos confessáveis, como o célebre Not in My Backyard (Não no meu quintal) ou por sentimentos xenófobos, quando o que se pretende construir é uma mesquita.

Seja como for, aos que tendem a celebrar a espontaneidade social convém recordar-lhes que a sociedade não é o reino das boas intenções. A legitimidade da sociedade para criticar os seus representantes não quer dizer que aqueles que criticam ou que protestam tenham necessariamente razão. O estatuto de indignado, crítico ou vítima não nos converte em seres politicamente infalíveis.

É verdade que a diferença entre representantes e representados é grande demais, e essa distância é censurada, muitas vezes com razão. Exige-se que os políticos ouçam as pessoas, uma recomendação certamente indiscutível, mas é preciso compreender que, ao mesmo tempo, os cidadãos raras vezes partilham as mesmas exigências, desejos e interesses.

O sistema político é continuamente bombardeado com exigências de todos os tipos. A dificuldade consiste em que ele deve aceitar umas e rejeitar outras por causa da limitação dos recursos, da impraticabilidade, da equidade, da defesa de certos grupos sociais menos ruidosos ou do direito das futuras gerações.

E, com frequência, aquilo que as pessoas dizem que querem e aquilo que estão dispostas a permitir que os políticos façam são duas coisas muito diferentes: as pessoas querem que se combatam as alterações climáticas, mas talvez não estejam dispostas a modificar o seu estilo de vida; querem serviços melhores, mas não pagam mais impostos; gostariam de mão de obra mais barata, mas não aceitam acolher mais imigrantes...

Existe, além disso, outro fenômeno de resistência social antipolítica que mereceria uma atenção especial. Refiro-me ao fato de que em torno ou nos extremos dos partidos se tem constituído *tea parties* que se promovem como protetores dos valores, representantes das vítimas, porta-vozes da multidão ou de alguma revolução pendente. Nessas trincheiras apolíticas as questões parecem ser dominadas com uma clareza da qual não dispõem aqueles que costumam ter de lidar com o princípio da realidade. A raiva desses grupos não se dirige tanto contra os adversários, mas sobretudo contra si mesmos, desde quando ameaçam rebaixar o nível do politicamente inegociável. Difundem uma mentalidade antipolítica porque não entenderam que a política comporta sempre certos compromissos e concessões.

Os setores duros dos partidos impõem o ritmo por meio de critérios de representatividade que provavelmente não lhes diz respeito ou sem dispor da correspondente autoridade democrática, dificultando assim certas reformas para as quais se exige o acordo político com os adversários.

b. A ideologia do soberano negativo

Nos extremos ideológicos sente-se um desprezo pela política que não é, em absoluto, uma crítica dirigida ao modo concreto de fazer a política, e sim uma impugnação total da política, o desejo profundo de que esta não exista ou que, pelo menos, não seja relevante.

O espaço político das democracias tem sido assediado, à direita e à esquerda, por formas extremas de resistência contra a política, que uns exercem a partir do mercado e outros a partir da sociedade. Ambos – mercado e sociedade – são entendidos como realidades alheias ao processo político, desde a autonomia dos mercados autorregulados, no primeiro caso, ou desde a soberania de uma sociedade constituída à margem dos procedimentos de representação institucional.

O neoliberalismo financeiro e o "wikicomunismo" partilham uma desconfiança semelhante em relação à política, ao mesmo tempo que celebram "a sabedoria das massas", como agentes do mercado ou como membros de uma multidão.

No fundo, a ilusão de uma sociedade autogovernada sem mediações institucionais e jurídicas se distingue muito pouco do mito liberal da autorregulação dos mercados. Já sabíamos que o neoliberalismo é uma ideologia antipolítica, mas não deveríamos perder de vista que no outro extremo do arco ideológico há atitudes que produzem efeitos similares.

Porque é mais óbvio o desinteresse da direita liberal pela política, irei me concentrar na esquerda não social-democrática. A teoria política hoje dominante nesse âmbito concebe a soberania popular como algo exterior ao sistema político institucional, muito ao estilo das formas de resistência pré-moderna contra a autoridade, mas não como implicação ativa nos procedimentos da política representativa. O poder constituinte possui inevitavelmente uma dimensão anti-institucional. Daí a importância que concedem a conferências, ocupações, protestos e movimentos em que se aparenta exercer um verdadeiro contrapoder e se encenam fóruns de uma "verdadeira democracia". Procuram, assim, uma eficácia imediata da vontade popular, o que politicamente só é possível em termos negativos e antipolíticos. A sociedade não é estruturada pelo direito e pela política, mas pelos sentimentos e pelas convicções.

Interpretados dessa maneira, com esse desdém anti-institucional, os protestos se limitam a encenar um momento de soberania democrática sem repercussões práticas estruturais. Há nisso certa mitologia do *pouvoir constituant*[11] como multidão, resistência, conflito, expressão do antagonismo democrático, uma esquerda que não tem uma ideia de intervenção política, mas um gesto radical, que estetizou a política. Uma das características mais curiosas do pensamento da esquerda não social-democrata atual é a adoção de certos elementos da teoria política de Carl Schmitt e sua resignação às estruturas sociais dominantes. A cidadania é considerada soberana na resistência e na exceção, não na normalidade democrática (o que parece condená-la a entregar a gestão dessa normalidade à direita).

Outra curiosidade de grande parte das teorias políticas atuais da esquerda alternativa é que oferecem uma justificativa ideológica involuntária para a desregulação. A concepção radical democrática participa na consagração da cisão entre uma política entendida como a administração da objetividade e uma sociedade mobilizada negativamente, entre a normalidade do poder constituído e a excepcionalidade do poder constituinte. Quanto mais se enfatiza o valor ético da resistência à política, menos obstáculos a política dominante encontra como a única objetividade possível. Instaura-se, assim, uma divisão do trabalho entre a política burocrática e a politização pontual.

Apesar da pretensão daqueles que reivindicam uma visão agonística da política (Laclau/Mouffe, 1991), esse esquema não permite a construção de alternativas transformadoras, e sim converte o protesto em algo politicamente

---

11   Referência à capacidade constituinte do povo, responsável pela autoridade política da Constituição. (N. do E.)

irrelevante, para satisfação daqueles que desejam que a política continue como até então.

Ocorreu há pouco tempo uma curiosa "divisão do trabalho" no que se refere à despolitização da política entre os que, por um lado, defendem uma tecnocratização da política e, por outro, aqueles que celebram as formas de protesto social como algo exterior ao sistema político. Nas suas versões mais extremas, direita e esquerda contribuem para a despolitização da política quando insistem em desprezar a lógica alheia. Uns parecem desconhecer que não se trata de uma questão técnica, nem do uso asséptico de uma objetividade incontestável; outros parecem ter esquecido a sua dimensão pragmática e institucional. Há uma divisão tácita do território que tem sido favorecida pela arrogância dos primeiros e a resignação dos segundos.

O casamento entre neoliberalismo e democracia radical tem outros episódios. Muitos dos que se mobilizam contra determinadas obras de infraestrutura, por exemplo, acreditam na objetividade não ideológica e usam argumentos que tentam prestigiar apresentando-os, tal como sempre fizeram os tecnocratas, como se estivessem por cima da política. Fatos, senso comum e indignação popular apontam para uma direção incontestável. Não compreendem muito bem como funciona a lógica do sistema político, no qual circulam questões que não estão relacionadas apenas com a verdade e a objetividade, e no qual também estão em jogo relações de poder, irracionalidades, apostas arriscadas, incerteza cognitiva e propostas ideológicas. É curioso como, dos dois lados do espectro ideológico, existe uma concepção similar do político (ou melhor, da sociedade sem política), segundo a qual tudo se resumiria em conferir a capacidade de decisão aos detentores da objetividade.

Então, quem é que acaba com o capitalismo? Pois a verdade é que, apesar da retórica dominante, não há verdadeiros inimigos do capitalismo que possam ser levados a sério, ainda mais num momento em que seriam mais necessários do que nunca. A evolução recente do capitalismo causou muitas vítimas, mas o estatuto de vítima não converte ninguém, sem mais nem menos, num ator político. As injustiças sociais não engendram por si mesmas a transmutação do sofrimento numa força transformadora. Os grupos desfavorecidos são muitos porém fragmentados, e uma das coisas que tem faltado é um discurso da esquerda que os articule politicamente.

Reconheçamos: a crise do capitalismo financeiro e a erosão da sua legitimidade não são consequência dos duros ataques dos movimentos sociais ou da esquerda política, mas o resultado de uma implosão em consequência de suas próprias contradições, da qual sairá provavelmente vitorioso, ainda que ferido na sua legitimidade, pelo menos enquanto não surgir uma força política que o obrigue a se transformar.

c. A despolitização involuntária

O grande desafio das sociedades democráticas atuais é não deixar tranquilos os seus representantes – aos quais deve vigiar, criticar e, se for o caso, substituir – sem destruir o espaço público nem despolitizá-lo. Está claro que não conseguimos alcançar esse equilíbrio, portanto ou confiamos cegamente na competência de quem nos representa (como pretendem, por diversos motivos, os tecnocratas e os populistas) ou reduzimos a tal ponto a confiança e a margem de delegação que acabamos por submeter a política ao registro do imediato (que também tem uma versão tecnocrática, de eficácia imediata, e populista, como governo das pesquisas, a política submetida à demoscopia[12]). Em ambos os casos, o ativismo social pode ter efeitos despolitizadores, aos quais é preciso prestar atenção especial porque não são evidentes. O evidente, o politicamente correto, é entender a representação como uma falsificação, dar por certo que quem protesta tem razão ou supor que quanto mais participação e transparência, melhor.

Há uma democracia que se reivindica como combate contra a política institucionalizada ou representativa, mas que ao mesmo tempo destrói os espaços que são necessários para que possamos falar de vida política. Essa despolitização indireta pode ser comprovada na atual crise de representação, da qual são bons exemplos certas reivindicações de democracia direta e plebiscitária, ou as exigências de participação e transparência quando deixam de ser procedimentos de correção da democracia representativa e se apresentam como candidatos para superá-la.

Comecemos pela crise de representação, tão invocada nos últimos tempos, mas que faz parte, por certo, da normalidade política. Sempre houve

---

12   Parte da sociologia que estuda, por meio de pesquisas, as opiniões, as preferências e o comportamento de um grupo humano. (N. do T.)

um debate nas sociedades democráticas acerca da natureza da representação. Uma sociedade democrática não consegue resolver definitivamente os procedimentos da sua representação, sempre discutíveis e melhoráveis, mas resvala para o espaço da antipolítica quando o que está impugnando é a própria realidade da representação.

A representação permite garantir a pluralidade do político, algo que não acontece com a democracia direta. Numa sociedade complexa e diferenciada, apenas a representação consegue que uma pluralidade de sujeitos seja capaz de atuar sem anular essa mesma pluralidade. Nesse sentido, a representação não é um inconveniente, e sim uma capacitação para que a sociedade atue politicamente e, ao mesmo tempo, garanta a manutenção da sua diversidade. Se há representação política é porque é preciso manter, ao mesmo tempo, o pluralismo da sociedade e a sua capacidade de atuação, o *demos* e o *cratos* da democracia.

Não há fórmula alternativa quanto à democracia representativa capaz de garantir melhor a eficácia, o pluralismo e a equidade (o que não quer dizer que se consiga isso sempre ou que não seja manifestamente melhorável). Todas as outras formas de intervenção democrática costumam fazer isso muito pior. Há tempos que preferimos prevenir a remediar no que toca às formas de democracia tipo assembleia, cuja representatividade é muito mais discutível do que os nossos sistemas eleitorais e cuja eficácia é incomparavelmente menor quando é preciso tomar decisões. Tampouco os apelos à participação suscitam a adesão geral, como se tivéssemos aprendido que são procedimentos tão necessários quanto limitados.

O universo do protesto organizado reflete, com frequência, uma polarização artificial e reproduz novas formas de elitismo. Aqueles que têm um interesse maior na participação ou uma voz mais ativa costumam acabar por se impor (Mansbridge, 1983, p. 248). Garantem os estudiosos que geralmente participam mais os ricos e com mais educação (Pattie/Seyd/Whiteley, 2004).

Na internet, como em outros âmbitos da sociedade, as capacidades e possibilidades de participação estão distribuídas de maneira muito desigual, e as instituições devem levar isso em conta. Apesar do entusiasmo digital, dos fóruns on-line, por exemplo, caracterizarem-se por uma grande homogeneidade e uma presença maior de posições extremistas. Assim como existe uma profissionalização da política, o mesmo acontece no que diz respeito ao protesto e ao ativismo. Muitas vezes não é fácil discernir essa implicação dos lobistas que representam uns poucos, pois embora defendam interesses pouco atendidos costumam fazê-lo em nome dos mais privilegiados.

Em geral, a democracia direta é atraente para o cidadão passivo, ou seja, para aqueles que estão pouco interessados em expor suas opiniões e seus interesses para os outros no espaço público e preferem formas plebiscitárias de decisão; em outras palavras, fazer valer a sua vontade, sem filtros nem modulações deliberativas, no sistema político. A democracia direta e as formas plebiscitárias de decisão são instrumentos de caráter apolítico e gozam de maior prestígio do que aquele que merecem é porque fazem parte dessa tendência geral de democracia sem política que caracteriza nossas sociedades.

Os plebiscitos são tão importantes numa democracia quanto incapazes de substituir os debates profundos e abertos. Os plebiscitos refletem pior a pluralidade de opiniões e interesses de uma sociedade do que as relações de representação. Essa imprecisão deve-se ao fato de reduzirem os procedimentos de decisão a possibilidades binárias, em cujo campo há muitas posições heterogêneas que só coincidem no sim ou no não. Portanto, a democracia direta atua de um modo menos representativo do que os procedimentos representativos de formação da opinião. Paradoxalmente, os partidários da democracia direta e os tecnocratas argumentam que a redução a um código binário torna a solução de um problema mais transparente e menos ideológica, mas ambos simplificam o espaço do jogo político, reduzem as possibilidades de criatividade política e impedem que se exerça a liberdade dos matizes.

Pensemos por um momento na carreira meteórica do conceito de transparência, no qual podemos encontrar, além de valores indiscutíveis, um ou outro efeito antipolítico. Deixemos que seja a aclamação geral a encarregar-se de suas virtudes. Gostaria de chamar atenção, no entanto, para a substância antipolítica que se esconde por trás de algumas formas, que dão a entender que todo o problema da política consiste no fato de os políticos esconderem algo cuja exibição resolveria nossos problemas. Quem dera fosse assim. O sistema político serve para ações muito mais banais do que para ocultar segredos, e mesmo que nos fossem desvendadas suas intimidades não teríamos dissipado completamente as incertezas com as quais nos debatemos.

O efeito indireto dessa maneira de pensar é dar a entender que a política tem a ver com objetividades e evidências, em torno das quais, em última instância, não há nada para discutir. Assim entendida, a transparência é um conceito que recorda a exigência pré-política de fatos objetivos. Esse preconceito objetivista está muito difundido em ambos os extremos do arco ideológico, é partilhado por tecnocratas e libertários, pelos defensores da autoridade dos especialistas e pelos que sustentam que o povo nunca se engana, por aqueles que confiam tudo à autorregulação dos mercados ou à sabedoria das multidões. Um espaço completamente transparente seria um espaço completamente despolitizado.

d. A grande ruptura

As sociedades políticas têm uma dinâmica muito particular que devemos compreender bem para não avançar com análises equivocadas. As forças políticas tradicionais – do *establishment* ou do *mainstream* – têm em comum a pretensão de administrar o princípio de realidade, do qual fazem leituras, em princípio, diferentes. A direita e a esquerda disputam esse campo. Nos momentos de crise essa diferença é reduzida, como é lógico, já que as crises diminuem as opções e obrigam a administrar com sobriedade as promessas. Quando isso acontece, boa parte da sociedade fica desorientada e se irrita, e então surgem fenômenos nos quais já não se trata tanto de saber quais escolhas fazer entre as possibilidades existentes, mas sobretudo de impugnar o leque de opções que nos são apresentados. Surge uma nova diferenciação e irrompem forças que se desinteressam pelo princípio de realidade e pretendem gerir unicamente o princípio de prazer.

A tragédia da política contemporânea é que aqueles que têm alguma responsabilidade – ou seja, tanto os eleitores quanto os eleitos – estão constantemente obrigados a escolher entre racionalidade e populismo. Para os representantes, o primeiro não é compreendido e impossibilita a reeleição, ao passo que o segundo põe em perigo a estabilidade política, embora seja aplaudido socialmente. Os governantes muitas vezes veem-se diante do dilema de fazer aquilo que os cidadãos esperam de seus governos ou aquilo que são obrigados a fazer. Foram variadíssimas as decisões políticas adotadas em meio a um dilema dessa natureza. Daí o drama ao qual os políticos costumam se referir: sabem o que devem fazer, mas não sabem como ser reeleitos caso façam aquilo que devem fazer.

Essa situação alterou o esquema clássico de identificação ideológica e seu correspondente antagonismo. Ao eixo direita-esquerda tem se sobreposto outro que coloca em confronto, em sentido amplo, populistas e tecnocratas; em ambas as categorias há versões de direita e de esquerda. O novo espectro ideológico pode ser explicado em função das diversas combinações dessas quatro sensibilidades. O que temos é basicamente tecnocratas de direita e de esquerda, o que dá lugar a alianças e antagonismos que não são inteligíveis partindo-se da clássica polarização ideológica. A nova polarização em disputa atualmente é a que coloca em confronto as elites e as pessoas, entendendo-se assim que a sociedade está dividida em dois grupos homogêneos.

Foi isso que, a meu ver, tornou-se evidente na Espanha durante as eleições europeias de 2014 e que explicaria o êxito de uma força política que se autodefine como o grupo de pessoas que pode diante daqueles que administram as limitações (refiro-me, especificamente, à irrupção do movimento Podemos). Os partidos clássicos governaram e vão governar, de modo que conhecem muito bem os limites do governo e até que ponto as promessas não cumpridas costumam cobrar o seu preço; podem até detestar o adversário, mas são também conscientes de que acabarão por ter de contar com ele em diversas situações; sabem que representam as pessoas, mas que não são as pessoas, porque numa democracia só podemos pretender falar em nome do povo em termos representativos, ou seja, sem monopolizá-lo, em meio a uma pluralidade de vozes, constantemente expostos à verificação de tal autoridade.

Penso que essa é a grande novidade, a nova ruptura (embora não seja inédita, nem de perto nem de longe, na história da política): a cisão da responsabilidade e da possibilidade. Ao contrário do que costuma ser dito, não se trata tanto de uma rebelião fruto do desencontro entre as elites surdas e as massas inocentes que desprezam seus representantes, como parecem acreditar todas aquelas pesquisas de opinião, que assinalam a classe política como o mais importante dos nossos males.

Esses novos atores enchem o cenário com uma linguagem que se diferencia do calculado encurtamento dos discursos tradicionais, o que sem dúvida exerce certo magnetismo sobre boa parte do eleitorado. Entretanto, aparecem com um sem-fim de promessas que são tão atraentes quanto desprovidas de um plano de viabilidade. Acusá-los de novatos é uma forma de desprezo que não faz nenhum sentido no espaço aberto de uma sociedade democrática; a única inexperiência que os define é que não sabem quão difícil é ser reeleito, e essa experiência é aquilo que proporciona maturidade aos atores políticos.

O surgimento do novo é algo tão antigo quanto a humanidade. Apenas a falta de memória pode ser a explicação para nosso desconcerto ou excesso de entusiasmo diante dessa ruptura que faz parte do velho ciclo de nossas democracias. Essa história humana imprevisível nos ensina que tudo aquilo que irrompe está sujeito também à contradição, que esta é uma fatalidade a que todos os mortais estão sujeitos. A história continua e a sucessão de promessas e decepções é o seu motor.

Por isso, bem-vindos sejam à política de promessas audazes, porque nossos sistemas políticos precisam dessas sacudidas que mostram bem que ninguém pode bloquear o acesso a novos autores e a agendas não usuais. É melhor que estejam trabalhando nas instituições políticas do que indignados nas suas margens. Porque a política é um caminho que mais cedo ou mais tarde nos conduz à realidade, da qual faremos sempre interpretações diferentes, mas que, enquanto ambiente que nos condiciona e que partilhamos com outros, é sempre algo limitativo. A política é o lugar onde cada um administra como pode essa frustração.

e. Uma defesa da democracia indireta

As democracias representativas têm hoje dois inimigos: por um lado, o mundo acelerado, o predomínio dos mercados globalizados; e, por outro, a *hybris* da cidadania, ou seja, a ambivalência de uma sociedade à qual a política deve obedecer, mas cujas exigências, por estarem pouco articuladas politicamente, são com frequência contraditórias, incoerentes e disfuncionais. Mencionar este segundo perigo é romper um tabu porque grande parte da classe política, bem como aqueles que escrevem sobre política costumam praticar uma adulação do povo, sem nunca o situarem em algum horizonte de responsabilidade. Poucos falam das ameaças "democráticas" à democracia, as que provêm da demoscopia, da participação, das expectativas exageradas ou da transparência.

Ao assinalar essa carência, não pretendo invalidar o princípio de que numa democracia o único soberano é o povo; limito-me a sublinhar que a democracia representativa é a melhor invenção de que fomos capazes para compatibilizar, não sem tensões, esse princípio da complexidade dos assuntos políticos. Embora possa parecer paradoxal, quando se trata de proteger a democracia dos cidadãos, de protegê-la contra a imaturidade, a fraqueza, a incerteza e a impaciência dos cidadãos, não há outro sistema melhor do que a democracia indireta e representativa.

Alguns autores apresentaram provocadoramente esse paradoxo: Philip Pettit (2001, p. 746), ao esclarecer o que entende por republicanismo: "a democracia é importante demais para ser deixada nas mãos dos políticos ou mesmo de um povo que vota em referendos"; Fareed Zakaria (2003, p. 248), que afirma que "aquilo de que precisamos hoje em política não é de mais, e sim de menos democracia"; ou Bryan Caplan (2008, p. 3), ao sentenciar que "a democracia falha porque faz aquilo que os eleitores querem". Outros teóricos propõem classificar a democracia contemporânea – na linha do republicanismo clássico – como um governo misto, uma espécie de mecanismo que combina componentes democráticos e componentes não democráticos (Manin, 1997, p. 237). A democracia não é a presença dos cidadãos nos lugares onde se tomam decisões, mas sobretudo o fato de as instituições eletivas e os eleitos poderem ser julgados pela cidadania.

O contrapoder do "soberano negativo" não está em condições de substituir o poder construtivo. Pode politizar de maneira pontual o espaço público expressando uma determinada indignação e se manter à margem de qualquer construção de responsabilidade. No fundo, a nossa democracia sem política enalteceu o cidadão como avaliador independente que, na sua condição de consumidor, se concebe fora de toda e qualquer esfera política.

As sociedades abertas alargaram de tal maneira as liberdades dos consumidores que também a política passou a ser considerada do ponto de vista do cliente, caprichoso, impaciente, exigente... O ideal de soberania popular transformou-se em "soberania do consumidor". "O número crescente de boicotes, expressões de mal-estar e outras formas de ativismo parece ser movido, hoje, por sentimentos tipicamente de consumidor, e existe o perigo de o ativismo adotar a forma de um *lifestyle-statement* em vez de um compromisso sério [...]. O ativismo não parece passar de uma forma refinada de consumismo para bem-intencionados, aos quais é permitido o acesso a recursos públicos e a processos de decisão" (Stoker, 2006, p. 88).

Ora, toda a potencialidade crítica e de responsabilidade democrática inscrita no conceito de cidadania se esgota nessa figura do consumidor?

Quando nos queixamos de que os mercados condicionam a política de forma excessiva, não deveríamos perder de vista que esse condicionamento não é apenas responsabilidade dos mercados financeiros globais, ele também se verifica nas relações entre representantes e representados. A todos os níveis, tanto no plano global quanto no doméstico, o poder dos consumidores é maior do que o dos eleitores.

Quando a lógica do consumidor soberano se instaura na política, esta tende a se dissolver na prontidão do curto prazo. A política é especialmente vulnerável a isso em razão da permanente disputa eleitoral e do peso da opinião pública, de registro cada vez mais breve por causa da influência crescente das pesquisas, que acolhem as exigências do momento presente. A política enfraquecerá sobremaneira se não for capaz de introduzir outros critérios que equilibrem essa possível tirania do presente. Se as instituições da democracia representativa têm alguma utilidade é para estabelecer procedimentos que assegurem pelo menos o debate, a consideração de alternativas e as garantias constitucionais.

Uma democracia não poderá funcionar bem se não tiver à sua disposição instituições de democracia indireta que funcionem, como as autoridades reguladoras, arbitrais ou judiciais (que costumam deteriorar-se quando ficam nas mãos dos partidos). Também não funcionará bem se for completamente suprimida a dimensão de delegação que deve existir em todos os governos (compatível, é claro, com o fato de essa delegação estar limitada no tempo e ser obrigada a prestar contas) e também caso a opinião pública de cada momento se sobrepuser a outras expressões da vontade popular menos instantâneas e mais estendidas no tempo... Esse talvez seja um dos problemas que estão na origem da elevada disfuncionalidade da política e que são responsáveis por diversas situações irracionais (Innerarity, 2009). A política tem de se libertar do "medo demoscópico" (Habermas, 2012), sem ceder à arrogância elitista e tecnocrática.

Para responder a essa incapacidade e aos bloqueios provocados por algumas formas de governo demoscópicas, os sistemas políticos têm gerado uma série de procedimentos, às vezes até de maneira furtiva. Há um processo de despolitização bem conhecido que se deve a que cada vez mais funções, responsabilidades e decisões derivem para esferas não governamentais, paraestatais, híbridas, regulatórias, transnacionais, não majoritárias, independentes ou judiciais, que estão fora do alcance da eleição e supervisão democrática. A União Europeia é uma das instâncias que cumprem essa função. A esta nova realidade responde a ideia dos "quase governos" (Kopell, 2003) ou o aumento dos "não eleitos", o que constitui uma nova divisão do poder (Vibert, 2007). Há outras versões dessa "despolitização funcional": uma correção epistêmica da democracia institucional para introduzir, de algum modo, o saber especializado nas nossas decisões (Estlund, 2009); a proposta de despolitizar certas instituições como as práticas burocráticas ou o poder negativo dos juízes sobre o partidismo (Rosanvallon, 2008); ou a defesa de um espaço deliberativo que despolitiza algumas questões (Pettit, 2001).

Há ainda o fato de os governantes aumentarem sua capacidade discricionária e seus poderes de intervenção – inclusive a sua mera possibilidade de atuar – por meio das privatizações ou de procedimentos de urgência. Não vou avaliar aqui a questão de saber se essas formas de trasladar o poder são justificadas ou não; limito-me a assinalar que há uma movimentação do poder para áreas menos submetidas ao escrutínio e ao controle públicos, e que esse deslocamento nem sempre é motivado por intenções perversas, mas por necessidades funcionais. Paradoxalmente, enquanto nossos sistemas políticos não introduzirem no seu próprio funcionamento uma perspectiva que ultrapasse a lógica eleitoral de curto prazo, estaremos promovendo esse tipo de astúcia sistêmica de que depois nos queixaremos por não possuir legitimidade democrática.

Dizem as pesquisas que a política se converteu num dos nossos principais problemas e eu me pergunto, para terminar, se essa opinião não expressará uma nostalgia pela política que, entretanto, desapareceu, uma crítica quanto à sua mediocridade ou até um desprezo antipolítico em relação a algo cuja lógica não conseguimos ainda entender. Em qualquer caso, os cidadãos teriam mais autoridade com suas críticas se colocassem o mesmo empenho em sua própria formação e comprometimento. E talvez então sejamos capazes de compreender que nos encontramos no paradoxo de que ninguém confia à política aquilo que só a política poderia resolver.

PARTE IV

ALGUNS LUGARES-COMUNS

CAPÍTULO 13
DEMOCRACIAS DE PROXIMIDADE E DISTÂNCIA REPRESENTATIVA

O remédio universal atualmente oferecido para nossos males políticos é a receita da proximidade. A cercania, real ou simulada, é invocada contra o mal político absoluto que é a distância. A maior parte das estratégias para fazer frente ao descontentamento se traduz na ideia de aproximar a política da cidadania. "Creio que o objetivo central da nova política de que necessitamos deveria ser uma redistribuição maciça, geral e radical do poder; de Whitehall [a administração do governo inglês] às comunidades; da União Europeia à Grã-Bretanha; dos juízes às pessoas; da burocracia à democracia.

Mediante a descentralização, a transparência e a responsabilidade, teremos de retirar poder da elite política e entregá-lo ao homem e à mulher da rua." Quem pronunciou essas palavras não foi um radical anarquista, nem um representante da esquerda digital, nem um populista convicto, mas o conservador David Cameron, o primeiro-ministro inglês.[13]

A sensação de cansaço que oferece a estrutura institucional merece reflexões profundas. Trata-se de uma crise à qual não é possível fazer frente com remédios tecnológicos ou simulando uma proximidade maior da sociedade, diminuindo os salários do servidor público ou aumentando a presença nas redes sociais... Os melhores métodos de marketing não são suficientes para superar os mal-entendidos e as desconfianças que surgiram ultimamente entre a cidadania e seus representantes.

Todas as estratégias de aproximação podem ser convenientes, até imprescindíveis, mas o que deveríamos ser capazes de entender é que estamos diante de transformações da política que, desde agora, devem ser bem compreendidas e, depois, traduzir-se em adequados procedimentos de governo. E nessa renovação a ideia de proximidade é tão necessária quanto limitada; há também uma distância democrática que é preciso proteger e uma ideia

---

13 *The Guardian*, 26 de maio de 2009.

de representação que deveríamos voltar a analisar num mundo em que aumentaram as possibilidades de imediatismo e desintermediação.

a. A vontade de desintermediação

O fascínio atual pelas redes sociais, a participação ou a proximidade põem em evidência que a única utopia que continua viva é a da desintermediação. Uma desconfiança quanto às mediações nos leva a supor automaticamente que algo é verdadeiro quando é transparente, que toda a representação falsifica e que tudo o que é secreto é ilegítimo. Não há nada pior do que um intermediário. Por isso, sem dúvida, parece-nos mais próximo um mediador do que um jornalista, um aficionado do que um profissional, as ONGs do que os governos e, por isso mesmo, nosso maior desprezo dirige-se para quem representa a maior mediação: como nos lembram as pesquisas, nosso grande problema é… a classe política.

De onde vem essa lógica? Para começar, existe um condicionamento tecnológico que tem modificado profundamente a relação das pessoas entre si, a configuração dos espaços públicos e nossas relações com as instâncias de autoridade. As novas tecnologias de informação e de comunicação aparecem como instâncias de salvação nesse naufrágio de desconfiança. É esse impulso que está na origem da atual onda democratizadora que tem sua base nas novas possibilidades comunicativas. Essas mesmas possibilidades é que permitem uma desintermediação que não era possível em outros contextos tecnológicos. As novas tecnologias puseram em marcha, já há algum tempo, certas práticas de desintermediação e capacitação que, logicamente, não podiam deixar de modificar nosso modo de entender e praticar a política.

Graças às novas tecnologias de informação e de comunicação vivemos numa espécie de "sociedade dos aficionados", que produziu uma verdadeira democratização das competências (Flichy, 2010). Sem necessitar de autorizações nem instruções, a nova figura do cidadão é a de um *amateur* que se informa por si próprio, que expressa abertamente sua opinião e desenvolve novas formas de compromisso; por isso desconfia tanto dos especialistas quanto dos representantes. Já não estamos na época em que os especialistas falavam sobre dados incontestáveis e graças ao seu saber punham um ponto final em toda a controvérsia. Numa sociedade do conhecimento, as pessoas possuem mais capacidades cognitivas. Surgem novas organizações e grupos de interesse que contribuem para enfraquecer a autoridade dos especialistas. O que em algum momento foi um poder exotérico do saber, agora é publicamente debatido, controlado e regulado.

Ora, a abolição da mediação é uma realidade ambígua: o desejo de abolir a mediação se alimenta do sonho democrático da livre espontaneidade, de mercados mais transparentes e acessibilidade ilimitada à informação; dá por certo que a vontade política pode ser perfeitamente reconhecida nas pesquisas de opinião e que é viável governar apenas a partir deles, mas também pode produzir o pesadelo de um espaço público sem limitações, procedimentos e representações, todos eles fatores que protegem a democracia da sua possível irracionalidade. Porque os limites garantem também nossos direitos, os procedimentos dificultam a arbitrariedade e a representação serve para contrabalançar o populismo.

É claro que a transparência e a proximidade representam dois valores políticos fundamentais, mas há uma discrição democrática e uma imparcialidade democrática igualmente necessárias, o que põe em evidência aquilo que já os clássicos sabiam: em política, qualquer valor sem contrapeso se converte numa hipótese ameaçadora.

No fundo, a representação se defende com a mesma lógica e pelas mesmas razões que a levam a militar a favor da regulação dos mercados. E se nosso grande desafio consistisse precisamente em construir mediações menos rígidas – mas mediações, no fim das contas – na economia, na política ou na cultura, que fossem capazes de compatibilizar o máximo de liberdade com uma arquitetura que proteja direitos e corrija os efeitos não desejados?

Para tudo isso não tem muita utilidade a ideia de uma política direta que consistisse em suprimir as mediações institucionais, as sinuosidades retóricas e os protocolos do acordo. A ideologia do imediatismo se propõe a devolver ao povo o poder que é detido por seus representantes. Supõe-se que a representação democrática constitui necessariamente uma falsificação, ou pelo menos uma deformação, da vontade popular pura, a fragmentação da sua unidade originária no atomismo dos interesses.

O desejo de que a política seja mais verdadeira, de eliminar a inexatidão institucional, conduz apenas ao fortalecimento da ilusão de que habitamos num mundo que é transmitido diretamente, ao império absoluto do imediatismo. A invocação de uma política capaz de reproduzir a verdadeira realidade social exerce todas as funções de um horizonte mítico, ao qual se pode apelar sempre para justificar tudo e mais alguma coisa. Exigir que o povo atue livre e diretamente serve para deslegitimar como inautênticos os delicados artifícios que as sociedades tecem para tornar a convivência possível.

Por isso, o que falha às vezes é a construção da vontade popular (podemos ver isso atualmente na evolução titubeante das revoltas árabes ou nas indignações do mundo ocidental), um fator de democratização tão decisivo quanto a indignação e o protesto. Para chamar atenção para um estado insuportável de coisas é necessária a mobilização popular; para aprofundar a democracia é preciso um trabalho de representação e compromisso que nos introduza a uma lógica política.

b. A democracia direta

A democracia representativa constrói entre governantes e governados uma relação complexa marcada pela tensão entre duas lógicas contrárias: por um lado, uma lógica de proximidade que obriga os políticos a se manterem em contato com os cidadãos e os ouvirem, por outro lado, uma lógica de distanciamento que os convida a ficarem afastados deles. De tudo isso resulta uma tensão contraditória quanto ao ofício de político: é preciso encenar ao mesmo tempo o contato cotidiano com os eleitores e assumir a linguagem do interesse geral; dos políticos é exigido que cultivem, simultaneamente, a proximidade e uma prudente distância de segurança.

A geometria política não é euclidiana: inventa a altura como ideal, mas permite continuar em contato com o maior número de pessoas; conjuga a encenação da grandeza dos eleitos e celebra sua proximidade com todos os eleitores.

Já há alguns anos que essa tensão parece ter se resolvido a favor de uma primazia da proximidade. Multiplicam-se os apelos a ela: justiça de proximidade, polícia de proximidade, democracia de proximidade. A ação política conspirou contra o distanciamento geográfico, social e tecnocrático (Le Bart/Lefebvre, 2005). "Proximidade" é um termo recorrente, uma palavra mágica, que presume a obrigação de os governantes parecerem próximos e os submete à pressão da ubiquidade: a política como arte de estar em todos os lugares. As pesquisas de opinião mobilizam as categorias do próximo e do distante para avaliar os governantes. Por esse motivo não está na moda a monumentalidade intimidante de que falava Bataille (1974). A proximidade e a transparência são imperativos que regem os estilos políticos a todos os níveis, desde as formas de comunicação até a arquitetura dos edifícios públicos.

É nesse contexto que se fala de "democracia local" (Blodiaux, 1999). O local, lugar de proximidade, é considerado a escala em que deve ser estabelecida a coerência e a integração da ação pública. O local foi erigido em espaço ideal de reconquista cidadã, esse mesmo espaço que tinha sido considerado em outras épocas o lugar do particularismo e do enraizamento identitário.

A proximidade aparece como uma reserva de soluções unificadoras, pacificadoras, que incentivam o compromisso, como refúgio num mundo que se considera carente de referências, impessoal, complexo, anômico. As relações de proximidade corrigem a verticalidade das relações sociais e as regras sociais impessoais, consideradas genéricas demais. A proximidade parece "localizar" o social, o imediatismo e a reciprocidade direta no seio de grupos e situações concretas. A implicação concreta dos indivíduos num grupo é concebida como o paradigma da socialização real, eficaz e direta.

Essa visão do social concede um papel quase exclusivo à proximidade espacial e física na produção do vínculo social. Por isso a referência a uma pequena comunidade, idealizada e cálida, é um chavão que aparece com frequência nos discursos políticos (Douglas, 1987). A estima pelo local como espaço público da copresença (Thompson, 1998, p. 177) vem na continuação daquele apreço de Rousseau pelas assembleias suíças ou a admiração de Tocqueville pelos *townships*.

A valorização da proximidade circula também em diversas regiões do espaço social: no mundo associativo que reconhece a militância em torno de causas "próximas", num mundo sindical que gere solidariedades concretas ou nos meios de comunicação quando dizem que nos proporcionam vida e imediatismo.

A proximidade é concebida, além disso, como um dos meios para fazer frente ao descrédito da política. A alteridade do representante é conjurada por meio do simbolismo da proximidade, que surge como uma espécie de antídoto contra a autonomização da elite política. Apela-se à regeneração da democracia representativa por meio dos vínculos sociais e políticos da proximidade, escutando os cidadãos, estando perto deles, das suas preocupações e das suas expectativas, renovando o contato com eles para assim superar o fosso que os distancia dos eleitos. A ideia de proximidade pretende operar uma verdadeira mudança nos modos de produção da legitimidade política.

Uma política de proximidade defende, contra o estandardizado, o impessoal e abstrato, uma maior sensibilidade à pluralidade e à complexidade do real. Jacques Chevallier definia nesse sentido o Estado pós-moderno como aquele que tende a se abrir para admitir em seu seio a diversidade constitutiva do social (2003, p. 171). Nele se conseguiria fazer valer a vontade de privilegiar uma aproximação concreta, precisa e matizada às realidades, abandonando a posição dominante e sintética que caracterizava as tarefas do Estado tradicional. As políticas públicas passam do reino da norma, da objetividade, do universalismo, da prefiguração do futuro ao reino da circunstância, da subjetividade e do imediatismo relacional. A realidade é concebida sobre o modo da pluralidade, ou seja, da irredutível diversidade de situações que a ação política tem de enfrentar.

Trata-se de uma concepção que esvazia a política dos grandes substantivos que alimentavam sua retórica. O discurso da proximidade, em contrapartida, renuncia falar em nome de instâncias unitárias, de entidades hipostáticas. O discurso político fica impregnado com um *ethos* da modéstia e da pequena escala.

Para que se possa compreender em que medida esse ponto de vista supõe uma novidade é preciso levar em conta que até pouco tempo atrás a proximidade suscitava desconfiança no âmbito da política. A *grandeur* e a distância pareciam necessárias para encarnar o interesse geral. A distância entre o Estado e a sociedade civil, entre governantes e governados, era condição de possibilidade da igualdade entre os cidadãos. O Estado olhava para o corpo social a partir de cima e não podia se aproximar dele sob pena de sucumbir ao particular, na forma de clientelismo, localismo ou corporativismo.

A proximidade evocou sempre privilégios e desigualdades, arbitrariedade e favoritismo. Os mitos fundadores da modernização funcionavam com uma lógica exatamente inversa à que observamos hoje: a modernidade vinha do centro, a distância era sinônimo de imparcialidade, eficácia e legitimidade. Nesse contexto, é bastante significativo, entre as atuais transformações, o fato de certas políticas públicas que foram constituídas historicamente contra o "local" (a política, a justiça ou a educação) colocarem agora a ênfase na proximidade.

A distância era considerada tradicionalmente necessária para um exercício sereno do poder, de modo a proteger das tensões e da arbitrariedade aqueles que tinham de tomar decisões. Um dos problemas que a proximidade coloca é justamente a despolitização e o clientelismo. No horizonte da ação pública de proximidade aponta-se para uma transformação do cidadão em cliente individualizado. Uma relação durável e institucionalizada é substituída por uma relação pontual sem origem nem continuidade, e cuja capacidade de gerar vínculos sociais é mais fraca. Consolida-se, assim, uma relação "consumista" com a política. Se a sociedade não for entendida como uma totalidade, a política será confundida com uma prestação de serviços a um cidadão-consumidor cada vez mais exigente em seus interesses parciais.

Uma forma de entender a proximidade envolve uma lógica de despolitização: a democracia de contato se expressa cada vez mais no idioma das relações interpessoais do que em categorias próprias da política e reduz o horizonte a questões de amizade, fidelidade e serviços prestados, algo que Richard Sennett (1977) denominava "tirania da intimidade", o oposto da liberdade da generalidade impessoal. Quando o discurso político elogia a proximidade e define a sua ação partindo exclusivamente dessa escala, inscreve-se numa cultura em que as ideias simples, a imagem e os sentimentos parecem ser os únicos pontos inteligíveis. Quando se fragmenta o espaço de tal modo que a multiplicidade dos fatos deixa de poder se inscrever num relato que assegure seu sentido geral, a força de convicção dos dados e evidências com uma forte carga emocional é automaticamente reforçada.

Surge assim uma obscuridade paradoxal no seio da promessa de clareza e imediatismo assegurada pela proximidade. Num mundo que se torna cada vez mais confuso e ingovernável, apenas o local parece representar uma escala na qual é possível esperar uma diminuição das incertezas. Todavia, essa diminuição aumenta o grau de complexidade do conjunto, o que se traduz aqui numa dificuldade especial para dar coerência à ação pública, inscrevê-la em horizontes mais amplos ou manter uma referência à totalidade social.

Daí que os governantes se caracterizem cada vez menos pela pretensão de exercer soberanamente uma ação planificada no longo prazo e prefiram o imediatismo do curto prazo, que é a versão temporal da proximidade, e na qual a política se cruza com a proximidade típica dos meios de comunicação, regida pela temporalidade curta dos acontecimentos, pela urgência e pelo iminente. Todos percebem, porém, que o foco no mais imediato, no espaço e no tempo, se paga com uma perplexidade crescente em relação à sociedade em seu conjunto.

A questão sobre as políticas de proximidade coloca por último uma grande interrogação. Trata-se de um mero argumento ideológico de circunstância para garantir que tudo ficará na mesma em relação ao modo de exercer a autoridade ou põe em destaque um novo paradigma? Esses fenômenos devem ser analisados como a consequência de uma inquietante dissolução do interesse geral favorecida por um encolhimento da ação estatal e por um aumento do individualismo, embora também possam ser entendidos como o acesso do poder local e da sociedade civil ao interesse geral. Neste último caso, a fragmentação da política corresponderia antes a uma ampliação dos espaços de deliberação; destacaria, então, o fato de a sociedade não aceitar que se imponha uma concepção do bem comum abstrata e centralizada.

Quando a ideia de política enquanto vontade e capacidade de governar parece escapar do nosso horizonte, a temática da proximidade sem dúvida possui a vantagem de começar pelo local o trabalho de articulação da comunidade e de estimulação do vínculo social. Equilibrar proximidade e distância, o local e o global, o imediato e a prospectiva, é uma das grandes tarefas que a política tem de enfrentar, uma tarefa que não pode ser feita privilegiando apenas um dos seus termos.

c. Elogio da distância política

Apesar de serem poucos aqueles que discutem a conveniência de explorar esse território da proximidade, gostaria apenas que fosse discutido com a consciência de que existe também a possibilidade de encenação. Com relação a isso, a comunicação digital tem certas capacidades ilusórias (Rheingold, 1993). Os dispositivos que simulam uma ligação enviando uma mensagem ao presidente, o qual responde automática e instantaneamente e agradece a sua opinião, já foram inventados e perderam o seu poder de legitimação. Não, a verdadeira comunicação entre representantes e representados é exercida de outra forma, sem excluir esses tipos de procedimento. Uma coisa é a transparência e outra bem diferente é o exibicionismo. A impressão de falsidade dos políticos não se deve a uma falta de sinceridade, é uma consequência de sua constante encenação, que as pessoas percebem e que degrada sua legitimidade mais do que qualquer outra distância.

A proximidade tem muito de artificial. É importante não esquecer que a proximidade não é simplesmente algo dado, mas uma construção social e muitas vezes se reduz a uma "impressão de proximidade" produzida pelos atores que representam, com acerto, as suas estratégias de aproximação. Não é estranho por isso que apareçam peritos e empresas especializadas em produzi-la. Os usos e os rituais da proximidade muitas vezes nos fazem confundir a proximidade com a notoriedade e a visibilidade, com a sugestão de proximidade construída pelos meios de comunicação. Há um "efeito" de proximidade que é pura encenação, construção midiática, falsa familiaridade, sobretudo a partir do momento em que ela pode ser produzida por meios de comunicação sem que seja necessária a presença corporal efetiva.

Por outro lado, a proximidade não é uma dimensão física ou objetiva, em especial nos nossos espaços virtualizados e midiáticos, sem determinismo territorial, num mundo globalizado e de crescente mobilidade. Boa parte dos combates sociais são praticados precisamente em torno da pretensão de proximidade e de sua definição. A proximidade se converteu na ideologia central, pela qual múltiplos atores trabalham para sua própria legitimação.

Mas o que é, afinal, o mais próximo? Como se define a proximidade e a distância? Aqueles que trabalham a favor da proximidade também não deveriam esquecer que, na nova configuração dos espaços sociais, a proximidade não significa supressão da distância, que há coisas próximas que estão longe e proximidades muito distantes. A crescente mobilidade que caracteriza as nossas sociedades, por exemplo, faz com que a proximidade seja cada vez mais uma questão de tempo, muito mais do que de espaço; o tempo tende a substituir o espaço na apreciação da distância. E talvez isso explique o declínio do bairro como forma socioespacial onde se desenrolam as relações de proximidade. Os habitantes da cidade já não são prioritariamente habitantes dos bairros; no espaço vivido, na era da mobilidade e das relações eletivas, a própria noção de bairro tende a desaparecer. Onde a cidade móvel substitui a cidade sedentária, os cidadãos, libertos pela mobilidade das comunicações, desenvolvem lógicas de aproximação por afinidade mais do que pela proximidade espacial.

Nesse novo contexto, a proximidade já não pode ser pensada apenas como contiguidade física. O pluralismo dos espaços em que vivemos nos convida a falar, de preferência, em proximidades e a diversificar um horizonte que costuma se contrair em sua dimensão física. Há proximidades de caráter muito diverso, de acordo com critérios, âmbitos e referências igualmente diversos.

No entanto, a objeção mais grave à apoteose da proximidade é dirigida contra a absolutização do imediatismo, e é daí que provém grande parte dos nossos problemas, alguns dos quais não encontram sua causa na distância das elites mas, digamos assim, na sua excessiva proximidade. A forma de configurar nossas agendas políticas carece de direção e coerência, não porque seja sequestrada por umas elites conspirativas, mas porque não consegue se descolar da agitação cotidiana. Talvez estejamos confundindo vontade geral com comprovação diária, numa espécie de "democracia meteorológica", na qual as pesquisas de opinião ou a opinião publicada são como os mapas do tempo que nos permitem decidir se saímos hoje à rua com casaco, de manga curta ou de guarda-chuva, ou seja, se fazemos um decreto-lei, lançamos uma determinada mensagem ou desaparecemos de cena.

Não esqueçamos que nossa falta de antecipação coletiva com relação à crise econômica, por exemplo, não se deveu a uma "falta de proximidade" com a sociedade, mas a esta lógica do curto prazo que estabeleceu um encadeamento fatal (com diferentes graus de responsabilidade, é claro) entre a falta de visão dos governantes, a ânsia de lucros das instituições financeiras, a irresponsabilidade dos organismos controladores e os hábitos dos consumidores. Diante de tais desastres coletivos, bem se poderia dizer que nosso grande desafio consiste em articular uma forma de construção representativa da vontade popular que não se converta em seguir às cegas o mais ruidoso e imediato.

Se a distância elitista é um grave problema político, não o é menos a proximidade oportunista. Pensemos nessa prática tão habitual – e tão corrosiva – de bajular os piores instintos e intoxicar o espaço público, a que os politólogos anglo-saxônicos chamam de *pandering* e *priming*. Quando os políticos querem estar o mais próximo possível de seus eleitores, perdem o interesse por sua independência e se convertem em meros realizadores dos desejos políticos dos cidadãos, mutáveis, caóticos e mal definidos (Ankersmit, 1997, p. 355).

No oportunismo demagógico não existe relação alguma de tipo deliberativo entre o orador e sua audiência, não se verifica qualquer tentativa de diálogo, de convencer ou estimular a reflexão. Os políticos oportunistas não procuram tanto convencer, e sim adaptar suas declarações às preferências dos eleitores. Pode-se objetar dizendo que não há nada de mal nisso e inclusive que é o mais democrático, o problema, porém, é que se esse oportunismo satisfaz o que as pessoas desejam, torna-se incapaz de orientar as melhores decisões políticas e adotá-las com coerência. Em princípio, gostaríamos que as elites fossem sensíveis aos verdadeiros interesses e preocupações da cidadania, mas também desejaríamos que esses interesses e preocupações estivessem bem informados, pensados e ponderados (Chambers, 2011, p. 34).

Necessitamos, por conseguinte, de um sistema político cujos agentes sejam capazes de ouvir realmente todos: as vozes mais altas e os murmúrios mais profundos, que atendam às urgências do momento, mas que não descuidem da antecipação do futuro, que equilibrem de forma adequada o curto e o longo prazo. Há graves problemas políticos que não podem ser resolvidos em meio à algazarra das pressões imediatas.

Pensemos, por exemplo, em decisões que afetam a justiça intergeracional, que só podem ser levadas a cabo quando uma parte da soberania é transferida para um nível menos democrático e são adotadas por instituições menos imunes às pressões eleitorais. Certas decisões impopulares no sentido de limitar as emissões de gases poluentes ou reformar o sistema de previdência podem ser mais bem-adotadas num nível europeu, em que não existe a obrigação de prestar contas imediatas daquilo que se faz (*unaccountable*), do que no plano doméstico. Bourg e Whiteside (2010) chamaram atenção para alguns desses curtos-circuitos sistêmicos da democracia num contexto ecológico.

As instituições europeias foram criadas, em parte, para gerir esses tipos de decisão externalizada e impossíveis de tratar por meio de procedimentos democráticos nacionais. Algumas das acusações de elitismo ou déficit democrático estão ligadas à essa circunstância; não ao fato de não serem democráticas o bastante, mas porque há decisões que só podem ser adotadas num nível protegido do eleitorado, num plano mais "republicano" do que de "democracia eleitoral".

Desse modo, o que antigamente talvez fosse uma evidência, hoje é um estereótipo inconsistente para justificar o autogoverno democrático:

o preconceito que leva a pensar que o âmbito mais imediato é necessariamente o mais apropriado, tanto em termos de legitimidade quanto de efetividade, para dar resposta às aspirações de autodeterminação. Muitos assuntos só encontram sua escala apropriada de autodeterminação democrática se nos distanciarmos do nível de decisão do qual estamos habituados e incluirmos naqueles que têm de decidir outros muito afastados no espaço ou no tempo.

Nesse âmbito de interdependência encontram seu espaço próprio de justificação as questões ligadas à democracia transnacional ou à democracia intergeracional. Proximidade, subsidiariedade e participação são termos que continuam a exercer um fascínio democrático, mas que pressupõem um mundo articulado verticalmente, que já não é o nosso; seja como for, devem ser utilizados de maneira reflexiva e crítica, não como evidências indiscutíveis, isto se quisermos estar à altura da nossa complexidade democrática.

d. Paradoxos da autodeterminação democrática

A democracia é um sistema político que inflama as nossas expectativas; nos faz acreditar em coisas tão irrenunciáveis e impossíveis quanto a ideia de que uma sociedade livre se governa por si mesma, que são idênticos os que governam e os que são governados. Esse ideal de autodeterminação faz parte das ficções úteis para a democracia, o que não significa que seja um ideal de que devamos prescindir, mas que tampouco reflete um fato certo ou um direito que possa ser exigido de forma literal. É apenas, como tantas outras propriedades que utilizamos para definir uma democracia, um horizonte, um princípio crítico ou normativo, ou seja, como sempre, algo mais complexo do que a sua mera formulação poderia dar a entender.

Grande parte dos debates que foram suscitados pelo Movimento 15-M pôs em evidência os paradoxos da soberania popular. Trata-se de uma tensão que atormenta as teorias da democracia desde o seu início. Por um lado, o ideal de uma democracia plena (para muitos, pensado a partir do modelo de uma democracia direta), o desejo de participação, a exigência de uma ratificação popular das decisões, que a representação seja capaz de refletir com a maior precisão possível o representado, mandatos mais rígidos por parte dos eleitores, reivindicação de que os representantes cumpram aquilo que prometem... Com todas essas aspirações, votar parece muito pouco.

Essas pretensões não são novas e em contraponto existem posições mais realistas, como as de Schumpeter (1942) ou Dahl (1971), que sustentam, com diferentes matizes, que a maior democracia a que podemos aspirar é a de uma oligarquia competitiva. Ao mesmo tempo, não é fácil adivinhar como será uma democracia sem organismos que intervenham nas decisões políticas e que não elegemos ou só o fizemos de maneira muito indireta (como os juízes, as autoridades independentes ou determinados organismos internacionais). Seria pouco realista exigir das instituições e dos procedimentos da governança global os mesmos padrões democráticos que regem os Estados nacionais.

Por outro lado, a experiência nos mostra que a democracia nem sempre é feita com democratas, mas também com jacobinos e estruturas férreas, defendida por leis de exceção e sustentada por uma opinião pública que detesta os partidos políticos e, sobretudo, aqueles que não estão especialmente unidos, ou seja, onde existe crítica e liberdade de expressão.

A formulação mais conhecida da soberania democrática, da sua peculiar quadratura do círculo, é devida a Rousseau. Em *O contrato social*, o filósofo a sintetizou da seguinte maneira: "O problema que é preciso resolver é encontrar uma forma de associação que defenda e proteja com toda a força comum a pessoa e os bens de cada associado, e através da qual cada um, unindo-se a todos os outros, não tenha de obedecer a mais ninguém senão a si próprio, permanecendo tão livre como antes" (1964 [1762], p. 182). Esse objetivo é contraditório, incompatível com a nossa condição política e especialmente inalcançável em sociedades complexas. Pode-se recordar, a este respeito, a observação de Morgan (1988, p. 14) segundo a qual para governar é necessário fazer crer (e essa invenção está baseada tanto na suposição de que o rei é divino quanto na de que o povo tem uma só voz e que é representado por seus representantes).

Para compreender a inocência de suas primeiras formulações é preciso levar em conta que a democracia representativa surgiu num momento em que ainda se acreditava que era possível alcançar uma harmonia de interesses e de valores na sociedade. A democracia moderna foi concebida antes dos grandes conflitos sociais da era contemporânea e do atual pluralismo político. Sua simplicidade original está ligada também a uma certa ingenuidade antropológica, para a qual Schumpeter chamou atenção quando observou que, para os filósofos do século XVIII, o bem comum era uma luz óbvia, tão evidente que qualquer pessoa era capaz de reconhecê-la, porque a ignorância em relação a ele só era explicável pelo interesse, a estupidez ou a maldade (1942, p. 250).

Daí o antipartidarismo dos fundadores da democracia inglesa e norte--americana (Rosenblum, 2008), que teve depois continuidade nas democracias orgânicas do século XX e nos atuais populismos (num contexto em que, por certo, há cada vez mais partidos que se recusam a se chamar assim). Com base no pressuposto de que era possível e conveniente que todos quisessem viver de acordo com as mesmas leis, os partidos eram entendidos como facções, artifícios que rompiam a unidade natural das sociedades, divisões espúrias ou o resultado das ambições dos políticos. A própria ideia de oposição, aliás, carecia de sentido. Se o autogoverno do povo é literal, se os que governam coincidem com os governados, o direito de oposição deixa de existir. A ideia de que as pessoas podem se opor a um governo eleito majoritariamente demorou a abrir caminho na história da democracia.

Hoje, em sociedades mais complexas, constatamos que a vontade geral só pode ser o resultado de um compromisso entre diferentes. Por isso, Kelsen (1988, p. 33) pôde afirmar que a ideia de um interesse geral e uma solidarie-dade orgânica que transcende os interesses de grupo, classe ou nacionalidade é, em última instância, uma ilusão antipolítica. Como definir o ideal de autodeterminação em sociedades grandes, complexas e com preferências heterogêneas, nas quais não parece possível evitar que, pelo menos alguns e durante um tempo, vivam em conformidade com leis de que não gostam?

A solução para esse dilema foi a ideia de representação, condensação institucional de uma experiência que nossa retórica tende a ocultar: o fato de a democracia ser um sistema representativo significa que os cidadãos não governam, que é inevitável sermos governados por outros. Não há eleições todos os dias, e naquilo que elegemos há elementos de que não gostamos muito, os mandatos são vagos, os eleitores deixam certas margens de manobra aos eleitos, a exigência de unanimidade (graças à qual se realizariam os desejos de todos) é impossível e bloqueia... O grande problema da teoria política é determinar sob que condições e que justificativa democrática pode ter esta determinação heterogênea.

Para começar, se nas sociedades complexas os cidadãos não governam – não governam tudo, nem continuamente, nem todos os detalhes – é porque há uma dimensão de delegação: os governos devem ser capazes de governar. Se os governos fizessem apenas aquilo para o qual foram expressamente autorizados pelas eleições, isso pressuporia muitas limitações durante o governo, algumas positivas (porque haveria menos margem de arbitrariedade ou descumprimento) e outras negativas (porque surgem situações novas, porque é preciso configurar maiorias de governo ou porque se torna necessário pactuar). Em todo o caso, "os mandatos não são instruções" (Przeworski/Manin/Stokes, 1999, p. 12), mas indicações que devem ser concretizadas em compromissos, orientações para enfrentar o futuro imprevisível.

Qualquer liderança tem custos inevitáveis em termos de autoridade democrática, distanciamentos exigidos devido à adoção de medidas (em especial algumas a que costumamos nos referir como "impopulares"). Se não existisse certa distância em relação aos eleitores, os governos não poderiam, em determinadas ocasiões, dizer a verdade, a política não conseguiria se desvincular do instante, um dos maiores empecilhos que a têm condicionado no momento atual. Ou justificamos democraticamente essa "distância" ou não deixamos de ter argumentos para nos opormos ao populismo plebiscitário, que conta, tanto no caso da direita quanto no da esquerda, com defensores impecáveis.

O problema não é eleger entre a ineficácia e a traição, mas como evitar que os governos se distanciem demais dos mandatos dos eleitores e impedir que a sua rigidez os torne ineficazes. E os cidadãos devem tolerar certo esgotamento em suas decisões porque os mandatos em democracia não são absolutamente imperativos. A necessidade inevitável que os partidos têm de negociar reduz o poder dos eleitores. Quando é preciso construir maiorias de governo, quando aparecem elementos novos, imprevistos ou não, que exigem decisões inéditas, os partidos e os governos veem-se obrigados a se afastar dos mandatos expressos ou a realizar modificações para as quais não estavam expressamente autorizados. Seria preferível, nesse caso, condená-los à ineficiência ou exigir deles uma autorização expressa (via referendo ou repetição de eleições), algo que nem sempre é possível ou desejável?

A noção de autogoverno não é incoerente nem impraticável a não ser que seja formulada de uma forma leve: uma democracia não é um regime em que podemos fazer tudo o que quisermos, e sim um regime no qual as decisões individuais conseguem ter alguma influência na decisão coletiva final. A democracia é o sistema que melhor reflete as preferências individuais, nada mais, nada menos. O objetivo democrático é permitir todo o autogoverno possível sabendo que é inevitável que algumas pessoas tenham de viver de acordo com leis de que não gostam e que foram decididas por outros. Como fazer então para que essa "submissão" seja legítima e aceitável? A grande invenção da democracia é que os governos sejam provisórios, que possam ser substituídos e que outros governem.

Assim, toleramos que outros nos governem porque existe um procedimento que permite realizar o ideal de autogoverno em sociedades complexas: a possibilidade de alternância. Embora sejamos governados por outros, podemos ser governados por outros diferentes se assim quisermos. "A liberdade democrática não consiste em obedecer unicamente a si mesmo, e sim obedecer a alguém em cujo lugar pode estar outra pessoa no dia seguinte" (Manin, 1997, p. 28). Essa solução por via da alternância, que tem seu precedente na antiga ideia de turnos de governo formulada por Aristóteles, realiza-se, na democracia moderna, por meio das eleições livres. As eleições são um instrumento fundamental do autogoverno. Nelas, trata-se de eleger quem governa por mandato do povo.

Entre todos os instrumentos de participação política, as eleições são o mais igualitário (Przeworski, 2010). Embora a participação eleitoral não seja perfeita, são um mecanismo político muito mais importante do que qualquer outro procedimento de participação, que com frequência tendem a privilegiar aqueles que possuem mais recursos para participar. Graças às eleições, aqueles que têm poder enfrentam a possibilidade de ser expulsos dele mediante alguns procedimentos estabelecidos. Desse modo, quem está no governo vê-se obrigado a antecipar essa ameaça. A mera possibilidade de eleger e substituir os nossos governantes confere credibilidade à ficção de que governamos a nós mesmos.

As eleições são precisamente o momento de máxima incerteza, quando essa possibilidade paira sobre todos como uma promessa ou como uma ameaça. As eleições são uma interrupção da inércia, são uma instituição de ruptura da continuidade. Nesse momento, conseguimos perceber, de maneira muito evidente, que a política nos introduz num mundo em que é preciso responder e prestar contas, que o poder não é absoluto porque é obrigado a se revalidar, que a política não oferece mais do que oportunidades e prazos. Por isso se concentram, em todo o processo eleitoral, como em nenhum outro momento, tanto medo e tanta esperança, porque é nessa altura que mais coisas estão em jogo e em que a realidade parece ainda mais incerta e mais diferente do possível. O jogo democrático, aquele a que todos os participantes se submetem implicitamente, consiste no seguinte: quem ganhou poderia ter perdido e depois disso poderá sempre vir a perder.

Claro que as eleições, sendo muito importantes, não deveriam ser idealizadas como se a democracia não tivesse nenhuma outra exigência. Mas graças a essa instituição se mantém viva e reitera-se a promessa de autodeterminação democrática. No fim, acontece que algo tão corrente e pouco extraordinário, do qual pouco sabemos e que interessa apenas a cerca de metade da população, é o que melhor reflete o ideal de autogoverno e o que nos protege da apropriação do "nós" por uma qualquer maioria triunfante.

Nossa condição política é algo que permite aos seres humanos realizar um grande número de coisas que seriam impossíveis se fôssemos deuses ou animais, como avisava Aristóteles, mas que também levanta uma série de limitações. Ora, conhecer e reconhecer os nossos limites traz alguns benefícios inesperados, como o de nos permitir impugnar os limites que não são legítimos. Ser consciente dos limites é fundamental para se poder empurrar esses limites o máximo que nos for possível; dessa maneira, não criticaremos a democracia por não nos proporcionar aquilo que não devemos esperar dela e estaremos a salvo dos apelos demagógicos que prometem o que não podem cumprir. Desse modo, saberemos o que é que temos direito a esperar e o que é, em contrapartida, um desejo fútil.

Haverá quem considere que essa reflexão é pouco animadora e que é um banho de água fria sobre nossas melhores expectativas em relação à qualidade da democracia. Não é preciso assumir o papel de cínico desencantado para recordar que nem toda a ausência de animação é má: a desesperança daqueles que tinham projetado verdadeiras alucinações constitui uma boa notícia e é tranquilizador ver os fanáticos desanimados. Em geral, a maturidade democrática inclui uma certa decepção, especialmente a que resulta do enfraquecimento das ilusões exageradas.

A experiência política inclui uma desmitificação da democracia, o que não nos impede nem de apreciar, nem de defender, nem de abandonar o trabalho necessário para melhorá-la. Antes pelo contrário: são as expectativas desmesuradas o que mais podem nos cegar com relação a reformas possíveis. A questão é distinguir quais insatisfações correspondem a defeitos que devem ser corrigidos e quais são consequência da limitação da condição humana e das nossas formas de organização. Saber em que condições, como e quando é que não existem alternativas é fundamental para desmascarar aqueles que pretendem, interessadamente, que não haja alternativas quando podem e devem haver.

e. A representatividade da sociedade

Há protestos que têm como objetivo trazer à tona determinadas decisões e outros que criticam a parcialidade da representação. Porém, o fenômeno contemporâneo da indignação representa um grau mais acima, na medida em que se critica a ideia da representação por si e vem acompanhada do ideal de uma democracia direta e sem mediações. De alguma forma, na mentalidade de muitas pessoas e em certos hábitos políticos é evidente que vivemos "numa democracia pós-representativa" (Urbinati, 2014, p. 172).

"Não nos representam" foi justamente a palavra de ordem do Movimento 15-M em 2011, o qual, além de uma insatisfação lógica, revelava uma mentalidade com profundo viés antipolítico porque não há política sem representação. Na indignação há muitas coisas, boa parte delas muito estimável, mas costuma faltar uma crítica política da política. Os políticos fazem mal algo que ninguém consegue fazer melhor do que eles. Podemos substituí-los, talvez devamos até fazer isso, mas não deveríamos nos deixar enganar pelo engodo de que aqueles que vierem a sucedê-los não são também, por sua vez, políticos.

O que está em jogo neste debate é saber se uma sociedade democrática pode saltar por cima das limitações da representação e prescindir dos seus benefícios. A representação é um lugar de compromisso e de mediação, em que se assegura a paridade, por exemplo, ou o equilíbrio territorial, que não se autorregulam por si próprios, antes requerem decisões explícitas. É uma ilusão deixar esses complexos equilíbrios nas mãos da contingência da espontaneidade. A autorregulação mercantil da direita e a autorregulação política da esquerda são preconceitos muito semelhantes que coincidem no desprezo pela dimensão artificial do espaço público.

A vontade geral é pelo menos tão frágil quanto as vontades individuais; todo o processo que leva à configuração do espaço público – equilibrando deliberação e decisão, participação e delegação – é um processo árduo e complexo, ameaçado num extremo pela indecisão e no outro pela desconsideração de seus componentes. O grande problema da representação política é que tem de fazer uma síntese democrática dos interesses, tem de ser una, capaz de decidir e respeitar a composição plural das sociedades. A decisão sem deliberação seria ilegítima; a deliberação sem decisão seria ineficaz. De igual modo, a democracia não é um regime de consulta, mas um sistema que articula diversos critérios: a participação dos cidadãos, a qualidade das deliberações, a transparência das decisões e o exercício das responsabilidades.

A política acaba sempre por ter de enfrentar a responsabilidade de fazer uma síntese democrática, por mais provisória e aberta à revisão que seja, mas ainda assim uma síntese, sem a qual nem seríamos capazes de saber as diferenças que queremos proteger. Se o espaço público possui um valor democrático não é simplesmente porque todos têm direito a fazer valer seus desejos e convicções, e sim porque os colocam em jogo no interior de um debate em que se constroem sistemas públicos de integração.

A representação teve seus inimigos no absolutismo pré-democrático, só que hoje está em risco por conta da lógica libertária que fala em nome das redes, da sociedade civil, da autorregulação dos mercados ou da democracia direta, apelos diferentes mas que têm em comum a desconfiança em relação às formas de mediação. Dessa perspectiva, a representação deixa de ser um instrumento para a configuração do espaço público para se converter num meio de expressão dos desejos, dos interesses e das identidades. O ideal de "proximidade" dos representantes obedece a essa lógica. Quanto mais o representante se parecer com o representado, melhor, dizem.

Porém, a crise atual da política não se deve, como se costuma afirmar, ao fato de existir uma grande distância entre os eleitores e os eleitos; muito pelo contrário, deve-se à exigência de identificação entre ambas as instâncias, a ponto de se tornar impossível qualquer "elaboração" das identidades e dos interesses, sentenciados como algo não negociável. Nosso grande problema é a dificuldade de legitimar democraticamente essa distância de maneira que possa servir a coerência e a operatividade da sociedade.

Com essa lógica, a política, que é representação e síntese, torna-se impossível. Os direitos privados dos indivíduos passam para um primeiro plano, entendidos como algo exterior à cena política, completos em sua forma original, não necessitados de negociação nem compromisso, radicalmente despolitizados. A política seria então uma transposição imediata do que a sociedade é, sem nenhuma "elaboração", sem o valor acrescentado da cooperação, como se qualquer intervenção de outros fosse uma traição a umas essências de evidência imediata. Toda a mediação política seria sinônimo de falseamento e ocultação. O problema de tudo isso é que sem representação, a sociedade ficaria pulverizada numa justaposição de reivindicações incapazes de interiorizar suas condições de compossibilidade.[14]

No entanto, a representação não é uma transposição cacofônica da variedade social, e sim um trabalho de sintetização, um processo em que vão se configurando os compromissos graças aos quais uma sociedade pode atuar como tal sem esquecer sua pluralidade constitutiva. O princípio deliberativo se opõe a essa crença numa esfera privada pré-política e exógena, que ignora até que ponto as preferências são um produto das leis, dos preconceitos e das situações de domínio.

A concepção da ordem social que sucumbe ao imediatismo dos interesses parece desconhecer a força transformadora da política, a qual não é uma mera gestão daquilo que existe, mas, em muitos casos, uma modificação das situações de partida. A política serve, entre outras coisas, para que a sociedade adquira certa distância em relação a si própria, uma reflexividade que lhe permita examinar criticamente suas práticas (Sunstein, 2004).

No modelo republicano de esfera pública, o que está em primeiro plano não são os interesses dos sujeitos já dados de uma vez por todas ou visões do mundo irremediavelmente incompatíveis, mas processos comunicativos que contribuem para formar e transformar as opiniões, os interesses e as identidades dos cidadãos. O objetivo de tais processos não é satisfazer interesses particulares ou assegurar a coexistência de diferentes concepções do mundo, e sim elaborar coletivamente interpretações comuns da convivência (Habermas, 1996).

Embora a democracia representativa esteja precisando ser corrigida em muitos aspectos, a verdade é que ainda não apareceu nenhum candidato

---

14 Conceito filosófico desenvolvido por Leibniz, segundo o qual o ser humano é caracterizado por todas as suas propriedades mais a forma como elas determinam as suas relações com outros seres humanos. O mundo humano só é possível se for composto por indivíduos que são "compossíveis", ou seja, indivíduos que conseguem existir juntos. (N. do T.)

para substituí-la. Na base do entusiasmo pelas formas alternativas de ação social, o que existe, a meu ver, é uma tentativa de fugir da lógica política, ou seja, da ação plural e do compromisso: o sonho de uma sociedade em que definitivamente foram superadas as limitações da nossa condição política. E esse sonho de deixar para trás a política é partilhado por muitas pessoas, cuja companhia deveria nos parecer suspeita.

A representação é uma relação autorizada, que muitas vezes decepciona e que, sob determinadas condições, pode ser revogada. A representação, porém, não pode nunca ser prescindível, exceto se estivermos dispostos a pagar o preço por despojarmos a comunidade política de coerência e de capacidade de ação. Melhoremos a representação, exijamos melhor prestação de contas, maior controle, renovação dos representantes, toda a transparência que for necessária, mas não procuremos soluções em outro lugar e, sobretudo, com outra lógica que não seja a da política. Isso seria o mesmo que ceder àqueles que pensam que a política não tem remédio, tornar-se involuntariamente aliado daqueles que desejam que a política não tenha remédio.

Na cultura política contemporânea instalou-se certo lugar-comum que entende o aprofundamento em democracia como mais participação direta e um questionamento da representatividade. No fundo, há quem pense na representação como um sucedâneo da democracia direta (Mansbridge, 2003). Da crise política que estamos atravessando não se sai nem com mais participação cidadã nem com menos, e sim melhorando a interação entre ambos os níveis da construção democrática. Há muitos assuntos que têm de ser resolvidos pelo sistema político e para os quais este dispõe de uma confiança cidadã delegada. As funções que os representantes devem exercer não podem ser subcontratadas, nem mesmo no povo. O *outsourcing* (terceirização) populista é uma renúncia às responsabilidades que costuma gerar resultados desastrosos; o razoável é que essa relação seja exercida em termos de exigência de responsabilidade, prestação de contas e justificativas.

Vamos nos esforçar para proporcionar uma capacidade efetiva de controlar, mas não contribuamos para enfraquecer a política questionando a sua natureza representativa. Delegação até onde for inevitável e controle até onde for possível, esse seria o meu conselho. O controle cidadão não é fácil nas atuais condições de complexidade, entretanto deve ser facilitado expressamente para que não se transforme num princípio vazio. Quanto mais se colocar o sistema político nas mãos do cidadão (que numa democracia avançada se realiza mediante o controle parlamentar, da opinião pública, dos organismos de supervisão ou regulação e da sanção eleitoral), mais capaz ele será de deter esse descontentamento que, nos níveis atuais, empobrece a qualidade da nossa democracia. Isso é algo que se realiza por meio das eleições, dos mandatos, das supervisões e das sanções, entre as quais a mais importante politicamente falando é a possibilidade de mandá-los para casa e eleger outros.

Não se trata de estar sempre dizendo aos políticos, como se fossem meros ventríloquos da sociedade, aquilo que eles têm de fazer, do mesmo modo que também eles não têm o direito de determinar qual a opinião que temos deles.

CAPÍTULO 14
QUANTA TRANSPARÊNCIA REQUEREM E SUPORTAM AS NOSSAS DEMOCRACIAS?

Durante os últimos anos, o conceito de transparência teve uma carreira meteórica nas sociedades democráticas. A observação do poder se apresenta como o grande instrumento de controle cidadão e de regeneração democrática. Ora, como qualquer outro princípio político, a transparência tem de ser promovida e equilibrada com outros instrumentos. Convém que o entusiasmo por ela não esconda as dificuldades inerentes ao seu verdadeiro exercício, bem como seus inconvenientes e possíveis efeitos secundários, como o jogo de ocultações que pode promover.

Além de observar, os cidadãos devem dispor de outras capacidades igualmente essenciais para a democracia. Se atendermos a todas as variáveis que intervêm na sociedade democrática, podemos afirmar que a transparência é um valor que deve ser promovido na medida certa. Tão necessária quanto limitada, a democracia requer transparência, mas não a suporta em excesso nem pode instituí-la como princípio único. As democracias oculares se articulam em torno da observação do combate que suas elites travam, e na observação desse espetáculo radica tanto a força do seu controle quanto as limitações da transparência.

a. A sociedade da observação

A "democracia monitorizada" é aquela forma de democracia em que os cidadãos dispõem de múltiplos meios para observar e avaliar seus governos. Essa possibilidade vai desde as tradicionais formas de controle parlamentar e judicial até o crescente papel das agências de regulação ou às redes sociais que asseguram que tudo aquilo que se passa é objeto de observação e debate público. A exigência de transparência tem sua origem naquele princípio iluminista segundo o qual a vida democrática deveria se desenrolar, para utilizar a expressão de Rousseau (1969, p. 970-971), "sob o olhar do público". Desde então, as sociedades evoluíram muito e, embora os problemas que enfrentam e os sistemas de governo tenham se tornado mais complexos, as exigências de publicidade não diminuíram, pelo contrário.

A razão dessa exigência de transparência se encontra na própria evolução da sociedade, em virtude da qual os governantes se tornam mais vulneráveis e dependentes (Rosanvallon, 2008, p. 61). As tecnologias da comunicação e da informação possibilitam uma vigilância democrática que era impensável em outras épocas de assimetria informativa. "Os antigos mecanismos de poder não funcionam numa sociedade em que os cidadãos vivem no mesmo ambiente informativo que aqueles que os governam" (Giddens, 2000, p. 88). Toda a sociedade que se democratiza gera seu próprio espaço público, ou seja, transforma-se num âmbito em que imperam novas lógicas de observação, vigilância, vontade de transparência, debate e controle.

Vivemos naquilo que gosto de chamar de "sociedade da observação" (Innerarity, 2013) e que consiste na irrupção ininterrupta das sociedades na cena política. Os sistemas políticos são cada vez mais, desde o âmbito doméstico até o espaço global, lugares publicamente vigiados. Pensemos, por exemplo, no que se passou com a política internacional, nas transformações que sofreu depois de ter se beneficiado durante muito tempo do favor da ignorância. Os Estados podiam se permitir quase tudo quando pouco se sabia do que faziam. O golpe do Exército soviético em Budapeste, em 1956, teve menos resistência do que aquele que se repetiu doze anos mais tarde, em Praga; nessa época, a televisão já fora instalada nos lares europeus e a imagem dos tanques enviados pelo Pacto de Varsóvia contribuiu para forjar o início de uma opinião pública internacional.

A globalização é também um espaço de atenção pública que reduz sensivelmente as distâncias entre testemunhas e atores, entre responsáveis e espectadores, entre si próprio e os outros. Configuram-se assim novas comunidades transnacionais de protesto e solidariedade. Os novos atores, na medida em que vigiam e denunciam, desestabilizam cada vez mais a capacidade do poder para se impor de forma coercitiva. A humanidade observadora participa diretamente do debate que funda o espaço público mundial e atua em nome de uma legitimidade universal, de modo que nenhum Estado pode se abstrair desse olhar sobre ele.

Como em outras esferas da vida, também na política o fato de sabermos que somos controlados melhora nosso comportamento ou, pelo menos, nos dissuade de cometer aqueles erros que têm sua origem no segredo e na opacidade. Como dizia Bentham (1999), a publicidade garante a probidade e a fidelidade ao interesse geral, ao mesmo tempo que constrói uma "vigilância desconfiada" sobre os governantes. Nossos espaços públicos conhecem muitas expressões daquilo a que se decidiu chamar *naming and shaming*: o poder dissuasório da condenação, a exposição pública, a denúncia e a vergonha, que não é um poder ilimitado, mas em muitas ocasiões disciplina os comportamentos.

b. Os inconvenientes de sermos observados

Gostaria de chamar atenção para os limites da transparência e para um de seus possíveis efeitos secundários. Se acabo de destacar a importância de sermos controlados, agora desejaria apontar para a necessidade de não sermos controlados, ou seja, para o empobrecimento da vida política quando o princípio da transparência se absolutiza e convertemos a democracia numa "política direta", que se esgota numa vigilância constante e imediata. Um dos efeitos decorrentes da vigilância extrema sobre os atores políticos é que os leva a proteger excessivamente suas ações e seus discursos. Um exemplo disso é o fato de muitos políticos, sabendo que seus menores atos e declarações são examinados e difundidos, tenderem a restringir sua comunicação.

A democracia está hoje mais empobrecida pelos discursos que não dizem nada do que pelo ocultamento expresso da informação. Os políticos devem responder à exigência de veracidade, como é óbvio, mas também à de inteligibilidade. E boa parte do descontentamento do cidadão em relação à política deve-se não ao fato de os políticos faltarem à verdade, e sim de não dizerem nada e serem tão previsíveis.

O princípio da transparência não deve ser absolutizado porque a vida política, mesmo que apenas em pequena parte, requer espaços de discrição, como certamente ocorre em muitas profissões, como a dos jornalistas, aos quais reconhecemos o direito de não revelar suas fontes, e sem o qual não poderiam fazer bem seu trabalho. Não deveriam defendê-lo como um privilégio (geralmente as ausências, os silêncios e as coletivas de imprensa sem perguntas são injustificáveis), mas como um espaço de reflexão para fazerem melhor o trabalho que a cidadania tem o direito de esperar de seus representantes.

Não devemos nos deixar seduzir pela ideia de que estamos num mundo de informação disponível, transparente e sem segredos. Porque sem dúvida somos conscientes de que determinadas negociações bem-sucedidas do passado não teriam sido realizadas se tivessem sido transmitidas diretamente. Existe algo que poderíamos denominar de benefícios diplomáticos da intransparência. Claro que o sigilo de muitos procedimentos tradicionais está condenado a desaparecer e quem a partir de agora participar de um processo diplomático tem de estar consciente de que, em algum momento, terão conhecimento de quase tudo.

Entretanto, também é verdade que a exigência por uma transparência total poderia paralisar, em várias ocasiões, a ação pública. Há compromissos que não podem ser alcançados com holofotes e taquígrafos, o que costuma fazer com que os atores radicalizem suas posições e não convertam a política, de uma vez, num lugar de sinceridade.

Um exemplo recente é a exigência apresentada em 2013 pelo movimento italiano 5 Estrelas de que suas negociações com o Partido Democrático para formar governo fossem transmitidas ao vivo. Todos percebemos naquele momento que aquela exigência significava que não ia haver acordo. Não me parece exagerado formular o princípio de que reunião transmitida, reunião pouco deliberativa. É muito provável que as comissões discretas tenham muito mais qualidade deliberativa do que os rituais semanais das sessões de controle parlamentar do governo.

Apesar de certas celebrações apressadas pela iminência de um mundo sem dissimulação nem zonas de sombra, a distinção entre cenários e bastidores continua a ser necessária para a política. Mais, foram os próprios meios de comunicação, com sua pressão de transparência e imediatismo, que estimularam essa política de bastidores que eles mesmos criticam. Haverá sempre um segundo espaço onde poderão ser alinhavados os acordos impossíveis de obter num cenário em constante exposição. Para esse segundo nível também vale o princípio de legitimação popular, é claro, mas a relação entre representantes e representados será aí sobretudo de delegação e prestação de contas mais do que de exposição imediata.

Temos de converter o princípio da transparência numa exigência central da ação de governo numa sociedade democrática, sem perder de vista que, como todos os princípios em política, deve ser equilibrado com outros e deve levar em conta seus possíveis efeitos perversos. À medida que nossos sistemas políticos travam a batalha contra a opacidade injustiçada, percebemos também que esses mesmos mecanismos de controle tendem a transmitir uma desconfiança excessiva e uma visão fundamentalmente negativa da política (Behn, 2001). Alguns dos regimes de transparência e prestação de contas podem prejudicar mais do que reforçar a confiança, na medida em que – ao contrário de suas intenções declaradas – alimentam uma cultura de suspeita que intensifica a desconfiança pública.

Ao mesmo tempo, existe toda uma série de estratégias para produzir a intransparência com a transparência, que Luhmann (1995) explicou com singular sutileza. "Estar sob o olhar do povo pode ser uma estratégia astuta do líder ou dos especialistas em comunicação para diminuir o controle do povo sobre o poder do líder se não forem tomadas algumas precauções que não têm a ver com sua mera aparição pública" (Urbinati, 2014, p. 213). A transparência só será um princípio capaz de melhorar a vida democrática se não for consagrado ao desconhecerem do uso interesseiro que alguns podem fazer dele, bem como de suas potenciais consequências no conjunto da sociedade democrática, da qual fazem parte também outros valores, alguns deles difíceis de compatibilizar com uma transparência absolutizada.

c. Transparência ou publicidade?

A transparência é, sem dúvida, um dos principais valores democráticos, graças à qual a cidadania pode controlar a atividade de seus cargos eleitos, verificar o respeito pelos procedimentos legais, compreender os processos de decisão e confiar nas instituições políticas. Não é de estranhar, portanto, que ela tenha exercido um poder de fascinação que às vezes dificulta a análise de seu significado, a reflexão sobre o conteúdo e seus limites ou efeitos indesejados.

O princípio da transparência possui tal estatuto indiscutível que pode se dar ao luxo de ser nebuloso e impreciso. Não deveríamos considerar a transparência uma norma única da nossa ação sobre a realidade social, mesmo admitindo que provém de um desejo legítimo de democratizar o poder. Além de limites, a transparência pode ter efeitos perversos. Não são poucos os que chamaram atenção para o fato de a internet poder se converter num instrumento de opacidade: o aumento dos dados fornecidos aos cidadãos complica o seu trabalho de vigilância (Fung/Weil, 2007). Como a cidadania pode realizar bem essa tarefa de controle sobre o poder?

Por essa razão, prefiro falar de publicidade e justificação, que são princípios mais exigentes do que o de transparência. Enquanto a transparência pretende uma visibilidade contínua, a publicidade é por definição limitada e delimitada. Talvez o assédio (escraches[15]) a alguns de nossos representantes que leva o protesto legítimo aos espaços privados se explique pelo fato de reinar uma grande confusão com relação à distinção entre o público e o privado; promovemos uma ideia de transparência que parece apontar para uma visibilidade constante sobre as pessoas em vez de para um princípio de publicidade que se limita essencialmente aos atos que têm sentido político e aos espaços de domínio público, permitindo assim âmbitos de intimidade e vida privada, de segredo absoluto.

Por outro lado, enquanto a transparência costuma se contentar com a disponibilização dos dados, a publicidade exige que esses dados sejam configurados como informação inteligível pelos cidadãos. A transparência não pressupõe um acesso real à informação. Já a publicidade significa que a informação é difundida de fato, que é levada em consideração e que participa da formação de pontos de vista. Porque é uma ilusão pensar que basta que os dados sejam públicos para que reine a verdade em política, que os poderes se dispam para que a cidadania compreenda o que realmente se passa. Além do acesso aos dados públicos, existe também a questão do seu significado. Descarregar na internet grandes quantidades de dados e documentos não é suficiente para tornar mais inteligível a ação pública: é preciso interpretá-los, entender as condições nas quais foram produzidos, sem esquecer que geralmente apenas dão conta de uma parte da realidade.

A transparência é condição necessária da publicidade, mas não a garante. Esta é a razão para que possa haver uma potencial disponibilidade

---

15 Tipo de manifestação em que um grupo de ativistas se dirige à residência ou ao local de trabalho de alguém – normalmente um político com cargo executivo ou não – para denunciar algum abuso ou ato pouco ético.

de informação, mas também para que, ao mesmo tempo, haja uma falta de publicidade real, por diversos motivos: porque o trabalho dos mediadores (como as instituições, os meios de comunicação, os sindicatos e os partidos políticos) não funciona ou por limitações de ordem cognitiva (Naurin, 2006, p. 91-92).

É uma ilusão pensar que podemos controlar o espaço público sem instituições que façam intermediação, canalizem e representem a opinião pública e o interesse geral. O que acontece hoje é que o descrédito de algumas dessas mediações nos seduziu com a ideia de que democratizar é desintermediar: alguns – com uma lógica semelhante à utilizada pelos neoliberais para desmontar o espaço público em benefício de um mercado transparente – empenham-se em criticar as democracias imperfeitas a partir do modelo de uma democracia direta, articulada pelos movimentos sociais espontâneos, desde o livre jogo da comunidade on-line até as limitações da democracia representativa. Instalou-se o lugar-comum segundo o qual jornalistas, governos, parlamentos e políticos são prescindíveis, quando aquilo que são, na realidade, é passíveis de melhora.

Estou convencido de que nos enganamos com essa disposição, o que não significa que o trabalho de mediação que tais profissionais realizam seja sempre satisfatório. Na democracia contemporânea, os cidadãos não poderiam ser esclarecidos sobre o que se passa e muito menos impugnar tudo aquilo que lhes pareça merecedor de censura sem a mediação, entre outros, de políticos e jornalistas, aos quais devemos, apesar de seus inúmeros erros, algumas das nossas melhores conquistas democráticas.

As sociedades avançadas reclamam com toda a razão um maior e mais fácil acesso à informação. Porém, a abundância de dados não garante vigilância democrática; para tal é preciso também mobilizar comunidades de intérpretes capazes de lhes fornecer um contexto, um sentido e uma avaliação crítica. Separar o essencial do anedótico, analisar e situar numa perspectiva adequada os dados exige mediadores que disponham de tempo e competências cognitivas.

Os partidos políticos (outra de nossas instituições que necessitam de uma renovação) são um instrumento imprescindível para reduzir essa complexidade. Nesse trabalho de interpretação da realidade são também essenciais os jornalistas, cujo trabalho não será supérfluo na era da internet, muito pelo contrário. Os jornalistas estão destinados a desempenhar um papel importante nessa mediação cognitiva para despertar o interesse das pessoas, instigar o debate público e decifrar a complexidade do mundo (Rosanvallon, 2008, p. 342). Porém, aquilo que estou defendendo é a necessidade cognitiva do sistema político e dos meios de comunicação e não seus representantes, os quais, como todos, também são manifestamente melhoráveis.

d. A vida privada dos políticos

Assistimos a uma erupção crescente dos assuntos privados dos políticos na opinião pública. Isso se deve, em parte, ao fato de que a vigilância do público acaba por trazer à luz certos aspectos da vida daqueles que os representam que estes teriam preferido manter em segredo. No entanto, essa publicitação do íntimo muitas vezes provém dos próprios políticos e seus assessores de comunicação, que comunicam aspectos de sua vida pessoal que consideram benéficos para a sua popularidade e para a disputa eleitoral.

As políticas de transparência e a exposição intencional da própria intimidade têm modificado certas convenções sobre a separação entre o público e o privado, mesmo naqueles países que distinguiam com clareza ambas as esferas. De qualquer modo, essa superexposição da vida privada deixa subentendida uma transformação das lógicas em jogo, o que converte os políticos em vítimas ou beneficiários, dependendo do caso. Entre as causas dessa transformação importa citar a competição crescente entre os meios de comunicação, alguma desideologização e a personalização das campanhas ou o desenvolvimento da internet. São fatores que, sem dúvida, nos ajudam a compreender alguns mecanismos sem os quais não teria sido possível essa mudança no nosso horizonte de atenção coletiva.

Há, porém, razões de tipo mais estrutural que nos indicam que vivemos uma espécie de ampliação e generalização do privado que pesa sobre o espaço público a ponto de desnaturalizá-lo. Essa tendência vai persistir e um dos nossos principais desafios é ver como vamos fazer frente a ela, entre outras coisas a partir de uma nova reflexão sobre as relações entre o privado e o público. Não se trata tanto de proteger o direito à vida privada dos políticos, mas de preservar a integridade do processo democrático.

Um argumento para limitar o tratamento público da vida privada dos políticos poderia vir da proteção de um direito individual, que permite a cada um, incluindo os políticos, impedir que sejam reveladas, observadas ou expostas sem o seu consentimento aquelas atividades que desejem proteger do escrutínio geral. Não é um mau argumento, já que também os governantes têm direito à intimidade, mas é fraco, pois não leva em conta que não estamos falando de quaisquer cidadãos. Competir por cargos públicos é uma escolha livre do candidato, que deveria ser consciente dos fardos a eles inerentes.

Os que combatem pelo poder têm de estar cientes de que não podem reclamar a mesma amplitude do direito à privacidade que um cidadão comum. Um maior poder comporta uma maior responsabilidade e, portanto, menos liberdade de ocultação. Quem exerce o poder político desejaria ser invisível para fazer aquilo que não poderia fazer impunemente em público sem sofrer reprimendas ou censuras (Urbinati, 2013, p. 169).

No entanto, o argumento que se foca na proteção da vida privada daqueles que nos representam ou governam é insuficiente, sobretudo porque não se centra no bem que é preciso preservar. Quando se trata de representantes políticos, quem determina seus direitos e suas peculiares obrigações são as exigências do próprio espaço democrático. Conceder aos políticos um direito à intimidade sem limitações asseguraria a eles um poder excessivo de controle sobre o discurso público, o que rebaixaria a qualidade do debate democrático.

Os políticos têm uma exigência de responsabilidade que relativiza ou diminui seu direito à vida privada. Essa exigência justifica, por exemplo, que sejam tornados públicos certos comportamentos que costumam ser considerados privados (informações sobre a sua saúde física ou mental, que podem ter influência em suas capacidades, sobre a sua situação financeira e inclusive a de membros da sua família que possam dar origem a conflitos de interesses ou qualquer circunstância que possa condicionar seu comportamento público). O princípio de responsabilidade democrática autoriza certo nível de publicitação da vida privada dos políticos, na medida em que essa informação for considerada necessária para avaliar sua capacidade, passada, presente ou futura, de vir a assumir uma função pública.

Ao mesmo tempo, e por razões idênticas (proteger a qualidade e a responsabilidade da vida democrática), há bons motivos para limitar a publicitação da vida privada. O tratamento *people* da informação, que na França chamam de *pipolisation* e, na América do Norte, de *cheap talk*, produz efeitos muito negativos na vida política. Quando as revelações sobre a vida privada dominam todos os outros tipos de informação a qualidade geral do debate público é empobrecida. Há muitos exemplos disso. O caso Clinton--Lewinsky marginalizou o tratamento midiático de outras questões, como as novas propostas políticas sobre a segurança social, o financiamento das campanhas eleitorais e, sobretudo, a justificativa da posição dos Estados Unidos no Iraque e da sua preparação para a intervenção militar.

Não há dúvida de que certos comportamentos sexuais deveriam ser mais publicitados do que são. O assédio sexual não é um assunto privado. Comportamentos que, em princípio, têm um caráter unicamente privado podem se tornar temas de legítima investigação quando violam a lei. Ora, exceto nesses casos concretos, a cobertura excessiva da mídia sobre questões privadas dos políticos distrai nossas práticas de deliberação democrática. Quando se foca a atenção nos detalhes banais da vida privada desenvolvem-se menos capacidades para avaliar os matizes da vida pública. A vida privada dos políticos funciona como uma grande distração em sociedades profundamente despolitizadas.

Por isso, quando um meio de comunicação se questiona se deve ou não revelar um comportamento privado, as perguntas que deveria fazer são: que efeitos isso terá sobre a qualidade da vida democrática? Trata-se de um conhecimento de que os cidadãos devem dispor para avaliar a ação de seus representantes? Se for necessário, qual o nível de publicidade que será proporcional à sua pertinência?

Quando se exige transparência convém não esquecer que os poderosos ou as indústrias da transparência possuem instrumentos para fazer circular aquela informação e imagens que produzem as reações emotivas que lhes são mais favoráveis, ou seja, para provocar a intransparência que lhes for mais conveniente. Levar os políticos ao teatro público não comporta, *ipso fato*, limitar e controlar o seu poder.

O caso de Silvio Berlusconi foi bastante ilustrativo a esse respeito: a visibilidade da vida privada de um líder gera um espetáculo graças ao qual se escondem os aspectos mais propriamente políticos que deveriam estar na agenda pública; ele estava sob o olhar dos meios de comunicação, que se intrometiam na sua vida não para avaliar suas deficiências políticas, mas para satisfazer certa sede de escândalos, o que permitia ignorar aquilo que era de fato importante. Como afirma Michaël Foessel (2008), os políticos nos entretêm com eles mesmos para não terem de falar de nós.

Tornar visível a vida do político pode tornar invisível a vida pública. Dar ao povo um poder ocular não garante que consigamos reparar no mais importante ou naquilo que a sociedade precisa saber. O poder ocular do povo tende a se fixar mais na pessoa do líder do que nas suas políticas. Aquilo que deveria ser objeto de visibilidade pública não é tão interessante para os espectadores quanto outros aspectos; quanto ganha um político, por exemplo, atrai mais a curiosidade do que aquilo que ele realmente faz; há comportamentos pessoais que são mais escandalosos do que as decisões que deveriam ser.

A esse domínio do pessoal está ligada a tendência a assinalar um culpado para visualizar assuntos complexos, e "os políticos" satisfazem essa redução da complexidade; sim, trata-se de algo pessoal, de converter o estrutural em algo que possa ser assumido por uma pessoa. Entre a personalização da liderança e o recurso ao bode expiatório acabamos por perder de vista aquelas estruturas complexas que deveriam ser o objeto da vigilância democrática.

e. Do poder da palavra ao poder do olhar: a democracia ocular

A democracia é o poder dos cidadãos. A questão é como entender esse poder, de que modo deve ser exercido, que modalidades de empoderamento estão em jogo. A apoteose atual da transparência implica entender esse poder cidadão, fundamentalmente, como um poder de visão.

Toda a sociedade estabelece uma regulação das relações de visibilidade. Nas sociedades tradicionais, entre os privilégios do poder está um privilégio de atenção ativa: ver todos sem poder ser visto ou sem ter de ser visto. A emoção de muitas histórias sobre imperadores, papas ou califas, que se disfarçavam para se misturar com o povo a fim de conhecer assim o estado da opinião, não se deve ao fato de haver nelas a tensão típica da espionagem, mas ao fato de que tais pais da pátria não eram conhecidos.

Os grandes dominadores do passado eram reconhecidos por suas armas, coroas, fanfarras, estandartes ou vestimentas de trombetas, mas quase nunca por seu rosto. O rei nunca estava nu. Para a carreira política moderna, pelo contrário, a chave está em dispor de um privilégio de atenção passiva: ser visto por todos sem poder ver ou sem ter de ver. Um emir contemporâneo já não precisa de camuflagem; todas as tardes pode visitar os seus domínios para ser reconhecido, sem o inconveniente de um contato imediato com a população. Tudo isso graças aos meios de comunicação, cuja relevância política consiste fundamentalmente em sua função de atuais distribuidores das relações de visibilidade.

Hoje seria impossível uma historieta sobre o poderoso camuflado entre o povo. O poder está no rosto e, por isso, caíram em desuso as parafernálias que costumavam acompanhar as autoridades, marcas cujo abandono se deve mais à sua inutilidade do que à simplicidade dos que prescindiram delas.

A política moderna inverteu os antigos privilégios. O público a que os políticos se dirigem é anônimo, indefinido. Quem é agora invisível é o público, e porque aqueles que mandam conseguiram conquistar uma posição de visibilidade para outros; não governa quem vê, e sim quem é visto. A competência de ver e não ser visto pertence agora aos governados.

A melhor formulação dessa nova democracia ocular na era do espetáculo pode ser encontrada no livro de Jeffrey Edward Green, *The Eyes of the People* (2010, p. 5), no qual assegura que "a observação, mais do que a decisão, é o ideal crítico do poder do povo". O povo como espectador teria um poder que a elite não tem: o de revelar (*unveiling*) um poder de tipo negativo que impõe uma carga ocular sobre os representantes, o peso de serem observados.

Os espectadores situam-se, assim, numa posição de igual para igual em relação àqueles que são vistos. As massas gozam da invisibilidade onipotente que antes tinham os vigilantes e exercem sobre os representantes a pressão de vê-los o tempo todo. O povo é entendido deste modo como uma unidade impessoal e completamente desinteressada que inspeciona a partir de fora o jogo da política, graças ao princípio da publicidade. A participação é mínima, mas a contemplação é máxima. A massa anônima dos observadores olha, porque, no fundo, não faz parte do jogo senão para eleger os que de fato entram na competição.

Se na democracia representativa a voz, o discurso e a audição eram, respectivamente, o órgão, a função e o sentido colocados em primeiro plano, hoje estão no centro sobretudo o olho, o espelho julgador e a visão. Desse modo, a democracia da rede não se rompeu, antes continua, mas na figura de uma democracia televisiva; não é filha do modelo discursivo da ágora, e sim do modelo videocrático da sociedade dos meios visuais de informação, que substituiu a voz pela visão.

Embora os utilizadores da internet não sejam meramente passivos, pois também interagem, o tipo de interação que realizam é feito segundo o estilo assertivo e apodítico próprio das imagens. O diálogo democrático tem muito pouco a ver com o intercâmbio de declarações via Twitter. Tudo isso pressupõe um declínio da política das ideias e da discursividade (Urbinati, 2014, p. 85). Acabaram-se a mediação e o discurso, atualmente categorias secundárias no império da visão.

A reivindicação de transparência é fundamental para que as pessoas estejam em condições de julgar e controlar, mas pode limitar-se a ser uma gratificação voyeurística de um público que não faz outra coisa senão olhar. Estamos, como bem definiu Bernard Manin (1997, p. 218), numa *audience democracy*,[16] e a política se transformou em algo que a cidadania contempla a partir de fora. Os cidadãos deixaram de ser participantes e tornaram-se espectadores passivos.

O império da visão empobrece o nível do discurso político. O público se sente visualmente atraído por temas ou perspectivas sobre temas que são mais atrativos, o que nem sempre coincide com os verdadeiros assuntos políticos, o cerne das questões, que costumam ficar fora do espetáculo. Uma coisa pode esconder a outra. Desse modo, nem mesmo a função de vigilância democrática pode ser exercida em plenitude, já que a espeta-cularização da vida política nos impede de saber tudo aquilo que não encaixa na categoria da espetacularidade, aquilo que parece pouco atrativo para o cidadão-espectador, o que não impressiona nem é pessoal, que

---

16 No Brasil, os autores traduzem o conceito de Bernard Manin para "democracia de público", embora haja referências também a "democracia de audiência" e "democracia de plateia". (N. do E.)

não provoca raiva ou inveja ou indignação, tudo o que é normal, banal, estrutural ou complexo.

Estar "sob o olhar do povo", como exigia Rousseau, pode conduzir a uma "política da passividade" (Urbinati, 2014, p. 171), a uma teatralização na qual existe mais entretenimento do que controle, mais *polititaintment* (política de entretenimento) do que análise política. Para que as opiniões sejam públicas, não basta que estejam publicamente expostas; é necessário que pertençam às "coisas públicas", à *res publica*, e o juízo sobre essa pertinência é algo que os cidadãos realizam livremente quando participam da formação da sua vontade e da sua maneira de pensar como cidadãos, não como meros observadores (Sartori, 1987, p. 87).

Para forjar uma vontade política não basta olhar; também é preciso participar, falar, protestar. Numa democracia ocular, o povo pode sentir menos pressão em participar ou decidir como soberano justamente porque está sempre ocupado supervisionando os seus representantes. A eles basta o espetáculo, exercer essa soberania negativa que limita o poder de seus representantes. A transparência se revelaria assim como uma estratégia de regeneração que não está à altura do que promete e inclusive, em certas ocasiões, como uma verdadeira distração democrática.

CAPÍTULO 15
A IMPORTÂNCIA E OS LIMITES DE MORALIZAR A POLÍTICA

Quando a política naufraga, seja por inépcia dos representantes ou pela dificuldade dos assuntos com que é preciso lidar (deixemos de lado por enquanto a explicação sobre qual peso cada um desses fatores tem), o apelo à ética é um recurso tão compreensível quanto insuficiente (Longás/Peña, 2014). Os decepcionados com a política depositam todas as suas esperanças na ética, da qual aguardam a solução de problemas que só podem ser resolvidos politicamente. Essa maneira de ver as coisas está ligada ao fato de a palavra política ter hoje certas conotações negativas: sugere falácia, corrupção, dogmatismo e ineficiência. Dizer que um assunto se politizou significa, na linguagem corrente, que se desvirtuou de sua verdadeira natureza.

Ao mesmo tempo, podemos constatar que a atual teoria política está repleta de pontos de vista de tipo normativo e que há poucos trabalhos que procurem analisar a natureza do ofício, suas condições e seus limites. É muito significativo que um dos grandes tratados da filosofia política contemporânea seja *A Theory of Justice*, de Rawls (1971), um livro sobre a legitimação, ou seja, com um foco primordialmente moral da política, mais normativo do que explicativo.

Não é de estranhar, portanto, que a relação dos cidadãos com a política seja de enorme perplexidade, pois os filósofos que deveriam torná-la compreensível – e criticá-la uma vez que fosse compreendida – dedicam-se quase exclusivamente a discutir sobre suas limitações éticas, decisões justas ou a legitimidade jurídica, prestando pouca atenção no que significa a nossa condição política, em que ela consiste, quem a pratica, sob que condições e limites. Parece que a práxis política não tem dignidade suficiente para os teóricos, que a reduzem a uma soma de moral e direito. Que as expectativas das pessoas em relação à política estejam descontroladas e reduzidas ao mínimo não é estranho, sobretudo se além disso a política realmente existente deixa muito a desejar.

Esse é o contexto no qual, a meu ver, devemos pensar hoje as relações entre a ética e a política. Estamos num momento em que maiores exigências aos limites éticos da ação política coincidem com sua maior debilidade. Pensar um *ethos* da política não é confundir a visão moral do mundo e as exigências da ação política. A questão é como formular os deveres éticos da política sem cair no erro de pensar que com isso já conseguimos garantir uma boa política. A defesa de uma ética pública deve ser feita sabendo que assim estamos traçando certos limites que não asseguram quase nada, sem nos deixarmos distrair por aqueles que utilizam ideologicamente o recurso à moral mas, sobretudo, sem pensarmos que desse modo salvamos a política de sua endêmica debilidade, que é aquilo que mais nos deveria preocupar.

a. A hora da ética pública

As relações entre ética e política são um tema de viva discussão cotidiana, agora mais do que nunca. Coincidiram no tempo diversas circunstâncias cujo resultado é demolidor para as nossas práticas habituais e que vai nos obrigar a elevar bastante os critérios daquilo que julgamos aceitável em política do ponto de vista ético. Essa situação poderia ser sintetizada como o resultado de três crises: econômica, política e ideológica.

Em primeiro lugar, a crise econômica acentuou nossa sensibilidade com relação à corrupção. Há condutas políticas que são inadequadas estejamos ou não em crise econômica. A crise não converteu o bom em mau, não inventou a corrupção; o que fez foi modificar nossa percepção das coisas públicas, aumentar o efeito, sobre nós, dos eventos negativos. Condutas que passavam despercebidas ou que eram até toleradas em épocas de bonança, em meio à austeridade e às consequências sociais da crise econômica, tornaram-se inaceitáveis.

A isso somou-se uma crise política que vem de longe e que incide na avaliação que os cidadãos fazem de tudo aquilo que acontece no espaço público. As instituições políticas acusam atualmente um desgaste que é produzido por causa da defasagem entre as crescentes exigências cidadãs e o estilo ainda hierárquico da política. Os cidadãos querem e podem controlar e, quando isso não é possível por causa da complexidade dos assuntos, não estão dispostos a concordar que a sua delegação se estenda ilimitadamente ou sem a correspondente prestação de contas. A sociedade se horizontalizou, dispomos de maiores competências, e isso nos permite avaliar e julgar quando em outro momento teríamos tido uma atitude mais passiva ou resignada em relação àquilo que acontece no espaço público.

Tudo isso se complica com uma crise ideológica de avaliação diversa. Já há algum tempo fala-se do fim das ideologias, e surgiram interpretações muito interessadas nesse esgotamento. O que pretendo dizer com isso é que a capacidade dos atores políticos foi enfraquecida para se instrumentalizar as ideologias, ou seja, para que elas servissem como desculpas que justificam qualquer comportamento. A sociedade não diluiu completamente as suas diferenças; continuam a existir esquerda e direita, bem como diversas identidades nacionais. O que aconteceu foi que essas construções ideológicas servem cada vez menos para esconder outras coisas.

Que efeitos tem essa tripla crise na política? Poderíamos sintetizá-los, por sua vez, em três consequências: a política se personalizou na mesma medida em que se desideologizou; os procedimentos se estabeleceram como assunto político central; e exige-se com mais intensidade grandes acordos políticos.

A personalização da política está bastante ligada à diluição dos perfis ideológicos. As características daqueles que fazem política passaram a surgir no primeiro plano do cenário. Nós nos fixamos menos no que dizem do que em saber se esse discurso tem correspondência com o que fazem e, sobretudo, com o que são. Nossas preferências políticas configuram-se cada vez mais em função de características como a exemplaridade, a honestidade, a competência ou a confiança que suscitam, ao mesmo tempo que as licenciosidades caíram em profundo descrédito. É claro que a referência ideológica continua a ser importante, mas não assegura nada pertencer à família social-democrata ou à conservadora, nem a folha de serviços à própria nação, e o eleitorado fixa-se cada vez mais nas características do representante do que nos princípios representados.

Uma consequência inevitável disso que acabo de dizer é o fato de valorizarmos mais os procedimentos do que os resultados. O debate público tem se centrado ultimamente em questões sobre o modo como são tomadas as decisões políticas e a sua qualidade democrática: transparência, informação, participação, prestação de contas, controle cidadão e independência dos reguladores são agora a substância da vida política.

Não deixa de ser curioso o fato de, num horizonte desideologizado, os atores políticos sentirem grande dificuldade para chegar a um acordo, ao mesmo tempo que exercem políticas muito parecidas. Em meio a uma crise grave, essa incapacidade não é compreendida pelos cidadãos, que exigem grandes acordos. A vida política passou a ser regida por uma lógica do curto prazo e uma tática que visam absorver a atenção pública e acabam por entediar os cidadãos. O principal problema dessa maneira de proceder é que nos impede de abordar certos assuntos que requerem ou uma perspectiva de longo prazo ou acordos mais amplos do que os meramente necessários para conseguir uma minoria suficiente. As pessoas começam a perceber que isso não é bom, muito menos numa situação de profunda crise que exige mudanças de alguma envergadura.

Nesse contexto, o eleitorado pode castigar mais a oposição excessiva do que a sua debilidade. Os acordos são desejados e valorizados. Ou, pelo menos, importa constatar que as pessoas não entendem os desacordos que não têm uma boa razão por trás, outra que não seja apenas a necessidade de sobressair na disputa eleitoral.

A essa tripla crise, com uma tripla consequência, corresponde também um triplo cenário de soluções: a consciência privada, a judicialização da política e a ética pública.

Supomos naqueles que se dedicam à política uma consciência moral e respeitamos a opinião deles, mas também somos conscientes de seus limites quando se trata de julgar comportamentos públicos. Que a consciência do interessado não sinta nenhum peso não é um dado irrefutável que resolva qualquer discussão ulterior. Vivemos numa sociedade que se caracteriza por uma tolerância maior em relação à consciência pessoal, à variedade de estilos de vida e de gostos particulares, mas isso não significa que a consciência nos exonere da obrigação de justificar certas condutas pessoais que afetam decisões com significado público. Uma pessoa pode ter a consciência muito tranquila e ser um tipo inapresentável ou, pelo menos, alguém que não deveria nos representar.

A segunda consequência é a judicialização da política, que surge como uma tábua de salvação para os fracassos da política, seja em relação aos fins a que se propõe, seja na impugnação dos meios imorais (Rosanvallon, 2006). A política se lança com frequência aos tribunais. O recurso aos tribunais é um direito e, em certas ocasiões, uma obrigação, mas tem suas limitações. Seu abuso é, sem dúvida, um sintoma que convém ser analisado. Põe em evidência uma escassa capacidade da política para articular certas reivindicações e a inexistência de canais propriamente políticos para articular as exigências de responsabilidade; mas também revela uma falta de competência dos agentes políticos que tentam ganhar no terreno judicial aquilo que não foram capazes de obter no plano político.

Os limites da judicialização da política consistem naquilo que os tribunais determinam como censurável, mas o poder judiciário não está indicado para julgar a competência política. Num contexto de decisões públicas, que afetam outros e que podem e devem ser julgadas por esses outros, assim como a tranquilidade de consciência não assegura que alguém tenha atuado bem, o fato de um tribunal desestimar uma imputação não quer dizer que esteja avaliando a correção política das suas decisões.

A ética pública se apresenta, por fim, como um espaço que deve ser configurado entre o direito e a moral pessoal. Nossas legítimas exigências democráticas excedem a consciência privada e são mais amplas do que atuar dentro das margens do juridicamente irrepreensível. Chamamos ética pública ao conjunto de critérios, práticas e instituições que regulam o espaço delimitado pela consciência privada e o direito penal. Não pode haver, digamos assim, um vazio entre a consciência pessoal e os tribunais, uma zona cega do sistema político, uma caixa-preta ou uma terra de ninguém, entre o penalmente sancionável e o âmbito privado da consciência.

Há coisas que não são delito nem estão certas, e que também não são politicamente aceitáveis. De um representante público pode ser exigido mais do que é cobrado de outra pessoa, do mesmo modo que os processos de tomada de decisão no setor público têm alguns requisitos diferentes daqueles que imperam no setor privado. Essa ideia deve ser complementada com uma reserva lógica: a ética também não é uma solução política; está mais ligada aos seus limites, mas não a substitui. A ética por si só não garante a boa política; o eticamente correto não equivale ao politicamente competente, embora o segundo exija o primeiro.

Talvez fosse desnecessário lembrar, embora nunca seja demais quando abundam soluções morais para os problemas políticos e quando há quem se dedique a encher tudo de princípios. Um governo eticamente irrepreensível não é por consequência um bom governo, ainda que não possa haver um bom governo se não se respeitarem alguns preceitos éticos mínimos. As comissões e os códigos éticos tentam assegurar esses preceitos mínimos, nada menos, nada mais.

b. Cuidado com os valores

Alguém disse uma vez que quando um professor de Oxford se referia à decadência do Ocidente, na realidade estava pensando na péssima qualidade do serviço doméstico. A queixa moral aponta para uma situação geral de perda de valores, consumismo, desorientação, falta de solidariedade, hedonismo, deslealdade, tradições que se abandonam... Por todos os lados parecem quebrar-se estruturas, consensos e autoridades. As classes sociais se esvaem e a sociedade perde coesão, as empresas se volatilizam em novelos virtuais, o poder do Estado enfraquece, os eleitores não são muito de fiar...

Ora, o público que ouve com agrado os diagnósticos sobre a crise de valores costuma sofrer uma carência de consciência histórica. Uma opinião bastante difundida tende a supor que vivemos num tempo de questionamento e crise. Nosso presente seria algo como um momento crítico, entre o "já não" e o "ainda não". Deixamos de acreditar nas grandes representações do passado, mas ainda não conseguimos substituí-las por outras. O presente seria uma espécie de terra de ninguém entre as certezas tranquilizadoras do passado e aquelas que só podemos esperar do futuro. Na minha opinião, essa análise é ilusória; responde a uma ilusão que, por certo, não é uma invenção nossa, mas antes, provavelmente, uma característica mais ou menos comum a todos os tipos de momento presente.

A verdade é que já há algum tempo os principais partidos das sociedades democráticas, sejam conservadoras ou progressistas, parecem tentados a voltar a conceder um lugar central à defesa dos "valores morais". Esse apelo teve um papel determinante na reeleição de George W. Bush em novembro de 2004, mesmo assim, não se trata de uma peculiaridade norte-americana, pois faz tempo que os valores morais ocupam também um lugar central nas campanhas eleitorais europeias. Esse fenômeno de "moralização" da vida pública pode ser observado em manifestações muito diferentes. As pastorais dos bispos se inclinam para uma cruzada contra um suposto relativismo moral e oferecem orientações que, em sua literalidade, não refletem mais do que lugares-comuns e que, em seu contexto, funcionam como indicadores de exclusão.

Por outro lado, a crescente judicialização da política não tem origem na garantia de direitos e liberdades, mas na proteção de certos valores que são entendidos de um modo que tende a fragilizar esses direitos e liberdades. Também o falho Tratado Constitucional da União Europeia apelava aos valores comuns, estimulando em torno deles a aprovação tanto de seus partidários quanto de seus detratores. Com isso, pretendia-se dar à Europa uma espécie de identidade sentimental que ia além dos interesses econômicos e das abstrações jurídico-políticas. Deve ter parecido mais afetivo do que a linguagem fria dos direitos e dos princípios, mais fácil de compreender e suscetível de gerar adesão. No entanto, essa ênfase nos ideais e nos valores acima das regras e dos direitos não deixa de ser significativa.

Desde então, aquilo a que nesses debates é chamado "valores morais" costumam ser aqueles concebidos tradicionalmente pelos conservadores e levam em conta o modo como eles os concebem (família, pátria, vida, segurança, mérito, ordem, autoridade), mas não outros, que estão sobretudo no campo contrário e que não parecem menos importantes, como serviço público, universalidade, livre consentimento, responsabilidade ou solidariedade.

Provavelmente, o fato de a agenda pública do debate sobre os valores se centrar mais nos primeiros do que nos segundos é uma concessão intelectual dos progressistas aos conservadores, uma das mais flagrantes, embora não seja nem a primeira nem a única. Enquanto não revirem essa e outras concessões, o espaço da discussão política permanecerá disseminado desse tipo de vantagens e desigualdades em matéria de reputação que em grande medida dificultam um confronto equilibrado. Porque, reformulando uma frase que já se tornou quase um chavão, alguns tentam obter por intermédio da moral aquilo que os cidadãos não quiseram reconhecer por meio da política.

Haverá quem veja neste apelo generalizado apenas um exercício de oportunismo e, nesse caso, se essa interpretação fosse a correta, não teríamos muitos motivos para nos preocupar. Porém, torna-se necessário perguntar se com isso não se estará pondo em evidência algo mais ideológico e inquietante para as democracias. É que o discurso dos valores pode muito bem ser uma forma de colocar em risco a prioridade que deve ser dada, numa sociedade democrática, às ideias de direitos, consentimentos, garantias e liberdades individuais. Quando há uma cultura política fraca, o apelo aos valores em geral, mesmo que aparentemente tenha como objetivo aprofundar direitos e liberdades, acaba resultando o oposto: contestando os direitos e fragilizando as liberdades individuais.

Tal como acontece com o fenômeno da judicialização, a linguagem dos valores é utilizada para reduzir o espaço da política, não para aprofundar os direitos, ou seja, serve sobretudo para colocá-los em risco, como é o caso, por exemplo, da defesa da família, do trabalho ou da segurança. No meio disso, omite-se a existência de um debate sobre o "valor dos valores" e inclusive um uso expressamente ideológico da linguagem moral quanto à lógica dos direitos e deveres.

Se é preciso ter cuidado com os valores não é porque eles não existam, e sim porque existem em excesso, quase sempre em competição e necessitando de concretização e de equilíbrio. Na historieta maliciosa que contei no início, o professor de Oxford estava pensando em outra coisa quando falava de crise de valores; nossos atuais orientadores em matéria de moral, por sua vez, estão pensando em como eliminar algum direito ou em como introduzir um ponto de vista particular e discutível como se fosse uma verdade evidente.

c. A debilidade da política

Um dos inconvenientes do desmantelamento dos serviços públicos, da desregulação neoliberal ou dos escândalos que decorrem dos casos de corrupção é que nos faz esquecer o verdadeiro problema da política, o mais habitual, aquele que não se explica comodamente com a conduta inapropriada de alguns, mas que tem, isso sim, um caráter estrutural: a sua debilidade, a impotência pública quando se trata de organizar nossas sociedades de maneira equilibrada e justa. Descobrir os culpados é uma ocupação necessária, mas costuma dificultar os diagnósticos, porque tendemos a pensar que o problema já foi resolvido pela polícia e pelos juízes. Se podemos ter a certeza de algo é que uma política em que não há corrupção não significa, necessariamente, que seja uma boa política.

Se enxergarmos os fatos com mais atenção encontraremos um problema ainda mais grave: a erosão da capacidade dos países democráticos para construir um poder público legítimo e eficaz. Temos os casos extremos dos

ALGUNS LUGARES-COMUNS   237

"Estados falidos", dos "Estados cativos" pelos cartéis de drogas e pelo terrorismo, dos Estados aparentemente fortes como a Rússia, cuja soberania está submetida à chantagem econômica, ou dos países onde ocorreu a chamada Primavera Árabe, que sentem enorme dificuldade em transformar a mobilização democrática em construção institucional.

Mas a situação não é menos dramática em países de longa tradição democrática, nos quais a intervenção dos Estados para governar os mercados enfrenta inúmeras dificuldades que põem em xeque a sua autoridade: a evasão fiscal; o peso asfixiante da dívida; os efeitos deslegitimadores da austeridade pública; a dificuldade de relançar a atividade econômica a partir da intervenção pública; o Estado que perde saber técnico e competência; os problemas de governabilidade; a incapacidade de regular, uma administração desencantada e carente de visão; o Estado-providência à defesa ou em plena retirada; o serviço público pervertido pelos critérios da gestão... Todos esses constrangimentos não são mais do que manifestações da dificuldade do Estado quando precisa formular, representar e construir o interesse geral.

Essa debilidade da política é explicada por uma série de causas que poderiam ser agrupadas em três fatores. Em primeiro lugar, os poderes públicos perderam sua tradicional referência a uma determinada territorialidade e esse espaço deixou de estar ao seu alcance, por dentro ou por fora, em virtude das dinâmicas da globalização e das fragmentações internas. Em segundo lugar, o Estado perdeu sua capacidade de síntese diante de uma vida política que tende a se radicalizar, de que são agora um exemplo eloquente as dificuldades de Barack Obama para superar a polarização nos Estados Unidos ou os problemas de governabilidade na Itália. Por fim, a legitimidade do Estado é posta em risco quando a especificidade da ação pública é medida com os critérios da eficácia dos atores privados, dos quais agora nem a Universidade parece se livrar. Assim, o Estado deixou de ser um lugar de unificação entre um território, uma comunidade, uma legitimidade e uma administração.

Peço desculpas por responder à pergunta relativa a um problema de difícil solução – o combate contra a corrupção política – com outro problema de solução quase impossível, mas isso é o que no fundo mais deveria nos preocupar: o enfraquecimento da política.

Deveríamos refletir seriamente sobre as possibilidades da política a fim de produzir inovações sociais. Mais preocupante do que a corrupção é o fato de a política ter começado a assistir à diminuição substancial de seu espaço de configuração, isto em comparação com as expectativas que nela depositaram as sociedades democráticas. Esse enfraquecimento torna-se mais evidente quando é colocado em contraste com o dinamismo de outros sistemas sociais, como a economia ou a cultura, cuja regulação corresponde precisamente ao sistema político. Em nossas sociedades, uma inovação acelerada nos âmbitos das finanças, da tecnologia, da ciência e da cultura convive com uma política lenta e marginalizada.

A preocupação por esse retrocesso deveria estar na origem de uma nova reflexão sobre aquilo que podemos e devemos esperar dela hoje. É que já há algum tempo que as inovações sociais deixaram de ter origem nas instâncias políticas e passaram a se desenrolar em outros espaços sociais. A política, em sua crônica incapacidade para entender as mudanças sociais e antecipar cenários futuros, deixou de conceber e limita-se agora, no melhor dos casos, a observar.

Por isso, o saneamento da corrupção ou a predicação de honestidade são insuficientes. Aquilo que põe em risco a política não é (apenas) a imoralidade, e sim a má política. Mesmo assim, há quem pense que a ética política se esgota na capacidade de impedir os políticos de cometerem crimes. O que chamamos corrupção não é mais do que um gênero de delitos exercidos por uma personagem pública; não cometê-los não garante que se esteja à altura de uma verdadeira cultura política. A atual perda de credibilidade dos políticos deve-se menos à corrupção que atenta contra as regras da moral privada do que aos procedimentos políticos arcaicos em cenários que dependem de tarefas históricas novas. O problema não é a carência de virtudes, mas o saber escasso, a pobreza de iniciativa e de imaginação, a indecisão e a rotina, a falta de consciência das novas responsabilidades que as mudanças sociais e políticas acarretam consigo.

A moral que deve reger a esfera pública não pode ser deduzida a partir das experiências privadas que se adquirem no que poderíamos chamar de moral de proximidade, em contextos de imediatismo, curto prazo e inclusão das consequências da ação. Os critérios para medir a responsabilidade da arte do possível mudaram de maneira substancial nas últimas décadas. Não foram apenas as exigências morais na configuração da vida social – na linha das novas sensibilidades aos direitos humanos ou ao respeito pelas minorias – que aumentaram; também cresceram as expectativas em relação à ação política no que se refere às consequências das decisões adotadas. Com a ampliação do horizonte das responsabilidades no que toca ao que é objetivamente possível numa sociedade, ao que pode ser obtido ou perdido por desatenção ou indiferença, a política ganhou uma nova dimensão moral específica.

Nas sociedades modernas, o sistema político só pode ser controlado por critérios políticos. Seja como for, o controle moral externo é circunstancial. Isso não significa abrir um espaço de indiferença, e sim de jogo, e as regras do jogo não são nunca uma brincadeira, como muito bem sabe todo o bom jogador. Evidentemente, isso nos apresenta a uma imagem da sociedade mais complexa do que aquilo que o moralismo simplificador desejaria. É o próprio sistema político – e outro tanto ocorre com os outros sistemas – que regula em que medida e de que forma a moral pode ser relevante. Isso é mais exigente do que o controle extrínseco e pontual, corretivo, penal, que acaba por classificar tudo o que não é proibido nem moralmente irrelevante. Que o sistema político não seja governado a partir de fora quer dizer que sua vitalidade aumenta na mesma medida em que cresce a complexidade dos seus próprios significados morais.

É compreensível que a tendência a moralizar atinja níveis explosivos nos casos de corrupção, porque cria a sensação de que todo o resto vale o mesmo, porque simplifica amavelmente as coisas e nos concede a oportunidade de nos colocarmos do lado dos bons. Como indicou Luhmann (2008, p. 270), essa simplicidade só era possível sob as condições do *holy watching* dos vizinhos, nas culturas de bairro e de aldeia. Com a ampliação do mundo cresceram as responsabilidades, mas também o indivíduo pôde respirar de alívio ao comprovar que hoje ninguém que se mobilize a favor da moral pode pretender representar a sociedade.

As propostas de regeneração da vida democrática não precisam tanto de iniciativas legislativas ou de reformas da administração quanto de recuperar uma visão estratégica de longo prazo. Não estamos numa fase de promessas eleitorais, mas de grandes projetos que resultem de um amplo debate social. Nunca, como agora, no meio do atual desconcerto, foi tão necessária a reflexão política, se é que ainda almejamos superar a ditadura do instante e impedir que a política resvale para uma satisfação (no melhor dos casos) do imediato.

CAPÍTULO 16

O QUE RESTA DA ESQUERDA E DA DIREITA

Ao longo do século passado nos dedicamos a anunciar a morte de quase tudo: desfilaram pelo velório intelectual realidades tão díspares quanto as ideologias, Deus, o sujeito, as nações, o progresso, a própria história... Entre essas realidades estavam a esquerda e a direita. Muitas das coisas dadas por mortas estavam simplesmente aguardando uma oportunidade para reaparecer e delas se pode dizer aquilo que George Bernard Shaw disse numa breve carta enviada para o jornal que anunciava seu falecimento: "A notícia da minha morte é um pouco exagerada."[17]

Que resta hoje da esquerda e da direita? Já desapareceu, seguramente, a rude contraposição entre o Estado e o mercado, mas outras distinções mais sutis ainda estão vivas. Continua a haver diferentes culturas políticas e certo estilo nas suas respectivas disposições para com a realidade, que aparecem como atitudes consolidadas. É a persistência dessas diferenças que nos permite continuar a utilizar a terminologia de esquerda e direita como uma orientação útil, desde que se tomem as devidas precauções, sobretudo a consciência de que se trata de uma distinção que terá de conviver com outros eixos de identificação – como o nacional ou o que põe em confronto as elites e o povo –, com frentes menos nítidas e em realidades cada vez mais híbridas.

Se essa hipótese se confirmar, então será necessário tirar algumas conclusões no que diz respeito ao modo como uma e outra deverão organizar seu antagonismo e a maneira de conceber as tarefas do governo e da oposição.

---

17   Na verdade, a frase é de Mark Twain, e não de George Bernard Shaw. Em resposta a uma notícia do *New York Journal* informando sobre a morte de Samuel Langhorne Clemens (Mark Twain), o autor de *Tom Sawyer* escreveu um texto, publicado no mesmo jornal em 2 de junho de 1897, corrigindo aquela informação falsa (ao que parece, quem estava realmente doente e às portas da morte, em Londres, era um primo de Mark Twain, que se chamava James Ross Clemens). A nota de Twain incluía a frase supracitada ("The report of my death was an exaggeration"), uma de suas citações mais conhecidas e difundidas na internet. (N. do T.)

a. A realidade é de direita?

A não ser que se trate de um fanático acabado, ninguém terá dificuldade em reconhecer que as ideologias políticas não são absolutas, deixam de fora alguns aspectos e valores relevantes, nos quais prestam menos atenção do que naqueles que os consideram mais importantes. A esquerda e a direita articulam de diferentes maneiras os diversos valores que a política coloca em jogo, mas nem os monopolizam nem em nenhum deles há algum valor que esteja ausente; definem-se por suas prioridades e ênfases, não porque se desinteressem absolutamente por aqueles valores que não são centrais à sua própria tradição. Muitos anos de confronto democrático – ou seja, de antagonismos e acordos – foram configurando um espaço ideológico muito mais híbrido e promíscuo do que aquilo que desejariam provavelmente os guardiões das essências.

Um bom exemplo são os compromissos que permitiram o estabelecimento do Estado-providência no pós-guerra ou as tentativas de procurar combinações mais transversais, como a de um socialismo liberal ou um conservadorismo social, por exemplo, ou as mil formas que o chamado centro político tem assumido. Também as versões mais extremas da esquerda e da direita representam opções nas quais um valor é pretendido em sua integridade, suponhamos que a igualdade ou a liberdade; também aí podemos encontrar aspirações admiráveis, mas notamos que qualquer posição política é irremediavelmente incompleta.

As ideologias políticas, por mais próximas que sejam de nós, implicam sempre um rompimento. Só os fanáticos deixam de sentir certa inveja dos seus adversários, no próprio campo ou no alheio, porque representam melhor certo valor em que somos obrigados a prestar menos atenção, mas que também não pode ser considerado irrelevante.

O que tudo isso revela é que as divisões políticas são inevitáveis, mas que delas resultam sempre posições incompletas. Por isso dialogamos entre nós, não apenas para negociar, mas também para sanar nossa própria ferida e enriquecer uma posição ideológica que deve a sua capacidade de orientação e mobilização a certa seletividade. O que é que a esquerda e a direita desvalorizam, o que é que as torna necessárias e incompletas? Costuma-se dizer que para a esquerda é a igualdade, e para a direita, a liberdade, porém eu acho que se trata de uma forma diferente de estabelecer uma relação com a realidade e com o possível. Formulo assim para depois propor uma reorientação.

Muitas vezes a esquerda é censurada por ter cedido precipitadamente ao realismo e renunciado à utopia, mas acho que seus problemas começaram com algo que é anterior e que tem tido graves consequências para a política em geral. Na origem da sua falta de vigor está a anuência com uma distribuição do território segundo a qual à direita competiria gerir a realidade e a eficiência, enquanto a esquerda poderia desfrutar do monopólio da irrealidade, o que lhe permitiria se movimentar, sem concorrência, entre os valores, as utopias e as ilusões.

É essa cômoda delimitação do território que está na origem de uma crise geral da política: com o aceite da ruptura entre o princípio do prazer e o princípio da realidade, entre a objetividade e as possibilidades, a direita pôde se dedicar irrefletidamente a modernizar, sem medo de a esquerda conseguir incomodá-la com seu utopismo genérico e desorganizado. A direita pode se dar o luxo de ter algumas dificuldades com os valores enquanto a esquerda continuar a ter com relação ao poder. Essa divisão seduz pouco os eleitores, e é provável que eles desejariam poder escolher de outra maneira.

Visto isso, o realismo político equivale hoje a constatar a impotência quando se trata de configurar o espaço social. Ora, e se no fundo a política não passasse de uma discussão sobre aquilo que se entende por "realidade"? Talvez a questão política fundamental não seja tanto a dos ideais e dos imaginários, mas sobretudo a ideia que se faz do real. É que, se isso é assim, o melhor a fazer com relação a uma concepção conservadora da política é combatê-la no terreno da realidade, discutir seu conceito da realidade. Seria a única forma de não repetir o velho erro da esquerda de jogar num campo no qual é inevitável que a direita tenha um melhor desempenho.

À direita não se deve contrapor uma fantasia, e sim uma melhor descrição da realidade. Porque a realidade não se refere apenas ao meramente factual, mas também a um conjunto de possibilidades de ação que ganham luz dependendo da perspectiva com que se olha para elas. Não se vence a batalha com apelos genéricos para outro mundo, e sim lutando para descrever a realidade de outra maneira. A esquerda não consegue ser atrativa quando se coloca numa posição aparentemente incompatível com a realidade como tal, somente quando é capaz de nos convencer de que a direita faz uma descrição ruim da realidade.

Seria catastrófico dar por perdida a definição do campo de jogo, aceitando uma das duas possibilidades que lhe são oferecidas: competir na batalha para conseguir gerir melhor essa realidade (aceitando como inevitável a lógica neoliberal e limitando-se a suavizá-la) ou combater a direita a partir de uma posição de moralismo defensivo (como pretende a versão do socialismo que só sabe se renovar parasitando os movimentos sociais alternativos).

Por isso a esquerda do século XXI deve ter cuidado em se distinguir do altermundialismo – o que não significa que não haja problemas graves para os quais é preciso procurar uma solução fora do catálogo do atualmente disponível –, sem ceder à ladainha que serve apenas para deplorar a perda de influência sobre o curso geral do mundo. Em vez de proclamar que "outro mundo é possível", mais vale imaginar outras maneiras de conceber e atuar sobre o mundo em que vivemos. A ideia de que não se pode fazer nada com relação à globalização é uma desculpa da preguiça política. O que não se pode é atuar como antes. A social-democracia não se livrará desse pessimismo que a atormenta enquanto não se esforçar para aproveitar as possibilidades que a globalização oferece e orientar a mudança social num sentido mais justo e igualitário.

O que está em jogo hoje não é só uma alternância democrática, mas também a própria concepção da política. Em seu estudo aprofundado sobre a história do Partido Socialista francês, Alain Bergounioux e Gérard Grunberg (2005) sintetizaram essa aporia numa dupla dificuldade que persegue os socialistas franceses: a recusa de fazer uma revisão ideológica e a sua má relação com o poder. Esta é a questão fundamental: saber se a esquerda está em condições de entender a política como uma atividade inteligente, renovando seus conceitos e suas práticas de poder; mais do que isso, se é capaz de competir com a direita no terreno do "realismo", mostrando não tanto que dispõe de valores melhores, e sim que possui uma explicação melhor da realidade.

O outro motivo pelo qual a esquerda apresenta agora um aspecto pessimista é sua concepção unicamente negativa da globalização, que a impede de compreender seus lados positivos — tanto com relação à redistribuição da riqueza quanto ao surgimento de novos atores e à mudança de regras do jogo nas relações de poder. Ao se concentrar apenas nas desregulações associadas à globalização, a esquerda corre o risco de aparecer como uma

244 A POLÍTICA EM TEMPOS DE INDIGNAÇÃO

força que protege alguns privilegiados e rejeita o desenvolvimento de outros. É verdade que a dinâmica geral do mundo nunca tinha sido tão poderosa, mas também nunca foi tão promissora para muitos quanto agora. E essas oportunidades também fazem parte de uma realidade que ainda não consegue se descrever muito bem.

b. O mercado, uma invenção da esquerda

Da mesma forma que a realidade – sua descrição e sua gestão – não é indiscutivelmente um patrimônio da direita, também a esquerda não deveria entregar de mão beijada a ideia do mercado à direita, como se desconhecesse a própria tradição. E se o liberalismo fosse, como alguns (Giavazzi/ Alesina, 2006) recordaram, uma ideologia de esquerda? Minha proposta é considerar que o confronto entre a esquerda e a direita já não contrapõe, agora, os partidários do Estado contra os do mercado, e sim aqueles que têm mais a perder com o fracasso do mercado em comparação com os que conseguem sobreviver melhor quando os mercados não asseguram a igualdade (porque têm mais recursos ou porque se beneficiam de uma estrutura política de privilégios). O mercado é, seja qual for a perspectiva adotada, uma invenção da esquerda.

Os melhores liberais – os *levellers* na Revolução Inglesa (Liburne, Overton ou Walwyn), revolucionários como Paine ou Findley na fase inicial dos Estados Unidos, o *cercle* social na Revolução Francesa, Thelwall e a London Corresponding Society na Inglaterra da mesma época – fizeram uma reivindicação completa dos direitos humanos, ou seja, ergueram-se contra qualquer tipo de fidalguia, antiga ou nova, bem como contra a arbitrariedade do Estado ou a prepotência econômica. As diferentes tradições que configuraram o primeiro liberalismo – desde Locke e Hume até Voltaire e Kant – defendiam o livre mercado, o comércio mundial aberto e acreditavam na capacidade civilizadora da busca individual de lucro. Quem veio reclamar um controle estatal estrito sobre a vida econômica foram os apologistas da restauração. A primeira crítica radical do capitalismo proveio da direita autoritária.

No século XIX, essa correlação se inverteu. A esquerda se tornou coletivista e, na sequência da repressão das correntes libertárias do movimento operário de Lassalle e Marx, converteu-se em defensora da planificação estatal.

A direita, pelo contrário, inicialmente antiliberal, foi se transformando até começar a advogar a liberdade empresarial.

A primeira dificuldade da esquerda para se configurar como alternativa renovada decorre de uma atitude que pode ser denominada de "heroísmo face ao mercado" (Grunberg/Laïdi, 2008), que a impede de entender a verdadeira natureza do mercado, o qual considera apenas um promotor da desigualdade, como uma realidade antissocial. Para boa parte da esquerda, raciocinar em termos econômicos é conspirar socialmente; esse setor pensa que o social só pode ser preservado assumindo-se contra o econômico. A denúncia ritual da mercantilização do mundo e do neoliberalismo provém de uma tradição intelectual que opõe o social ao econômico, que tende a privilegiar os determinismos e as constrições face às oportunidades oferecidas pela mudança social.

Com base nesse ponto de vista, é difícil compreender que a competência seja um autêntico valor de esquerda com relação às lógicas do monopólio, público ou privado, sobretudo quando o monopólio público deixou de garantir o abastecimento de um bem coletivo em condições economicamente eficazes e socialmente vantajosas. Porque também há monopólios públicos que adulteram as regras do jogo. Hoje sabemos bem que existem desigualdades produzidas pelo mercado, mas também pelo Estado, em relação às quais alguns se mostram extraordinariamente indulgentes.

A esquerda deveria pensar se não conseguiria atingir melhor os fins que a identificam modificando os meios aos quais costuma recorrer: trata-se de colocar o mercado a serviço do bem comum e da luta contra as desigualdades. A nostalgia paralisa e não serve para entender os novos termos com que é travado um combate antigo. Não é que uma era de solidariedade tenha sido substituída por uma explosão de individualismo; a solidariedade precisa se articular sobre uma base mais contratual, substituindo aquela resposta mecânica aos problemas sociais, que consiste em intensificar as intervenções do Estado, por formulações mais flexíveis de colaboração entre Estado e mercado, fortalecendo as instituições transnacionais, com formas de governo indireto ou promovendo uma cultura de avaliação das políticas públicas.

Minha proposta para elaborar uma nova agenda social-democrata se estabelece numa revisão da relação que a social-democracia teve com a esquerda liberal (Innerarity, 2002). Considero que o mercado é uma conquista da esquerda e que a competência é um autêntico valor da esquerda, quanto às lógicas do monopólio e dos privilégios. É comum considerar que a prepotência econômica se deve a uma excessiva liberdade do mercado, quando acontece precisamente o contrário: a prepotência econômica é causada por sua falta de liberdade. A ideia republicana de "liberdade como não dominação" (Pettit, 1997) é aquela que sustenta agora as reformas econômicas: a possibilidade de avançar na igualdade não tanto por meio da redistribuição estatal (que costuma gerar privilégios e tornar-se insustentável em momentos de crise), mas mediante a criação de uma maior igualdade de oportunidades no mercado.

Uma das tarefas mais urgentes da social-democracia liberal seria lutar pelo desaparecimento da prepotência econômica. A ordem constitucional e democrática só é viável se conseguir reconhecer e combater ativamente as concentrações de poder incompatíveis com a liberdade. Trata-se, portanto, de estender (e não de restringir) o princípio constitucional de minimização do poder também ao mundo da economia, tão distorcido na atualidade por novos oligopólios em cumplicidade com alguns Estados fracos.

Devemos aspirar não apenas a um Estado com o poder indispensável, mas também, além disso, a uma economia de mercado sem prepotências. Ao mesmo tempo, não devemos esquecer que a palavra de ordem do *laissez-faire* se dirigia contra as grandes concentrações de capital; não era uma justificativa para a inatividade do Estado, como tenta o neoliberalismo. O Estado tem de agir ativamente a fim de que todos os cidadãos possam estabelecer livremente relações de comércio nos mercados. As reformas para favorecer o mercado não implicam mais eficácia e menos justiça social. Pelo contrário: podem ser consideradas de esquerda na medida em que reduzem os privilégios e favorecem o mercado, o verdadeiro mercado, regulado o suficiente para que seja um espaço de não dominação.

A crítica mais comum ao sistema econômico mundial dispara contra a mercantilização como se o mercado fosse o responsável pela miséria do mundo. O problema, porém, está no fato de não existir uma autêntica economia de mercado. Nos sistemas econômicos, nenhuma das grandes empresas teria alcançado as atuais dimensões sem a proteção estatal. São esses grandes consórcios os menos interessados na existência de um mercado verdadeiramente livre. De certo modo, assistimos a uma espécie de feudalização do capitalismo, a uma "economia legal da pilhagem" (Oswalt, 1999).

ALGUNS LUGARES-COMUNS 247

Por trás do véu dos interesses gerais da sociedade muitas vezes se escondem interesses de grupos particulares, concorrências desleais, concentração de poder de grupos financeiros e de opinião. Os despojados dessa enorme massa de capital são os cidadãos. Uma social-democracia liberal deveria apontar no sentido da promoção de uma verdadeira igualdade de oportunidades no mundo econômico. A globalização pode ser utilizada para retirar poder das concentrações econômicas existentes e abrir efetivamente os mercados mundiais.

Volto a insistir: as reformas para favorecer o mercado (para que funcione melhor, com maior capacidade de geração de postos de emprego, proporcionando oportunidades a mais pessoas, melhorando as condições de acesso ao mercado de trabalho etc.) não implicam necessariamente mais eficácia e menos justiça social. Pelo contrário: podem ser consideradas de esquerda na medida em que reduzirem os privilégios. Só uma social-democracia que tenha a coragem de aumentar as oportunidades para todos e contribuir para um sistema fundado sobre uma verdadeira meritocracia pode dizer, com razão, que luta em nome dos elementos menos favorecidos das sociedades. São os objetivos que têm caracterizado a esquerda europeia – como a proteção dos mais fracos ou o combate contra as desigualdades e os privilégios – aqueles que devem levar à adoção de medidas a favor do mercado. A regulação dos mercados não é uma estratégia para anulá-los, mas para torná-los reais e efetivos, ou seja, para pô-los a serviço do bem público e da luta contra as desigualdades.

Hoje, a governança justa dos mercados tem muito pouco a ver com o clássico compromisso socialista que exigia uma forte intervenção estatal. Não se trata de fortalecer o Estado, e sim de fortalecer a política de modo que ela seja capaz de estabelecer uma regulação dos riscos potenciais ligados aos mercados, que são instituições com certas debilidades estruturais que o neoliberalismo não foi capaz de reconhecer... e com algumas virtualidades sociais que o socialismo resiste a integrar em sua própria tradição.

O socialismo que insiste na redistribuição por intermédio do Estado costuma esquecer com frequência que a regulação excessiva, a proteção de certos privilégios, um setor público que não beneficia os mais pobres, e sim os mais bem situados, são situações não apenas ineficazes, mas também socialmente injustas. Porque não é qualquer aumento das obrigações sociais que leva à eliminação das desigualdades; com muita frequência, o Estado benevolente produziu novas injustiças, na medida em que favorece aqueles precisam e exclui sistematicamente outros.

Os mecanismos políticos variam de um país para outro, mas no fundo a história é sempre a mesma: os *insiders*, aqueles que estão dentro do sistema, bloqueiam as reformas. Em determinadas ocasiões, garantir o emprego a todo o custo é um valor que deve ser contrabalançado com os custos que essa proteção representa com relação àqueles a quem essa proteção vai impedir de entrar no mercado de trabalho, criando assim uma nova desigualdade. Disfarçada atrás da defesa das conquistas sociais, a crítica social pode ser conservadora e desigualitária, o que explica por que a esquerda está tão identificada com a manutenção de um estatuto.

Como é que tudo isso se traduz na atual crise econômica? A principal falha da política, até agora, foi esquecer sua responsabilidade em matéria de riscos sistêmicos. O sistema político, absorvido pelos riscos sociais mais imediatos, não cumpriu com suas responsabilidades quanto à supervisão e à prevenção de riscos sistêmicos. Provavelmente, estamos saindo da era do Estado-providência, entendido como aquele Estado cuja única fonte de legitimidade era a redistribuição, e entrando numa outra nova em que a prevenção dos riscos sistêmicos tem, pelo menos, a mesma importância. A crise está nos ajudando a descobrir que a proteção contra os riscos sistêmicos é tão decisiva quanto a luta contra as desigualdades sociais, e que isso só é possível caso se cumpram aqueles deveres.

Para essa nova tarefa carecem de utilidade tanto o programa de dissolução neoliberal dos Estados quanto o intervencionismo clássico social-democrata; trata-se de salvar uma das instâncias mais importantes de configuração da vontade política, só que num contexto global que exige outras estratégias. Este seria o primeiro desafio da nova agenda social-democrata: os contratos sociais que temos de renovar não nos vinculam apenas a nós (aos daqui, à nossa geração, aos funcionários, aos assalariados em geral), mas também a outros que estão meio ausentes (aos de outro país, aos imigrantes, aos jovens que ainda não conseguiram encontrar trabalho, aos nossos filhos, às gerações futuras).

O problema é como pensar a redistribuição quando aquilo que entra em choque são os direitos dos que estão dentro com os direitos dos que estão fora.

E o socialismo, que melhor administra o primeiro, não é hoje identificado como um bom gestor do segundo. Há quem continue pensando que a sustentabilidade é um assunto que diz respeito ao clima ou aos animais, esquecendo-se de que aquilo que deveria nos importar acima de tudo é encontrar uma forma de evitar que tenhamos de viver à custa dos pensionistas futuros e dos futuros trabalhadores, ou seja, que nossos acordos de redistribuição não sejam realizados contra os interesses dos ausentes.

A principal consequência social da crise econômica – a exigência coletiva que mais imperiosamente enfrentamos – aponta para uma profunda revisão do nosso modelo de crescimento econômico, cuja fixação no imediato do curto prazo se revelou como a causa da sua insustentabilidade. Assim, faz todo sentido que a saída da crise esteja ligada aos imperativos ecológicos e à necessidade de pensar de outra maneira o progresso e o crescimento, ou seja, a economia em seu conjunto. A confluência entre economia e ecologia não é casual; ela nos indica que deveríamos abordar a economia com uma série de critérios que aprendemos na gestão das crises ecológicas. A capacidade de pensar sistemicamente as questões ligadas ao meio ambiente deveria servir de lição para as sociedades, que daí poderiam tirar ensinamentos para lidar com os assuntos econômicos.

De alguma forma, o que aconteceu foi que a crise financeira acabou contribuindo decisivamente para revelar a crise ecológica geral. A tirania do curto prazo nos fez entender os deveres ligados ao longo prazo, tanto no plano do meio ambiente quanto no âmbito financeiro. Por um lado, o consumo excessivo dos recursos naturais pelas atuais gerações constitui um insulto às gerações futuras. Paralelamente, os lucros excessivos que nos últimos anos advieram dos produtos financeiros reduziram a quase nada o horizonte prolongado que deve ser o das finanças. Daí que restaurar o equilíbrio entre o curto e o longo prazo seja a chave para a resolução tanto da crise financeira quanto dos nossos problemas ecológicos.

A ecologia proporciona assim um modelo de pensamento e ação sistêmicos que deveria servir de critério para equilibrar a nossa ideia de crescimento, incluindo o crescimento econômico. A crise nos obriga a reinventar o progresso, a mudar as nossas prioridades, depois de termos sentido na pele que o modo de consumo das sociedades não está à altura do mundo que emerge. Não se trata tanto de reduzir o consumo, mas, acima de tudo, de organizá-lo de outra maneira, integrando o imperativo ecológico à ambição de crescimento.

A recomposição que a crise vai nos obrigar a fazer inclui uma renovação global do papel dos Estados para lhes devolver as margens de manobra que perderam. Não é uma questão de mais ou de menos Estado, nem mesmo de reforma do Estado, mas de redefinição das suas missões numa sociedade do conhecimento global, ou seja, num mundo em que a soberania se confronta frequentemente com a própria impotência e em que os poderes públicos não possuem mais conhecimentos do que os atores que devem regular. Se nesse contexto não refletirmos mais uma vez sobre as finalidades da política – para as quais o Estado não é mais do que um meio –, continuaremos a impedir o Estado de cumprir as missões que lhe são próprias.

A criação de uma maior igualdade de oportunidades no livre mercado em vez de uma redistribuição centralizada seria então o objetivo de uma combinação histórica de ideias liberais e sociais. Minha proposta é que a renovação da agenda social-democrata surja dessa combinação entre liberalismo (preocupação com a igualdade) e ecologismo (perspectiva sistêmica e de sustentabilidade).

Essa seria a tarefa de uma social-democracia que não se resigna a que os conservadores monopolizem uma dimensão da liberdade e a administrem sem consideração pela igualdade, com a superioridade que lhes outorga o fracasso das estratégias de redistribuição estatal.

c. As culturas políticas da esquerda e da direita

A contraposição entre a esquerda e a direita deve ser pensada levando-se em conta diferenças mais sutis do que as proclamadas, menos pelos estandartes que carregam e mais pelas diferentes culturas políticas nas quais são cultivadas. Para entender bem suas transformações, considero mais útil analisar a sua psicologia, seus mecanismos cognitivos do que aquilo que elas dizem sobre si mesmas.

Quando a carga ideológica do antagonismo entre Estado e mercado explica cada vez menos os distintos posicionamentos ideológicos, nos vemos obrigados a recorrer a contrastes de estilo e de atitude. Nesse sentido, uma das perguntas mais interessantes talvez consista em saber por que é que a crise ou os casos de corrupção, assim como o descontentamento com a política em geral, afetam de maneira muito diferente, do ponto de vista eleitoral, a esquerda e a direita (isso não tem nada a ver com a necessidade de saber se há mais corrupção em uma ou em outra, pergunta que pode ser resolvida com meros dados estatísticos e que, no confronto político mais elementar e comprometido, tem uma resposta predeterminada, em função de quem a tiver colocado).

Penso que a raiz dessa curiosa decepção, que se distribui tão assimetricamente, reside nas diversas culturas políticas da esquerda e da direita. Em geral, a esquerda espera muito da política, às vezes mais do que a direita, aliás, espera demais. Exige não apenas igualdade nas condições de partida, mas também nos resultados, ou seja, não só liberdade, como também igualdade. A direita fica contente se a política se limitar a manter as regras do jogo e tem uma ideia do bem comum mais próxima da mera agregação de interesses individuais; é mais processual e se dá por satisfeita se a política garantir limites e possibilidades, ao passo que o resultado concreto (em termos de desigualdade, por exemplo) é indiferente a ela; no máximo, aceitará as correções de um "capitalismo compassivo" para mitigar algumas situações intoleráveis.

Claro que ambas aspiram a defender tanto a igualdade quanto a liberdade e ninguém pode pretender o monopólio de qualquer um desses valores, mas a ênfase com que a esquerda sublinha a igualdade e a preferência da direita pela liberdade inclinam a balança num sentido que ajuda a explicar a razão pela qual os seus respectivos eleitorados se comportam de maneira diferente. A diferença está, a meu ver, no fato de a esquerda, na medida em que espera muito da política, também possuir um maior potencial de decepção. Por isso o vício da esquerda é a melancolia, ao passo que o da direita é o cinismo.

Se isso estivesse correto, teríamos encontrado também uma explicação para o porquê de serem tão diferentes seus modos de aprendizagem, o que provavelmente corresponde a dois mecanismos psicológicos de gerir a decepção. A esquerda aprende em ciclos longos, durante os quais uma decepção a derruba por um intervalo de tempo prolongado e em que só consegue se recuperar com certa revisão doutrinal; a direita tem mais incorporada a flexibilidade e é menos doutrinária, mais eclética, assimilando com maior agilidade elementos de outras tradições políticas. Por isso a esquerda só consegue ganhar quando há um clima em que as ideias desempenham um papel importante e quando o nível de exigências dirigidas à política é elevado. Quando essas coisas faltam, quando não há ideias em geral e as aspirações da cidadania em relação à política são uniformes, a direita é a preferida dos eleitores.

A esquerda deve politizar, no melhor sentido da palavra, em comparação com uma direita à qual não lhe interessa muito o tratamento "político" dos temas. A direita hoje bem-sucedida na Europa é uma direita que promove, indireta ou abertamente, a despolitização e que navega melhor com outros valores (eficácia, ordem, flexibilidade, recurso ao saber dos técnicos). O que a esquerda deve fazer é lutar, em todos os níveis (europeu e global, contra o imperialismo do sistema financeiro, contra os especialistas que encolhem o espaço daquilo que pode ser decidido democraticamente, ou contra a frivolidade da mídia) para recuperar a importância da política.

O que interessa hoje não é o fato de existir uma política de esquerda e outra de direita; o verdadeiro combate está sendo travado num campo de jogo que se dividiu entre aqueles que desejam que o mundo tenha um formato político e aqueles que não se importariam que a política se tornasse insignificante, um anacronismo de que pudéssemos prescindir. Daí que a defesa da política tenha se tornado a tarefa fundamental da esquerda; a direita está comodamente instalada numa política reduzida à sua mínima expressão, que viu enormemente limitados os seus espaços pelo poder dos especialistas, pelas constrições dos mercados e pelo sensacionalismo midiático. Para a esquerda, que o espaço público tenha qualidade democrática é um assunto crucial, nisso se joga a sua própria sobrevivência.

A ideia de que a esquerda está, em geral, menos mobilizada tornou-se um lugar-comum que revela muitas vezes uma concepção mecânica e paternalista (quando não militar) da política. Há quem entenda a mobilização como uma espécie de hooliganização, como se a cidadania fosse uma torcida de futebol, e que, chegado o momento, propusesse administrar a dose oportuna de medo ou ilusão para que a clientela se comporte do modo esperado. Esse automatismo não é a solução, e sim o sintoma do verdadeiro problema de uma esquerda que está se acostumando a chapinhar numa cidadania de baixa intensidade. O que as pessoas precisam não é de impulsos mecânicos, mas de ideias que as ajudem a compreender o mundo em que vivem e projetos com os quais valha a pena se comprometer. Ora, a atual social-democracia europeia não tem nem ideias nem projetos (ou tem numa medida claramente insuficiente). Não quero cair num platonismo barato e exagerar o papel das ideias em política, mas se a esquerda não for capaz de se renovar nesse plano continuará a sofrer o pior dos males para quem pretende intervir na configuração do mundo: não saber o que se passa, não entender nada e se limitar a agitar ou o desprezo pelos inimigos ou a boa consciência sobre a superioridade dos próprios valores.

A esquerda é fundamentalmente melancólica e reparadora. Vê o mundo como uma máquina que é preciso travar e não como uma fonte de oportunidades e instrumentos susceptíveis de serem postos ao serviço de seus próprios valores — os da justiça e da igualdade. A social-democracia é entendida hoje como uma forma de reparar as desigualdades da sociedade liberal. Pretende conservar o que ameaça ser destruído, mas não remete para uma construção alternativa. A mentalidade reparadora se configura à custa do pensamento inovador e antecipador. Desse modo, não se oferece ao cidadão uma interpretação coerente do mundo que nos espera, o qual é visto, apenas, como algo ameaçador.

Essa atitude temerosa quanto ao futuro decorre basicamente da forma de olhar para o mercado e a globalização, ou seja, como os agentes principais da desordem econômica e das desigualdades sociais, e da incapacidade de vislumbrar as possibilidades que resguardam e que podem ser aproveitadas. Mobilizar os bons sentimentos e invocar continuamente a ética não basta; é preciso entender a mudança social e saber de que modo os valores com que cada um se identifica podem ser realizados nas novas circunstâncias.

d. Credibilidade governamental

Todos os partidos com pretensões de governar, ou seja, os que não se contentam em ser um lugar onde se guardam os frascos das essências, enfrentam um dilema similar. Esse dilema básico impõe a todos a necessidade de escolher entre governar e dramatizar os próprios princípios, entre parecer plausível para que os eleitores lhes confiem o governo de todos e manter uma identidade que possam monopolizar na oposição, entre arriscar e procurar novas adesões e assegurar a unidade da clientela habitual.

Gostaria de exemplificar esse dilema com o caso dos socialistas europeus. Após os últimos fracassos eleitorais, começou a circular o argumento de que a crise da social-democracia se devia ao fato de ela ter adotado os esquemas ideológicos da direita. Ao mesmo tempo, tanto na França quanto na Alemanha, as pesquisas mostravam que a maior parte dos eleitores socialistas estaria a favor de uma aliança com os partidos situados à sua esquerda. Muitos eleitores tradicionais desses partidos optaram ultimamente por alternativas "à esquerda da esquerda".

A isso junta-se o fato de a atual crise econômica ter desencadeado uma onda de crítica social, fazendo com que este deixasse de ser um tempo para matizes. A história ensina que quando as coisas vão mal tendemos a conceder toda a razão a quem lança a crítica mais severa (mesmo que não se saiba muito bem em relação a que nem com quais alternativas). Nesse panorama, era totalmente lógico que aumentassem as pressões sobre os partidos socialistas com o intuito de obrigá-los a fazer aquilo a que se poderia chamar de mudança à esquerda.

Como costuma acontecer em todas as decisões políticas, as coisas são mais complicadas do que parecem. As pesquisas de opinião indicam que, na Alemanha, por exemplo, muitos eleitores se deslocaram na direção contrária; que o eleitorado de esquerda diminuiu; que alguns desses partidos da extrema esquerda rejeitam qualquer colaboração institucional; e tampouco se pode dar por certo que todos os eleitores ecologistas estejam realmente à esquerda dos socialistas.

No fundo, a decisão real que a esquerda europeia tem pela frente é a seguinte: escolher a função de porta-voz da plebe ou traçar como objetivo voltar ao poder e governar. No primeiro caso, esses partidos podem radicalizar o seu discurso anticapitalista e se aproximar dos partidos que têm à sua esquerda; no segundo caso, trata-se de conservar ou recuperar uma verdadeira credibilidade governamental, incluindo a credibilidade econômica, que é absolutamente necessária para alcançar o poder. Basta lembrar que, nas campanhas eleitorais recentes, a questão da competência econômica dos candidatos foi um assunto crucial. E que a ameaça mais letal para os governantes de esquerda foi ou poderá ser não tanto uma suposta "mudança à direita" quanto a suspeita de que não sejam os mais competentes para dirigir a economia.

Os socialistas são obrigados a articular os imperativos de justiça social e de credibilidade econômica se quiserem se manter no poder ou recuperá-lo. Claro que essa articulação é particularmente difícil, sobretudo em tempos de crise e déficits, além de poder ser mal compreendida pelos eleitores de esquerda. Porém, se os partidos socialistas preferirem assumir o papel de protetores dos princípios e perder essa credibilidade econômica que é decisiva para a maioria dos eleitores, arriscam-se a perder o poder ou a ficar durante muito tempo na oposição.

Não deveríamos esquecer que existe uma curiosa assimetria na divisão do campo ideológico: carecer de credibilidade governamental é mais grave para a esquerda do que para a direita, porque – o que corresponde a preconceitos de difícil justificativa– a esquerda supostamente tem as boas intenções e a direita possui a competência para governar. O pior que pode acontecer aos socialistas é perder a credibilidade governamental enquanto a direita ganha credibilidade social; para a direita, a maior desgraça seria que a esquerda parecesse mais competente. Em todos esses casos, um curioso paradoxo é produzido: enquanto os mais intransigentes se tornam politicamente inofensivos, os adversários moderados acabam sendo os adversários mais temíveis.

e. A dificuldade de fazer oposição

As atuais democracias sentem uma estranha dificuldade em configurar alternativas, ou seja, em orientar uma mudança de escolha. Não é que não exista alternância no governo e mudanças sociais; o curioso é que muitas dessas mudanças são feitas com alguma anormalidade, em torno de algum acontecimento excepcional e em resultado da força desestabilizadora de uma catástrofe.

Alguma explicação deve ter o fato de que quase nunca é a oposição que ganha propriamente certas eleições, e sim o governo que as perde e, além disso, de maneira catastrófica. Dá a impressão de que a política corrente, os temas prosaicos, não basta para tornar visível a diferença entre as opções políticas, nem o antagonismo que seria necessário para modificar as preferências sociais. Os procedimentos normais de oposição e crítica, tão rituais e tão encenados, dificilmente proporcionam uma via através da qual se possa lançar a alternância política.

Pode haver aqui uma crise mais profunda do que parece e que afetaria não apenas o governo, mas também a oposição; não um país em específico, mas a política em geral, algo que tem a ver com a escassa força inovadora da política, incapaz de configurar e de transformar. Já faz algum tempo que as verdadeiras mudanças sociais deixaram de ocorrer nos cenários desenhados para esse efeito, passando a acontecer por causa de impulsos de acontecimentos exteriores e de certo modo extraordinários. A oposição, qualquer que seja, sabe disso e se esforça para agitar essa turbulência, pois apenas dela é possível esperar a ocasião e o impulso mobilizador que não consegue encontrar no seu campo especificamente político.

Vale a pena trazer à memória alguns casos nos quais uma catástrofe conseguiu derrubar um governo. Por ocasião dos efeitos causados pelo furacão de Nova Orleans, em 2005, as inundações de 1927 foram um fator decisivo para que Huey Long ganhasse as eleições para governador da Louisiana em 1928 e para que um ano depois Herbert Hoover se tornasse presidente dos Estados Unidos. Uma reação correta às inundações deu a vitória a Gerhard Schröder nas eleições alemãs de 2002 contra o favorito, Edmund Stoiber, que continuou a se dedicar às suas caçadas. Esses são alguns dos muitos exemplos que poderiam ser mencionados para se compreender o poder assombroso que a meteorologia exerce sobre os governos quando devasta territórios inteiros, gela nossas estradas ou prolonga a seca até o insuportável.

No entanto, não se trata de a natureza, sem mais nem menos, usurpar o lugar que corresponde à política, pois o decisivo continua a ser o modo como se reage à catástrofe. Os atentados terroristas são outro tipo de catástrofe que põem igualmente à prova todos os agentes políticos, mas também nesse caso não se deve sucumbir ao determinismo, já que um atentado pode tanto derrubar quanto fortalecer um governo, dependendo do modo como for gerido. Todos lembrarão casos de reação inteligente e outros de inépcia; em uns ou outros casos, o decisivo foi sempre o modo como se atuou diante da crise.

Carl Schmitt (2004, p. 19) dizia que soberano é aquele que tem o poder de determinar o estado de exceção, no sentido daquele que tem na mão a decisão última de suspender a normalidade democrática. Essa ideia poderia ser reformulada, atualmente, do seguinte modo: soberano é quem aproveita o estado de exceção, desta vez no sentido de quem reage bem a circunstâncias excepcionais. Quem exerce o ingrato ofício de se opor sabe que não dispõe ao seu alcance de outro instrumento de maior eficácia do que uma catástrofe mal gerida, em torno da qual possa encenar o seu perfil alternativo com um antagonismo gesticulado até o extremo.

A exceção catastrófica é o lugar onde a oposição pode encontrar suas grandes oportunidades. Os governos parecem ter percebido isso também, pois decidiram elaborar protocolos muito exigentes para essas eventualidades e estão cada vez mais atentos para não dar a menor oportunidade à oposição. Convertemos a política numa gestão da excepcionalidade; o normal fica para os burocratas, porque daí nunca pode vir nada que seja politicamente rentável.

Se é assim, o que fazer quando não há catástrofes, quando essa força mobilizadora extrapolítica, sinistra porém decisiva, não comparece? É fácil: inventa-se. Para alterar o campo de jogo vale até a mera suspeita da catástrofe (Beck, 1993, p. 7). Há toda uma série de procedimentos para antecipar seus efeitos sobre o espaço político. Boa parte do trabalho da oposição consiste em alterar a ordem regular das coisas recorrendo ao método simples de insistir em dizer que alguém está alterando essa ordem regular. Poderíamos denominar esse procedimento de "catastrofizar" ou "excepcionalizar". É necessário dar exemplos próximos para reconhecer essa estratégia de dramatização? Por exemplo, fazer crer que a reforma de um Estatuto é tutelada por uma organização terrorista; apresentar como irregular um procedimento normal de reforma e impedir a sua tramitação; manifestar-se a favor da normalidade constitucional, como se ela estivesse de fato ameaçada; acenar com a religião como se sua prática fosse proibida; defender a família dando por certo que está prestes a desaparecer...

A oposição tem certas razões que o governo não entende nem pode entender. Poucos argumentos se revelam mais patéticos do que criticar a oposição afirmando solenemente que ela só quer desgastar o governo, como se a oposição pudesse desejar outra coisa. O problema não é esse, evidentemente, e a oposição permanece insensível a esse tipo de argumento. Ela poderia ser repreendida assinalando o fato de que desgastar o governo significa desgastar também outras coisas mais valiosas que afetam o sistema democrático ou a cultura política. Da mesma forma, não é uma razão convincente e, além disso, faz parte da mesma lógica catastrofista quando dramatiza as consequências negativas de tal confronto.

Ao contrário do que se costuma dizer, o sistema resiste bastante bem a uma oposição ruim; aguenta melhor do que seus eleitores, aqueles a quem representa ou cujos interesses defende. Uma oposição ruim prejudica mais a si própria do que ao sistema. O sistema tem mais paciência do que os eleitores da oposição. Por isso não creio que esse argumento faça o acalorado opositor desistir. A única coisa realmente dissuasiva é a oposição poder desgastar a si própria, é ser a oposição a se dar conta de que esse procedimento implica um risco para si mesma, mais especificamente para um valor que ela não deve dilapidar: a sua credibilidade.

Para a estratégia da oposição, é tão importante manter o nível de dramatismo quanto sustentar o quadro de verossimilhança dentro do qual seus prognósticos pareçam plausíveis. A oposição tem de conseguir um equilíbrio bastante difícil: fazer com que a opinião pública considere o governo estranho e que não pareça anormal que a oposição seja capaz de resolver o suposto desastre. Porque se podemos acreditar na oposição quando ela nos avisa sobre perigos irreparáveis, talvez nos pareça incrível que isso tenha solução, incluindo aquilo que a oposição propõe.

Toda a oposição se vê diante do risco – para o qual Luhmann (1997, p. 856) chama atenção – de confundir a oposição com o protesto, de fazer a primeira com os métodos e a agenda do segundo. É algo que tem condenado a esquerda e a direita, durante muito tempo, a uma posição cômoda em relação aos seus princípios e inofensiva quanto à sua capacidade de transformação social. Quem pretende chegar ao poder não pode se permitir o luxo de esquecer que a oposição faz parte do sistema político e, por isso – não por uma questão de atitude –, tem de estar disposta a colaborar ocasionalmente com o governo e se encarregar sempre disso.

Isso produz um efeito disciplinador sobre o modo de entender o confronto democrático. A oposição pode e deve criticar o governo, como é óbvio, mas sem esquecer que em algum momento seus próprios pontos de vista devem poder ser defendidos a partir do governo. Quando a oposição exagera a catástrofe corre o risco de acreditar nela e esquecer a perspectiva da governabilidade, motivo pelo qual muitas vezes acaba por se revelar limitada.

Gostaria de terminar estas reflexões sobre a oposição com a seguinte conclusão: governar é algo que está ao alcance de qualquer um, o difícil é fazer oposição. É aí que os indivíduos se tornam verossímeis como governantes. No fundo, os eleitores tendem a premiar com o governo quem desempenhou bem a tarefa da oposição.

f . Uma pequena teoria do empate

Em nossa liturgia política, a noite eleitoral é o momento dos resultados, quando tem lugar o esclarecimento que põe fim às suposições das pesquisas. Alguns números sucintos dissipam o nevoeiro criado pelas hipóteses. O escrutínio situa uns entre os vencedores e outros entre os vencidos, pondo assim um ponto final a um período mais ou menos longo de incertezas, esperanças e temores. As eleições servem, entre outras coisas, para resolver as conjecturas sobre aquilo que as pessoas pensam e querem realmente. Com a contagem dos votos acaba o espetáculo das possibilidades e começa o das decisões que é preciso tomar a partir de resultados inapeláveis. Recebida a mensagem, os políticos costumam recorrer então ao lugar-comum de que no dia seguinte pela manhã começarão logo a trabalhar.

O atraso nessa clarificação esteve sempre associado a certa imaturidade democrática, o que em princípio só acontece em países com deficiências organizativas ou falta de cultura política. Algo assim não é próprio daquilo a que chamamos "países do nosso contexto". Uma democracia avançada deve dispor de procedimentos para avaliar as preferências dos cidadãos de maneira nítida e com rapidez. Os sistemas democráticos são pensados para que qualquer um possa ganhar, mas não conseguem suportar que ninguém ganhe e que a incerteza sobre o resultado eleitoral se prolongue excessivamente.

Faz algum tempo que esse momento simbólico da decisão popular se caracteriza por uma crescente perplexidade. Cada vez é mais frequente ouvir a voz do soberano e não compreendê-la. Depois de uma campanha eleitoral intensa não vêm a calma e uma nova orientação da política, mas a ameaça de um prolongamento infinito da campanha. O corolário de muitas eleições é que a agitada polarização que as antecedeu não desemboca num resultado claro, não se resolve de forma evidente a favor de um dos competidores, dando lugar a um empate que não sabemos bem como gerir. A decisão dos cidadãos se torna difícil de interpretar (ou não se aceita o resultado quando fica muito próximo do empate) e o eleitorado fica dividido quase pela metade.

Há empates célebres na história recente, como aquele *ballotage* entre Charles de Gaulle e François Mitterrand em 1965. Mas há também os mais recentes e que por sua constância parecem estabelecer uma tendência que deveria nos fazer refletir: Estados Unidos em 2004, Alemanha em 2005, Itália e México em 2006. Com diversas variações, nos vemos diante de uma dificuldade parecida para conseguir resolver as contendas eleitorais, para finalizá-las e aceitar o resultado das urnas.

Claro que os sistemas políticos têm procedimentos para dirimir o empate e neutralizar sua força paralisante, como a atribuição proporcional de lugares no parlamento que favorece o vencedor (mesmo que tenha sido pela margem mínima) ou os segundos turnos. No entanto, em muitos casos fica no ar uma atmosfera de litígio que não se consegue dissipar e que se traduz em dificuldades de governabilidade, sensação de que tudo é provisório, resistência à mudança ou, nos casos mais extremos, uma suspeita permanente de falta de legitimidade.

Como devemos interpretar politicamente o empate quando os eleitores parecem não ter querido resolvê-lo? Talvez seja então o momento de aplicar aquele princípio de Wittgenstein, segundo o qual a falta de decisão é uma forma de decidir. Que decidir com algo que se parece mais ou menos com uma não decisão? Aqui não temos outro remédio senão recorrer a uma síntese fictícia – a vontade popular, o que as pessoas querem – e agrupar numa ficção o que em princípio não é mais do que uma grande quantidade de escolhas individuais, autônomas e dispersas.

Nos empates, o eleitorado se expressa a favor da reversibilidade, de não outorgar a ninguém um poder absoluto ou definitivo. A sociedade diz que só quer resolver a escolha provisoriamente. Seria um erro deduzir dessas situações uma indiferença política, como se poderia supor a partir daqueles empates que se produzem com um baixo índice de participação eleitoral. Em nenhum dos quatro exemplos anteriormente mencionados foi assim.

Essa ficção inevitável a que chamamos soberania popular ou vontade geral diz algo muito claro para quem quiser entender, goste ou não, que pode ter diversos significados: as pessoas se interessam pela política, mas não querem que a política seja, naquele exato momento, uma instância na qual se tomam decisões transcendentes e a partir da qual se possam realizar as grandes transformações da sociedade.

Há outra interpretação possível: a decisão pelo empate mostra que as dicotomias dominantes não representam de fato uma força de mudança significativa, limitadas como estão a não destoar muito do rival, ao qual tentam ganhar se parecendo com ele. A hipóstase de uma decisão pelo empate destaca a incapacidade da política de gerar mudança social, pelo menos tal como a tínhamos concebido até agora, e deve ser vista como um convite a pensá-la e provocá-la de outra maneira. Entretanto, também pode ser interpretado como o desejo da sociedade para que a iniciativa de introduzir mudanças significativas nas condições da nossa convivência não seja feita por uma metade da sociedade contra a outra metade, mas mediante procedimentos integradores e acordos mais amplos.

Reservo para o final a interpretação mais plausível. Talvez o empate seja a demonstração de que nossos principais problemas não se resolvem com uma mudança de pessoas e que estas continuam à espera de outra forma de governar.

PARTE V

O FUTURO DA POLÍTICA

CAPÍTULO 17
A POLÍTICA COMO ATIVIDADE INTELIGENTE

Parece existir uma velha inimizade entre mandar e aprender, uma incompatibilidade que Karl Deutsch (1963) sintetizava muito bem ao afirmar que o poder tem o privilégio de não precisar aprender. Quem manda, ensina e ordena, porém não aprende, algo de que não necessita mas que talvez também não consiga. Daí a proximidade do poder ao autoritarismo e à cegueira. Devido à própria natureza, o poder tende a substituir o saber pelas ordens. "Você manda ou aprende?", poderia ser a nova versão do clássico "Você estuda ou trabalha?". Se essa oposição fosse certa, então se deveria definir o poder como "um lugar seguro para a ignorância" (Basseches, 1999). "Não sei, logo mando" seria a divisa do soberano estúpido.

Esse caráter incorrigível do poder daria lugar a uma divisão trágica do território: a política estaria condenada a não poder aprender, enquanto os espaços de aprendizagem social seriam politicamente irrelevantes. Mas já não é assim. Há algum tempo que a política foi expulsa desse paraíso e agora se vê obrigada a lutar, como qualquer mortal, para escapar da perplexidade, ou seja, para aprender. Numa sociedade inteligente, complexa, plural, todo mundo, também a política, é obrigado a escolher entre a autoridade ignorante ou a deliberação inteligente.

Grande parte do mal-estar que a política gera se deve precisamente à impressão que dá de ser uma atividade pouco inteligente, de curto alcance, mera tática oportunista, repetitiva até o aborrecimento, rígida nos seus esquemas convencionais e que só se corrige por algum cálculo de conveniência. Uma sociedade do conhecimento coloca a todos a exigência de se renovarem, e assim parece ter ocorrido em quase todos os âmbitos: as empresas têm de aguçar o engenho para responder às exigências do mercado, a arte tem de procurar novas formas de expressão, a técnica enfrenta novos desafios... O dinamismo dos âmbitos econômicos, culturais, científicos e tecnológicos convive com a inércia do sistema político. Não se trata de defeitos das pessoas que se dedicam à política ou de incompetências singulares, mas de um déficit sistêmico da política, de escassa inteligência coletiva em comparação com o vitalismo de outros âmbitos sociais.

Uma das características mais decepcionantes da nossa prática política é seu estancamento quase ritual, o medo de sair das fórmulas convencionais que funcionaram até agora. Essa falta de vigor da política com relação aos mercados ou o escasso interesse que desperta em grande parte dos cidadãos devem-se provavelmente à sua incapacidade para desenvolver condutas tão inteligentes, ao menos, como as que têm lugar em outros espaços da vida social. Parece-me que esse é o grande desafio que a política enfrenta no mundo atual, isso se ela não quiser acabar por se tornar socialmente irrelevante, dilacerada pela tensão entre os espaços globais e a pressão do privado e do local. Temos de avançar para formas mais inteligentes de configurar os espaços comuns da política.

Essa renovação é de importância vital, sobretudo se soubermos qual é o problema que define uma sociedade do conhecimento. O Estado nacional surgiu como uma resposta ao problema de controlar o poder e de proporcionar segurança diante do medo e da ameaça da guerra; o Estado-providência pretendia assegurar a redistribuição da riqueza e combater a pobreza; o problema em torno do qual se articulam as sociedades do conhecimento é o de gerir o saber, mover-se em ambientes de incerteza e fazer frente à ignorância. A impotência, a pobreza e a ignorância foram os três grandes desafios que caracterizaram, respectivamente, o Estado nacional, o Estado--Providência e as sociedades do conhecimento. Nestas últimas, a informação e o conhecimento são os grandes assuntos do poder.

Se o controle dos meios de produção era a chave dos conflitos ao longo dos séculos XIX e XX, o governo dos "símbolos" se converteu hoje no nosso mais importante desafio. A organização do mundo agora se reestrutura em torno da gestão dos conhecimentos. E numa sociedade do conhecimento só sobrevivem os sistemas que são capazes de aprender e que estão dispostos a isso (Wiesenthal, 1994), uma exigência de que também a política não pode se eximir.

De fato, essa questão foi ganhando terreno no seio da teoria política desde a década de 1990 quando se começou a falar de uma "virada cognitiva", um *ideational turn* (Blyth, 1997). O reaparecimento de conceitos como saber, ideias, argumentação e conhecimento, associados novamente às grandes questões da política, parece indicar que algo está mudando na maneira de concebê-la. Desde então, a questão de saber se as ideias são importantes (do *ideas matter*) motivou relevantes investigações sobre o papel que o saber e as ideias desempenham nos processos políticos. O conceito de "aprendizagem social" (Hall, 1993; Majone, 1996) aponta para essa direção, ao assinalar uma influência crescente das ideias sobre os interesses.

A política não deveria ser entendida apenas como um conflito de interesses, mas também como algo impulsionado por processos de elaboração da experiência social em favor da consecução de algo parecido com uma aprendizagem coletiva. Diante do discurso dominante que defende que o esgotamento das ideologias promove o interesse no único protagonista da vida política, talvez esteja acontecendo justamente o contrário: sem ideologias fechadas, abre-se o espaço para as ideias, ou seja, para a política como atividade inteligente.

Converter hoje a política numa atividade inteligente implica enfrentar diversos problemas estruturais que dificultam essa transformação. Entre outros problemas que poderiam ser abordados, tentarei examinar alguns que podem ser sintetizados no déficit estratégico da política, que dificulta a aprendizagem, e no excesso de personalização da política, que dificulta a aprendizagem coletiva.

a. O déficit estratégico da política

Boa parte da atual volatilidade dos governos, do seu desgaste e das suas dificuldades em dirigir processos complexos (isso a que decidimos chamar "crise de governabilidade") ou, de maneira mais banal, das dificuldades em serem reeleitos, têm origem num fato facilmente comprovável: existem muito mais manuais sobre como tomar o poder do que livros sobre o que fazer com ele, o que terá alguma coisa a ver com a existência de mais assessores de comunicação, marketing e desenvolvimento de campanhas eleitorais do que assessores de governo propriamente ditos. Além disso, como quem governa costuma estar obcecado com a reeleição e como há eleições constantemente, grande parte da sua atividade é mais estratégia eleitoral do que de governo. É como se estivéssemos facilitando o acesso ao poder de pessoas que não se preocuparam tanto em saber o que fazer com ele.

A pergunta a que anteriormente me referia poderia ser formulada, a esse respeito, do seguinte modo: você vende ou aprende? Se o sistema político tem enorme dificuldade quando se trata de aprender é porque é dirigido por pessoas a quem lhes interesse mais vender ou convencer.

Se a vida política é protagonizada por pessoas que demonstraram mais habilidade para aceder a ela do que para governar de fato, a consequência lógica é que há mais promessas do que realizações, o que necessariamente leva a um aumento da decepção. Não tem nada de estranho, em consequência, que aumente o descontentamento em relação à política, na medida em que melhoram as técnicas de sedução política. Talvez essa circunstância seja uma explicação para o fato de no espaço público haver mais agitação emocional e promessas abstratas do que debates sobre propostas concretas de governo.

A única maneira de equilibrar essa situação é voltar a colocar no centro de nossas reflexões a ideia de governo, tentar entender qual o significado disso no século XXI, o que podemos esperar razoavelmente dos governos em sociedades complexas, que nível de expectativas políticas produz a maior mobilização com o menor custo de decepção e, sobretudo, pensar mais naquilo que os governos podem fazer e menos naquilo que podem *prometer*.

Isso implica que nos relacionemos com o futuro de outra maneira, mais estratégica e menos oportunista, que convertamos a política numa reflexão coletiva sobre o futuro e sua configuração democrática. As dificuldades atuais para abordar as reformas institucionais se devem à deficiência estratégica dos principais agentes, mas também a uma incapacidade de antecipação do futuro que tem um caráter estratégico.

As adiadas reformas territoriais, as dificuldades em acordar uma estratégia comum para a saída da crise ou o fato de as reformas educativas parecerem inabordáveis fora dos ciclos eleitorais e dos interesses partidários, tudo isso é o resultado da tirania do curto prazo em que chapinham nossos sistemas políticos. A política atual padece de um grande déficit de capacidade estratégica; seus principais atores são administradores aplicados que trabalham num horizonte temporal muito curto e cedem com frequência à tentação de transferir as dificuldades para o futuro, à custa das gerações seguintes.

É necessário erguer o olhar por cima dos detalhes ou da preocupação com o urgente, para assim superarmos nossa visão curta, o oportunismo correspondente e nossa limitada capacidade de aprendizagem. Apenas se a política recuperar capacidade estratégica é que conseguirá passar do mundo das reparações para o das configurações. A democracia revelou nestes últimos duzentos anos uma grande capacidade para a adaptação e para a mudança gradual, mas parece pouco dotada para aprendizagens reflexivas ou de segunda ordem, para procurar uma capacidade estratégica, especialmente em ambientes de grandes transformações. Uma das coisas sobre as quais é preciso refletir é que essa espécie de problemas não pode ser resolvida com os recursos disponíveis e que requer outro tipo de tratamento, porque é esse tipo de problema que tende a colapsar nossos sistemas políticos.

b. O excesso de personalização da política

A outra fonte de alheamento em relação aos processos de aprendizagem coletivos é a excessiva personalização da política. A relação entre processos e pessoas, instituições e indivíduos, já deu muitas voltas na história das democracias. Oscilamos entre a tese de Marx, segundo a qual são as massas que fazem a história, e a contrária, segundo a qual é aos grandes líderes que devemos as principais transformações políticas. O século XX foi o século das patologias do carisma político (Monod, 2012). Por fim, parece ter se estabelecido um personalismo banal que substitui o forte perfil ideológico pela inflexão pessoal, que chama atenção para os traços pessoais do líder como explicação da sua capacidade de sedução política.

Numa democracia de percepção, a competição política se articula nas pessoas que encarnam ou simbolizam os projetos rivais. Daí a importância, seguramente excessiva, que atribuímos à eleição dos líderes ou à sua demissão, deixando para segundo plano todo o resto. Passamos tanto tempo nos lamentando porque os políticos não se demitem quando deveriam que, no momento em que o fazem, desencadeiam-se certas expectativas exageradas, como se a mudança de pessoas produzisse efeitos mágicos nas organizações e na política em geral.

As instituições conhecem e exercitam diversas estratégias para mudar tudo de maneira a conseguir que nada mude. Uma das mais recorrentes consiste em substituir as pessoas, como se os problemas tivessem sempre sua causa numa incompetência pessoal e sua solução dependesse da renovação daquele que se encarregam delas. Sendo a renovação de pessoas imprescindível em muitas ocasiões, a verdade é que nem todos os problemas políticos são causados pela permanência das pessoas nos cargos nem se deve esperar da sua saída todas as soluções para tudo. A renovação pode ser aparente ou tática; pode supor, inclusive, uma deterioração, pois qualquer mudança está ameaçada por essa possibilidade. Da mesma forma, também a substituição geracional não constitui uma mudança de ideias e estilos; por vezes, o sucessor é uma versão mais despreparada do mesmo, com menos experiência e, portanto, mais propensão para a arrogância.

Tratando-se de assuntos políticos, o argumento que coloca todo o peso na substituição de umas pessoas por outras tende a perder de vista o fundo do problema. As alterações estruturais só podem ser realizadas de maneira eficaz por um longo processo de mudança nas organizações. As modificações políticas com algum alcance são sempre institucionais, no estilo, no diagnóstico, na competência e nas regras do jogo que ficam plasmados num modo generalizado de atuar. Aquilo que a política exige hoje é menos uma substituição de pessoal do que uma mudança de mentalidade que se traduza em procedimentos institucionais mais compatíveis com a nova realidade das sociedades. O movimento de pessoas não assegura novidade alguma quando as práticas se mantêm; os substitutos acabam por se tornar prisioneiros das mesmas rotinas porque os costumes tendem a ser mais poderosos do que as boas intenções.

Um exemplo de revolução simulada é o que aconteceu com o acesso generalizado da mulher aos cargos de responsabilidade política. Com esse desembargo se pretendia reparar uma exclusão injustificável, mas também se esperava algo mais: que a vida política passasse a ter um caráter diferente do já conhecido. Por que as coisas mudaram muito menos do que era desejado? Sem dúvida, porque frequentemente foram atribuídos às mulheres cargos "de tipo feminino" que as excluía de fato das grandes questões políticas.

Um machismo quase irrefletido vê bem as mulheres em cargos que tenham alguma função reparadora das falhas do sistema, assistencial ou decorativa, mas é muito menos frequente que assumam o controle dos instrumentos principais da construção social. Na origem dessa escassa contribuição está também o fato de as mulheres terem se adaptado, não raro, aos estilos vigentes. A substituição de uns por outras deixou intacto o estilo da política, que continua a ter, regra geral, um caráter arrogante, indeciso e repetitivo, propriedades que não são exclusivas da masculinidade.

Quando não há projeto, bons diagnósticos e ideias novas, as pessoas tendem a ocupar o primeiro plano, afirmando seu próprio perfil, inclusive em vez da do seu partido, muitas vezes confuso ou inexistente. Onde não há um projeto que aglutine, a própria carreira se torna o mais importante. A celebridade se constitui no imperativo fundamental. A arte de se fazer notar transforma-se em mais importante que a discreta coerência política. A política simbólica acaba servindo como substituto da ação política. Ora, quando numa equipe são muitos os que tentam se fazer notar, com sinais até contraditórios, então os partidos deixam de poder orientar, exatamente o que deveria ser esperado deles.

Os partidos políticos são necessários porque os eleitores só conseguem decidir quando grupos organizados configuram alternativas políticas entre as quais se pode escolher. Isso não significa que os políticos e os partidos tenham de se pronunciar com veemência sobre grandes princípios. A política sempre é feita com pequenos passos. O mais decisivo não é a magnitude dos passos, e sim que a direção seja reconhecível.

A seriedade da política não reside na solenidade das mudanças encenadas, mas na autenticidade com que se renovam as ideias e os projetos. Nós nos encontramos num momento de questionamento generalizado da política. Não sabemos muito bem como é que se reconstrói a autoridade democrática na época das redes, em sociedades mais horizontais, mas nem por isso menos necessitadas de referências. Com os procedimentos anteriores de legitimação da autoridade democrática em boa medida desacreditados, continua precisando ser concluída sua transformação ou sua substituição por outros.

Não me refiro tanto às pessoas quanto aos sistemas, âmbitos e procedimentos de decisão. Não se trata tanto de obrigar aqueles que já ocupam o cenário há muito tempo a abrirem espaço para outros, e sim de algo mais radical. O que precisamos não é de demissões, mas de inovações políticas, algo mais ligado à configuração de um sistema político inteligente do que a um suposto governo dos melhores.

c. Inteligência das pessoas ou dos sistemas?

Qualquer que seja a denominação utilizada para caracterizar as sociedades contemporâneas – sociedade pós-industrial, sociedade da informação ou sociedade do conhecimento –, todos os conceitos apontam para uma mudança profunda que se concretizou nos países avançados durante as últimas décadas. Referem-se à circunstância de os recursos de informação e de conhecimento terem crescido poderosamente em comparação com os recursos materiais e energéticos. A produção e a transferência de conhecimento têm agora uma grande importância e desempenham um papel fundamental no desenvolvimento social, econômico e territorial.

Pode-se sintetizar o caráter da época em que nos calhou viver dizendo que o grande desafio da humanidade já não é dominar a natureza, mas fazer avançar, em conjunto, informação e organização. O grande inimigo que é preciso combater não é tanto a miséria ou o medo, mas sobretudo a ignorância. Nossos principais desafios têm a ver com o conhecimento em sentido amplo, e as estratégias mais decisivas se orientam para a política do conhecimento, a ciência, a tecnologia, a inovação, a investigação e a formação. A verdadeira riqueza das nações reside no seu saber. Que significado tem isso para a política? Que desafios de governo coloca?

O futuro da democracia depende da sua capacidade de estar à altura dos desafios que uma sociedade do conhecimento coloca. A sociedade do conhecimento exige que o sistema político eleve o nível dos seus conhecimentos e decisões de maneira que a governança seja também um trabalho do conhecimento. Isso implica uma mudança radical das nossas rotinas, já que o modo dominante de tomar as decisões continua a ser normativo, quando deveria ser complementado com um estilo cognitivo. A organização social deve pôr cada vez mais a ênfase em instrumentos e habilidades do conhecimento, como o raciocínio analítico, o pensamento crítico, a imaginação, a consideração da diversidade como um recurso, a independência de opinião, a deliberação coletiva ou a capacidade de lidar com a incerteza e a complexidade.

Charles Lindblom (1995) falava da "inteligência da democracia" para se referir a uma conquista de séculos que ficou condensada em estruturas, procedimentos e regras. A democracia foi configurando um sistema de representação, de procedimentos para a tomada de decisões e de fornecimento de bens públicos. A inteligência da democracia substituiu a hierarquia e o autoritarismo por uma estrutura inclusiva para decidir assuntos coletivos; substituiu procedimentos de autoridade divina ou hereditária pelo voto representativo e os ciclos periódicos de governo; transformou as regras eternas em sistemas de regras abertos a serem revistos.

Se faz falta um esforço cognitivo especial numa sociedade do conhecimento é porque há um elemento de ingovernabilidade numa sociedade ativa e de inteligência distribuída, já que profissionais e especialistas operam de acordo com seus próprios critérios e com uma ética profissional que não pode ser imposta nem controlada a partir de fora. Continua a existir, não obstante, um espaço para a política: o controle das externalidades negativas, a exigência de responsabilidade, a capacidade de antecipar antes de a necessidade de mudança se tornar desesperadamente óbvia, a criação de condições contextuais para o desenvolvimento de cada um dos sistemas autônomos que marcam presença numa sociedade...

Seja como for, a política deve abandonar sua obsessão normativa de "dizer às pessoas o que elas têm de fazer", mas também não pode escapar à responsabilidade de criar as possibilidades que a emergente sociedade do conhecimento requer. Uma sociedade do conhecimento complexa precisa ser capaz de articular lugares de inteligência coletiva distribuídos e descentralizados; a função da política consiste em coordenar e moderar a interação entre essas unidades autônomas.

A inteligência coletiva é a única coisa que pode ser contraposta aos riscos inerentes aos sistemas complexos, como provavelmente será o caso dos riscos financeiros. As pessoas e os atores individuais parecem cegos quanto às propriedades de um sistema interdependente e concatenado. Nas sociedades modernas, os atores e sistemas sociais devem ser capazes de funcionar como totalidades complexas que interagem e não como uma mera agregação de elementos. Gerar inteligência coletiva implica a configuração de um saber da sociedade sobre si própria, algo que não pode ser produzido por uma instância individual, que ninguém controla em exclusivo.

Ora, convém entender adequadamente o que queremos dizer quando falamos de algo como inteligência coletiva (Salomon, 2003; Rheingold, 2004; Sunstein, 2006; William, 2007; Willke, 2007). O primeiro passo é estabelecer uma distinção entre o saber individual e o saber coletivo, porque aquilo que é próprio das organizações ou das sociedades é a produção de um saber específico e agregado ao saber de seus membros e inclusive superior à soma do saber daqueles que as compõem. Uma coisa é que nas sociedades se aprenda e outra, que as sociedades aprendam; outra é a cooperação entre os atores e outra, que as instituições aprendam. Enquanto o saber especializado individual é um assunto privado, o âmbito em que a inteligência coletiva deve ser exercida é uma tarefa genuinamente pública.

Com frequência, pensa-se que o conhecimento nas organizações é simplesmente o resultado da soma do conhecimento dos seus membros. Claro que a competência das organizações depende do saber deles, mas, da mesma forma que a acumulação desordenada de gênios e prêmios Nobel não constrói uma organização inteligente, também o aumento de universitários não produz uma sociedade inteligente. É pouco razoável prestar atenção demais nas propriedades individuais, confiar demais nas virtudes das pessoas ou consolar indignados quanto aos vícios de autores ou instituições individuais quando deveríamos nos fixar fundamentalmente na interligação.

Uma perspectiva tradicional tende a fazer suas avaliações em função das ações individuais e conforme uma cadeia de causalidade cujos elementos são perfeitamente identificáveis e imputáveis. No entanto, há uma causalidade complexa quando a maior parte dos acontecimentos têm tantos fatores causais que a responsabilidade individual é mais a exceção do que a regra. Essa complexidade pode servir para desculpar a desatenção em relação ao resultado global das ações, mas também para aperfeiçoar a identificação das responsabilidades e o governo dos sistemas complexos. Essa circunstância, longe de ser uma desculpa para a irresponsabilidade, pode inclusive servir para aumentar a nossa reflexão e para termos mais cuidado com as consequências que estão distantes da esfera de ação individual, no âmbito de maior incerteza em que se desenrolam as causalidades não lineares.

Quando se trata de assuntos ligados a dinâmicas coletivas, surge sempre a questão de saber se o todo é mais do que a soma das partes, se não há algo supraindividual – o sistema, a totalidade organizada, um fenômeno emergente – "que não pode ser reduzido às intenções dos indivíduos participantes" (Heinz, 2004, p. 3). Fala-se de emergência precisamente quando há propriedades gerais que não se reduzem às características dos seus elementos.

Uma sociedade do conhecimento não é uma sociedade na qual existem mais especialistas, e sim aquela em que os sistemas são especialistas. Não basta que os indivíduos aprendam e inovem; serve de pouco que os cidadãos adquiram novas competências se as regras, as rotinas e os procedimentos, ou seja, a inteligência organizativa e pública, nos impedirem de aproveitar essas novas competências. As mudanças só ocorrem quando também as estruturas, os processos e as regras coletivas sofrem modificações. O saber de uma sociedade é algo mais do que a mera acumulação do saber existente, do mesmo modo que uma organização é inteligente devido à sinergia que se produz nos seus sistemas de regras, instituições e procedimentos, e não pela mera adição das inteligências pessoais. A geração do conhecimento é consequência de atos comunicativos ou, em outras palavras, é um bem relacional.

O fato de a política ser um sistema de aprendizagem não significa que os políticos ou as políticas sejam ou devam ser muito inteligentes. Como no caso das organizações, trata-se de uma forma de inteligência coletiva: o saber do conjunto não se reduz ao saber dos seus membros, mesmo que aquele seja impensável sem este. Pode ter havido políticos sábios dos quais o sistema não tenha se beneficiado em termos de aprendizagem coletiva. Só há aprendizagem para o processo se as inferências dos indivíduos a partir da sua experiência tiverem sido incorporadas na memória e nos procedimentos das organizações (Levy, 1994).

O saber de uma organização não é o que está na cabeça dos seus membros, mas nos sistemas de regras, cultura de organização, procedimentos, rotinas e processos, protocolos de negociação, decisão e resolução de conflitos. A inteligência coletiva é uma propriedade emergente dos sistemas sociais que não se baseia na mera agregação de propriedades individuais, e sim na inteligência específica do próprio sistema. É nesse sentido que falamos de um *government learning* ou de uma "inteligência da democracia" (Lindblom, 1965). A questão é saber se nossos sistemas políticos incorporam dispositivos para aprender ou se se revelam incapazes disso em virtude da sua própria configuração.

Ao contrário de outros sistemas de governo que se apoiam nas (supostas) capacidades extraordinárias de alguns indivíduos (teocracias, monarquias, aristocracias, ditaduras), a democracia é especialmente vulnerável às debilidades da natureza humana porque se sustenta nas propriedades das pessoas comuns. O fato de os melhores governarem é uma casualidade ou, melhor, algo que se deve à inteligência de um sistema institucional, mais do que a uma seleção correta do pessoal político. Grande parte das decepções que são referidas sobre o funcionamento da democracia se reduzem à constatação de que ainda não conseguimos encontrar um procedimento que permita que o poder democrático seja exercido sobretudo pelos mais qualificados, o que revela uma incompreensão, ou seja, mais do que da inteligência dos seus dirigentes ocasionais, deveríamos falar da inteligência da democracia.

Claro que as funções de governo não podem ser exercidas corretamente sem certas qualificações mínimas (que não têm necessariamente a ver com a qualificação universitária ou técnica). Mas essa não é a questão decisiva. Embora seja compreensível a aspiração a sermos governados pelos melhores, essa formulação não deixa de ser questionável. Que os representantes devam ser cognitiva e moralmente superiores à média quer dizer, dito de forma paradoxal, que só podem representar se não forem representativos (Preuss, 2003, p. 260).

Não haverá neste preconceito um resquício daquele pensamento segundo o qual os seres humanos só podem ser governados por algo superior, deuses ou super-homens? Por que nos surpreendemos ou escandalizamos tanto quando descobrimos que aqueles que nos governam têm fraquezas e cometem erros? Por acaso não estão os nossos sistemas políticos cheios de disposições para que esses erros possam ser corrigidos e não provoquem muitos danos, como os prazos após os quais o poder é revalidado ou não, as garantias constitucionais, a divisão de poderes, os instrumentos de responsabilidade e prestação de contas? Não é mais produtivo melhorar essas propriedades dos sistemas políticos do que aspirar a encontrar quem nos lidere inteligentemente?

Falando do governo de sistemas inteligentes, Robert Geyer e Samir Rihani (2010, p. 188) propuseram uma experiência mental muito interessante. Eles nos incentivaram a perguntar o que aconteceria se os governadores do Banco da Inglaterra fossem substituídos por um quarto cheio de macacos. Se tivéssemos de responder rapidamente, diríamos que a economia britânica entraria em colapso. Ora, se olharmos a questão sob a perspectiva da inteligência coletiva, a resposta deveria ser muito diferente: o governo dos macacos colocaria em evidência até que ponto somos governados mais por sistemas do que por pessoas, com equilíbrios, contrapesos e correções automáticas, de modo que os macacos não provocariam tantos danos como se poderia supor. Isso nos permite concluir que, numa sociedade do conhecimento, numa instituição ou num sistema político, poderíamos prescindir das pessoas inteligentes, mas não dos sistemas inteligentes.

d. O soberano que aprende

O sociólogo Luhmann (1975, p. 55) disse algo que merece ser considerado o objetivo fundamental que os seres humanos e as organizações na nova sociedade do conhecimento devem perseguir, um imperativo que também deve ser dirigido ao sistema político: "Aprender ou não aprender, eis a questão." Claude Lefort (1992, p. 178) formulou com o dramatismo de um dilema categórico, perguntando-se se é pior para a democracia que seus dirigentes sejam ambiciosos e obstinados na defesa dos seus interesses particulares ou que atuem como imbecis.

Nas sociedades do conhecimento, aprender tornou-se o novo imperativo. O caráter da época em que nos calhou viver poderia ser sintetizada dizendo, mais uma vez, que o grande desafio da humanidade já não é dominar a natureza, mas fazer avançar, conjuntamente, informação e organização. Dito de forma paradoxal: numa sociedade do conhecimento não se sabe muito, e sim pouco (em relação ao que seria necessário saber). O saber se transformou num valor escasso e precário. Esse valor do saber aumenta com a expansão dos âmbitos de incerteza que caracterizam uma sociedade complexa. Em meio a essa complexidade, a política se encontra diante de uma obrigação especial de aprender, pois nela o mero poder – sem saber, sem persuasão, sem implicação dos outros – é um instrumento pouco adequado de governo.

Foi por essa razão que a hierarquia se esgotou como princípio organizador das sociedades. E por isso não é estranho que a política goze de tão escasso apreço, sobretudo quando é praticada com aqueles estilos de governo que se caracterizam por sua firme resolução de não aprenderem com a desilusão. Esta será provavelmente a melhor definição que se pode dar de uma política autoritária e, em geral, de toda a má política: que é incapaz de aprender. Como é que o sistema político aprende ou como é que pode aprender? Como conseguiremos que o poder não seja incorrigível? A primeira atitude que "o soberano que aprende" (Brunkhorst, 1997, p. 119) tem de tomar é reconhecer que se trata de uma atividade que tem de lidar com mais incerteza do que aquela que impera em outras atividades humanas. Faz parte da natureza da política uma imprevisibilidade muito mais radical do que em outros assuntos ou profissões. A inteligência política consiste na aquisição de certas competências básicas gerais, capacidade de aprendizagem e inovação levando em conta uma gestão adequada da incerteza.

Nesse âmbito, todos os agentes políticos – partidos, sindicatos, movimentos sociais, instituições, governos – padecem de visão limitada. A capacidade de aprendizagem das sociedades democráticas é assegurada por meio de instituições que produzem não apenas saber e normas, mas também a faculdade de lidar com as incertezas. Instituições como a escola, a ciência, a universidade, o parlamento ou os meios de comunicação não são lugares de transmissão de saberes, ordens ou valores indiscutíveis, e sim lugares que servem para desenvolver nossa capacidade de gerir a aptidão para crescermos num ambiente caracterizado pela pluralidade de saberes e valores. Numa sociedade democrática as decisões coletivas têm de ser tomadas em condições mutáveis e descontínuas, em ambientes caracterizados pelo saber instável, a competição política, o pluralismo de valores e os interesses em conflito. Ao mesmo tempo, a democracia implica a capacidade de pôr em marcha processos com resultados imprevisíveis. Daí a importância de assegurar a institucionalização de processos coletivos de aprendizagem.

A política precisa aprender porque funciona num ambiente caracterizado pelo dinamismo e a instabilidade, mas sobretudo por causa da estreita relação que a política tem com o futuro. A política é a tentativa de civilizar o futuro, de impedir seu isolamento ou sua colonização por um passado determinante, pelo fechamento das oportunidades ou pela mera inércia administrativa. "A política tem a função de coordenar o processo de aprendizagem da sociedade como um todo" (Deutsch/Markovits, 1980, p. 38). Por isso, um dos maiores desafios atuais consiste em introduzir procedimentos de reflexão numa vida política que costuma estar dominada pelo imediato: pela tirania do presente, a inércia administrativa ou o desinteresse pelo comum.

A tomada de decisões é habitualmente estruturada como se os governos fossem os que têm melhor conhecimento da situação. A verdade, porém, é que o conhecimento está muito disperso na sociedade e os governos não têm outro remédio senão beneficiar do acesso a esse saber disperso, num momento em que, além disso, a produção coletiva de conhecimento aumentou exponencialmente com as novas tecnologias. Aprender tem um significado normativo e crítico que diferencia o soberano antigo do moderno e democrático. A obrigação de aprender rompe com a ideia de um soberano que sabe tudo ou que tem um acesso privilegiado ao saber. Soberano é aquele que sabe que não sabe tudo e que, por isso, está disposto a aprender.

Ao mesmo tempo, está claro que a racionalidade coletiva não pode ser construída agregando, sem mais nem menos, as utilidades individuais: o mercado não pode funcionar sem um quadro institucional que inclua outras lógicas, e a boa organização da sociedade exige formas de articulação política dos interesses. A questão de como configurar democracias inteligentes, uma inteligência em rede ou uma *smart governance* é um assunto crucial. Há quem o tenha formulado com a ideia de um *wiki-government* (Noveck, 2009).

Seja como for, é preciso voltar a desenhar as instituições de governo na era das redes. A governança efetiva no século XXI requer colaboração organizada. Trata-se de transformar as hierarquias em ecossistemas de conhecimento colaborativo e mudar assim radicalmente a cultura de governo a partir de um saber técnico centralizado para outro em cujo desenho a revisabilidade ocupe um lugar fulcral (Goodin, 1996, p. 40). As aprendizagens em política requerem processos de reflexão em que possam ser analisadas as consequências das mudanças introduzidas, os possíveis efeitos não desejados, e em que se elabore uma avaliação conjunta das políticas públicas.

O intenso debate ocorrido nos últimos anos sobre as possibilidades de transformar *deliberativamente* a democracia se inscreve neste contexto. As sociedades aprendem por meio de processos de inteligência coletiva. Entre essas "comunidades epistêmicas" (Peter Haas, 1992) destacam-se os procedimentos de deliberação política mediante os quais se combate coletivamente a perplexidade e se forma o juízo cívico. Se este esforço comum faz sentido é porque a ignorância que a política tem de enfrentar é descomunal. A inteligência é algo que só pode ser exercido em conjunto. Uma sociedade madura ensaia procedimentos, âmbitos e instituições para fazer experiências consigo própria, para se dotar de espaços de reflexão e deliberação. E isso é algo que só pode ser feito comunicativamente porque – não esqueçamos – comunicar é aquilo que se faz quando se ignora e se pretende superar essa ignorância. Todo o resto são rituais de notificação.

A ideia de uma democracia deliberativa chama atenção para a centralidade dos processos e das instituições na formação de uma vontade comum com relação a um modelo de democracia entendida como mera negociação de opiniões e preferências já estabelecidas. A esfera pública é um espaço no qual podemos convencer e ser convencidos, ou amadurecer em conjunto novas opiniões. Os debates servem justamente para gerar uma informação adicional que pode confirmar, mas também modificar nossos pontos de partida. No modelo republicano de esfera pública, o que está em primeiro plano não são os interesses dos sujeitos ou as visões do mundo irremediavelmente incompatíveis, mas os processos comunicativos que contribuem para formar e transformar as opiniões, os interesses e as identidades dos cidadãos.

O objetivo de tais processos não é satisfazer interesses particulares ou assegurar a coexistência de diferentes concepções do mundo, mas elaborar coletivamente interpretações comuns da convivência. Os processos são decisivos, uma vez que os interesses e as preferências dos cidadãos não são pré-determinados nem constituem, em geral, um todo coerente. Com muita frequência, os atores não sabem com exatidão aquilo que querem, nem em que consiste o seu interesse mais autêntico. Em outras palavras: é o processo democrático que permite aos participantes se esclarecerem sobre si mesmos e formarem uma opinião acerca daquilo que está em jogo. A força política da deliberação é confirmada justamente por sua capacidade de institucionalizar a descoberta coletiva dos interesses.

Comecei dizendo que a principal perspectiva social e política que temos hoje, o nosso principal desafio, é, a meu ver, fazer uma política inteligente e reflexiva, colocar a política à altura das exigências que uma sociedade do conhecimento levanta. Bem, eu me pergunto, para concluir, é possível pensar no meio da política? Sem dúvida, não parece ser essa a atitude própria da maior parte dos atores políticos, dominados por uma agitação superficial e especialmente submetidos à ditadura do imediato. No fundo, porém, todos sabemos que com o ativismo não se combate a perplexidade, apenas se dissimula.

Nunca avançamos tão depressa quanto agora, quando não sabemos para onde vamos. Por isso, uma das funções de toda a crítica política é desmascarar essa falsa mobilidade, aquelas formas de pseudoatividade cuja aceleração e firmeza se devem precisamente ao fato de não se fazer a menor ideia sobre o que se passa. Em outros tempos pensar talvez fosse uma perda de tempo; no nosso – quando não podemos contar com a estabilidade de âmbitos e conceitos, nem confiar confortavelmente nas práticas consagradas – pensar é uma forma de poupar tempo, um modo radical de atuar sobre a realidade.

BIBLIOGRAFIA

INTRODUÇÃO
A POLÍTICA EXPLICADA AOS IDIOTAS

ARENDT, Hannah. *Was ist Politik? Fragmente aus dem Nachlass.* Munique: Piper, 1993.

BRUGUÉ, Quim. *Es la política, idiotas!* Girona: Documenta Universitaria, 2014.

CRICK, Bernard. *In Defence of Politics.* Chicago: Chicago University Press, 1962.

INNERARITY, Daniel. *La transformación de la política.* Barcelona: Península, 2002.

JAUREGUI, Gurutz. *Hacia una regeneración democrática: Propuestas para la supervivência de la democracia.* Madri: Catarata, 2013.

OVEJERO, Félix. *Idiotas o ciudadanos? El 15-M y la teoria de la democracia.* Barcelona: Montesinos, 2013.

PARTE I
QUEM FAZ A POLÍTICA?

CAPÍTULO 1
VELHOS E NOVOS ATORES POLÍTICOS

BULLIT, Stimson. *To Be a Politician.* New Haven: Yale University Press, 1977.

EVERSON, Michelle. "Beyond the Bundersverfassungsgericht: on the Necessary Cunning of Constitutional Reasoning". In: BANKOWSKI, Zenon; SCOTT, Andrew (eds.). *The European Union.* Oxford: Blackwell, 2000, p. 91-112.

INNERARITY, Daniel. *La democracia del conocimiento.* Barcelona: Paidós, 2011.

MAIR, Peter. "Political Parties, Political Legitimacy and Public Privilege". In: West European Politics 18 (3), 1995, p. 40-57.

MAJONE, Giandomenico. *Temporal Consistency and Policy Credibility: Why Democracies Need Nonmajoritarian Institutions*. Robert Schuman Centre Working Paper 96/57. Florença: European University Institute, 1996.

PALONEN, Kari. *Rhetorik des Unbeliebten. Lobreden auf Politiker im Zeitalter der Demokratie*. Baden-Baden: Nomos, 2012.

ROSANVALLON, Pierre. *La Contre-démocratie: La Politique à l'âge de la défiance*. Paris: Seuil, 2006.

SCHEER, Hermann. *Die Politiker*. Munique: Kunstmann, 2003.

SHILS, Edward. *The Torment of Secrecy: the Background and Consequences of American Security Policies*. Glencoe: Free Press, 1956.

WEBER, Max. *Politik als Beruf, en Max Weber Gesamtausgabe*, Band 1/17. Tubinga: Mohr Siebeck, (1919) [1992].

CAPÍTULO 2
O FIM DOS PARTIDOS?

ARON, Raymond. *Introduction à la philosophie de l'histoire. Essai sur les limites de l'objectivité historique*. Paris: Gallimard, 1948.

BECK, Ulrich. *Was ist Globalisierung?* Frankfurt: Suhrkamp, 1997.

BURKE, Edmund. "Speech to the Electors in Bristol". In: KURLAND, Philip B.; LERNER, Ralph (eds.). *The Founder's Constitution*. Chicago: Chicago University Press, 1987 [1774]. 3 nov 1774.

GEERTZ, Clifford. *Available Light: Anthropological Reflections on Philosophical Topics*. Nova Jersey: Princeton University Press, 2000.

INGLEHART, Ronald. *Culture Shift in Advanced Industrial Society*. Nova Jersey: Princeton University Press, 1990.

KNUTSEN, Oddbjorn. *Class Voting in Western Europe: A Comparative Longitudinal Study*, Nova York: Lexington Books, 2006.

MAIR, Peter. *Ruling the Void. The Hollowing of Western Democracy.* Londres: Verso Books, 2013.

MANIN, Bernard. *The Principles of Representative Government.* Cambridge: Cambridge University Press, 1997.

MICHELS, Robert. *Zur Soziologie des Parteiwesens in der modernen Demokratie. Untersuchungen über die oligarchischen Tendenzen des Gruppenlebens.* Leipzig: Werner Klinkhardt, 1911.

ROSANVALLON, Pierre. *Le Peuple introuvable. Histoire de la représentation démocratique en France.* Paris: Gallimard, 1998.

ROSE, Richard; MOSSAWIR, Harve. "Voting and elections: a funtional analysis". In: *Political Studies*, 1967, v. 15, n. 2, p. 173-201.

WALZER, Michael. "Social Movements and Election Campaigns". In: *Dissent*, 2012, v. 3, n. 59, p. 25-28.

CAPÍTULO 3
POLÍTICAS DO RECONHECIMENTO

FRASER, Nancy. "From Redistribution to Recognition? Dilemas of Justice in a 'Postsocialist' Age". In:_____ *Toleration as Recognition*. Cambridge: Cambridge University Press, 1995 (2002). *New Left Review* 212, p. 68-93.

FRASER, Nancy; HONNETH, Axel. *Umverteilung oder Anerkenung? Eine politisch-philosophische Kontroverse.* Frankfurt: Suhrkamp, 2003.

GITLIN, Todd. *The Twilight of Common Dreams: Why America is Wracked by Culture Wars,* Nova York: Metropolitan Books, 1995.

HECKMAN, Susan J. *Private Selves, Public Identities: Reconsidering Identity Politics.* Pennsylvania: Pennsylvania State University Press, 2004.

HONNETH, Axel. *Kampf um Anerkennung. Zur moraliscjen Grammatik sozialer Konflikte.* Frankfurt: Suhrkamp, 1992.

JORDAN, June. *Technical Difficulties.* Boston: Beacon Press, 1994.

KUKATHAS, Chandran. "Liberalism and Multiculturalism". In: *Politics Theory* 26/5, 1998, p. 686-699.

KYMLICKA, Hill. *Multicultural Citizenship: a Liberal Theory of Minority Rights*. Oxford: Oxford University Press, 1995.

PHILLIPS, Anne. "From Inequality to Difference: A Severe Case of Displacement?" In: *New Left Review* 224, 1997, p. 142-153.

RENAUT, Alain; TOURAINE, Alain. *Un Débat sur la laicité*. Paris: Stock, 2005.

RENAULT, Emmanuel. *Le Mépris social. Éthique et politique de la reconnaisance*. Bègles: Passant, 2000.

REQUEJO, Ferrán. "Cultural Pluralism, Nationalism and Federalism: a Revision of Democratic Citizenship in Plurinational States". In: *European Journal of Political Research* 35/2, 1999, p. 255-286.

RICOEUR, Paul. *Parcours de la reconnaissance*. Paris: Stock, 2004.

RORTY, Richard. *Achieving Our Country: Leftist Thought in Twentieth--Century America*. Cambridge: Harvard University Press, 1998.

ROSS, Marc Howard. "Psicocultural Interpretations and Dramas: Identity Dynamics in Ethnic Conflict". In: *Political Psychology*, 2001, v. 22, n. 1, p. 157-178.

SLOTERDIJK, Peter. *Zorn und Zeit*. Frankfurt: Suhrkamp, 2006.

TAYLOR, Charles. "The Politics of Recognition". In: _____. *Philosophical Arguments*. Cambridge: Harvard University Press, 1995.

TULLY, James. *Strange Multiplicity. Constitucionalism in an Age of Diversity*. Cambridge: Cambridge University Press, 1995.

WALZER, Michael (ed.). *The Politics of Ethnicity*. Cambridge: Harvard University Press, 1982.

WILLIAMS, Patricia J. *The Alchemy of Race and Rights*. Cambridge: Harvard University Press, 1991.

YOUNG, Iria Marion. *Justice and the Politics of Difference*. Nova Jersey: Princeton University Press, 1990.

CAPÍTULO 4
DIREITO A DECIDIR?

DAHL, Robert. "Federalism and the Democratic Process". In: PENNOCK, J.R.; CHAPMAN, J.W. (eds.). *Liberal Democracy*. Nova York: New York University Press, 1983, p. 95-108. Nomos XXV.

JENNINGS, Ivor. *The Approach to Self-Government*. Cambridge: Cambridge University Press, 1956.

LINDAHL, Hans. "Towards an Ontology of Collective Selfhood". In: LOUGHLIN, M.; WALKER, N. (eds.). *The Paradox of Constitutionalism*. Oxford: Oxford University Press, 2007.

LUHMANN, Niklas. *Die Gesellschaft der Gesellschaft*. Frankfurt: Suhrkamp, 1997.

RÖTTGERS, Kurt. *Texte und Menschen*. Würzburg: Königshauser und Neumann, 1983.

WALKER, Neil. "The EU's Resilient Sovereignty Question". In: NEYER, Jürgen; WIENER, Antjie (eds.). *Political Theory of the European Union*. Oxford: Oxford University Press, 2011, p. 91-109.

WEILER, Joseph. "Federalism without Constitutionalism: Europe's 'Sonderweg'". In: NICOLAÏDIS, Kalypso; HOWSE, Robert (eds.). *The Federal Vision. Legitimacy and Levels of Governance in the United States and the European Union*. Oxford: Oxford University Press, 2001, p. 54-72.

PARTE II
A CONDIÇÃO POLÍTICA

CAPÍTULO 5
O TEMPO POLÍTICO

BENJAMIN, Walter. *Gesammelte Schriften II*, v. 3. Frankfurt: Suhrkamp, 1974.

288 A POLÍTICA EM TEMPOS DE INDIGNAÇÃO

BERLIN, Isaiah. *Wirklichkeitsinn: Ideengeschichtliche Untersuchungen*. Berlim: Berlin Verlag, 1998.

DUBIEL, Helmut. *Ungewissheit und Politik*. Frankfurt: Suhrkamp, 1994.

HIRSCHMAN, Albert. *A Propensity to Self-Subversion*. Cambridge: Harvard University Press, 1995.

IGNATIEFF, Michael. *Fire and Ashes – Success and Failure in Politics*. Cambridge: Harvard University Press, 2013.

INNERARITY, Daniel. *El futuro y sus enemigos*. Barcelona: Paidós, 2009.

KROEGER, Arthur. *In Praise of Politicians. Notes for a Speech to the Empire Club*. Toronto, 8 fev 1990. Disponível em: <http://epe.lac-bac. cg.ca/cgi-bin/inet-loc/ltn=11888/ ENG/I, 14>.

LAUER, Robert. *Temporal Man – The Meaning and Uses of Social Time*. Nova York: Praeger, 1981.

LINDBLOM, Charles. *The Intelligence of Democracy – Decision Making through Mutual Adjustment*. Nova York: Free Press, 1965.

LUHMANN, Niklas. *Beobachtungen der Moderne*. Opladen: Westdeutscher Verlag, 1992.

POWELL, J. Enoch. *Joseph Chamberlain*. Londres: Thames & Hudson, 1997.

CAPÍTULO 6
O DISCURSO POLÍTICO

AUSTIN, John L. *How to Do Things with Words*. Oxford: Clarendon Press, 1962.

BOHMAN, James. *Public Deliberation: Pluralism, Complexity, and Democracy*. Cambridge: MIT Press, 1996.

GARSTEN, Bryan. *Saving Persuasion*. Cambridge: Harvard University Press, 2006.

HABERMAS, Jürgen. *Theorie des kommunikativen Handelns I*. Frankfurt: Suhrkamp, 1981.

LATOUR, Bruno. *Enquête sur les modes d'existence. Une anthropologie des modernes.* Paris: La Decouverte, 2012.

LÜBBE, Hermann. "Der Streit um Worte. Sprache und Politik". In: KALTENBRUNNER, Gerd-Klaus (ed.). *Sprache und Herschaft – Die umpunktionierten Wörter.* Basileia: Herder, 1975, p. 87-99.

NIETZSCHE, Friedrich. "Über Wahrheit und Lüge im aussermoralischen Sinne". In: COLLI, Giorgio; MONTINARI, Mazzino (eds.). *Kritische Studienausgabe,* v. 1 e 2. Munique: Walte de Gruyter, 1999.

OBORNE, Peter. *The Rise of Political Lying,* Londres: Free Press, 2005.

RAWLS, John. *Collected Papers.* Cambridge: Harvard University Press, 1999.

RICHARDSON, Henry. *Democratic Autonomy: Public Reasoning about the Ends of Policy.* Oxford: Oxford University Press, 2002.

URBINATI, Nadia. *Democracy Disfigured: Opinion, Truth, and the People.* Cambridge: Harvard University Press, 2014.

YOUNG, Iris Marion. *Inclusion and Democracy.* Oxford: Oxford University Press, 2000.

CAPÍTULO 7
A POLÍTICA DAS EMOÇÕES

BÉJAR, Helena. *El mal samaritano. El altruismo en tempos de escepticismo.* Barcelona: Anagrama, 2001.

BECK, Ulrich. *Risikogesellschaft – Auf dem Weg in eine andere Moderne.* Frankfurt: Suhrkamp, 1986.

CAMPS, Victoria. *El gobierno de las emociones.* Barcelona: Herder, 2011.

CHATTERJEE, Deen K. (ed.). *The Ethics of Assistance – Morality and the Distant Needy.* Cambridge: Cambridge University Press, 2004.

ELIAS, Norbert. *Über den Prozess der Zivilisation.* Frankfurt: Suhrkamp, 1978.

LIPOVETSKY, Gilles. *Le Crepuscule du devoir.* Paris: Gallimard, 1992.

LUHMANN, Niklas. *Soziale Systeme.* Frankfurt: Suhrkamp, 1984.

MADISON, James. *The Federalist Papers*. Harmondsworth: Penguin, 1995.

NUSSBAUM, Martha. *Political Emotions: Why Love Matters for Justice*. Cambridge: Belknap Press, 2014.

PRINGLE, Rosemary. *Secretaries Talk: Sexuality, Power and Work*. Londres: Verso Books, 1988.

RITTER, Henning. *Nahes und fernes Unglück. Versuch über das Mitleid*. Munique: Beck, 2004.

SCHULZE, Gerhard. *Erlebnisgesellschaft. Kultursoziologie der Gegenwart*. Frankfurt: Campus, 1992.

SENNETT, Richard. *The Fall of Public Man*. Nova York: Random House, 1974.

WEBER, Max. "Politik als Beruf". In: *Max Weber Gesamtausgabe*, Band 1/17. Tubinga: Mohr Siebeck, 1919 [1992].

YOUNG, Iris Marion. *Inclusion and Democracy*. Oxford: Oxford University Press, 2000.

CAPÍTULO 8
A IMPORTÂNCIA DE SE CHEGAR A UM ACORDO

ANKERSMIT, Frank. *Aesthetic Politics*. Califórnia: Stanford University Press, 1997.

BISHOP, Bill. *The Big Sort: Why the Clustering of Like-Minded America Is Tearing Us Apart*. Boston: Houghton Mifflin, 2008.

BROWNSTEIN, Ronald. *The Second Civil War: How Extrem Partisanship Has Paralyzed Washington and Polarized America*. Nova York: Penguin Press, 2008.

BURKE, Edmund. "Speech to the Electors in Bristol". In: KURLAND, Philip B.; LERNER, Ralph (eds.). *The Founder's Constitution*, 3 nov 1774. Chicago: Chicago University Press, 1987 [1774].

GUTMANN, Amy; THOMPSON, Dennis. *Democracy and Disagreement*. Cambridge: Harvard University Press, 1996.

_____. *The Spirit of Compromise*. Nova Jersey: Princeton University Press, 2012.

HABERMAS, Jürgen. *Technik und Wissenschaft als "Ideologie"*. Frankfurt: Suhrkamp, 1968.

KING, Anthony. *Why America's Politicians Campaign Too Much and Govern Too Little*. Nova York: Routledge, 1997.

MARGALIT, Avishai. *On Compromise and Rotten Compromises*. Nova Jersey: Princeton University Press, 2010.

URBINATI, Nadia. *Democracy Disfigured: Opinion, Truth, and the People*. Cambridge: Harvard University Press, 2014.

WOLFF, Robert Paul. "Beyond Tolerance". In: WOLFF, Robert Paul; MOORE, Barrington; MARCUSE, Herbert (eds.). *A Critique of Pure Tolerance*. Boston: Beacon Press, 1965.

CAPÍTULO 9
A DECEPÇÃO DEMOCRÁTICA

CRICK, Bernard. *In Defence of Politics*. Chicago: Chicago University Press, 1962.

CROUCH, Colin. *Post-Democracy*. Cambridge: Polity Press, 2004.

D'ALLONES, Myriam Revault. *Pourquoi nous n'aimons pas la démocratie?* Paris: Seuil, 2010.

DERRIDA, Jacques. *L'Autre cap*. Paris: Minuit, 1991.

HOOD, Christopher. *The Blame Game: Spin, Bureaucracy, and Self--Preservation in Government*. Nova Jersey: Princeton University Press, 2010.

INNERARITY, Daniel. *La transformación de la política*. Barcelona: Península, 2002.

_____. *El futuro y sus enemigos – Una defensa de la esperanza política*. Barcelona: Paidós, 2009.

JACOBS, Lawrence; SHAPIRO, Robert. *Politician Don't Pander: Political Manipulation and the Loss of Democratic Responsiveness*. Chicago: Chicago University Press, 2000.

LEFORT, Claude. *Essais sûr le politique*. Paris: Seuil, 1986.

MORI, Luca. *Phantom democracy. Assenza e trasformazioni di una forma di governo nelmondo contemporâneo*. Centro Einaudi, Laboratorio di Politica Comparata e Filosofia Pubblica, Working Paper 6, 2014.

OPPENHEIMER, Danny; EDWARDS, Mike. *Democracy Despite Itself – Why a System That Shouldn't Work at All Works So Well*. Cambridge: MIT Press, 2012.

ROSANVALLON, Pierre. *La Démocratie inachevée*. Paris: Gallimard, 2000.

SARTRE, Jean-Paul. *Cahiers pour une morale*. Paris: Gallimard, 1983.

WOLIN, Sheldon. "Fugitive Democracy". In: BENHABIB, Seyla (ed.). *Democracy and Difference*. Nova Jersey: Princeton University Press, 1996, p. 31-45.

PARTE III
A POLÍTICA EM TEMPOS DIFÍCEIS

CAPÍTULO 10
A ERA DOS LIMITES

AGHION, Philippe; ROULET, Alexandra. *Repenser l'État. Pour une socialdémocratie de l'innovation*. Paris: Seuil, 2011.

BROWNLEE, W. Elliot (ed.). *Funding the Modern American State, 1941-1995: The Rise and Fall of the Era of Easy Finance*. Cambridge: Cambridge University Press, 1996.

INNERARITY, Daniel. *El futuro y sus enemigos*. Barcelona: Paidós, 2009.

_____. *Un mundo de todos y de nadie – Piratas, riesgos y redes en el nuevo desorden mundial*. Barcelona: Paidós, 2003.

PIERSON, Paul (ed.). *The New Politics of the Welfare State*. Oxford: Oxford University Press, 2001.

SCHÄFER, Armin; STREECK, Wolfgang. *Politics in the Age of Austerity*. Cambridge: Polity Press, 2013.

STRANGE, Susan. *The Retreat of the State – The Diffusion of Power in the World Economy*. Cambridge: Cambridge University Press, 1988.

WILLKE, Helmut. *Supervision des Staates*. Frankfurt: Suhrkamp, 1997.

CAPÍTULO 11
A POLÍTICA DEPOIS DA INDIGNAÇÃO

BARDHAN, Pranab. "Democracy and Development: A Complex Relationship". In: SHAPIRO, Ian; HACKER-CORDÓN, Casiano (eds.). *Democracy's Value*. Cambridge: Cambridge University Press, 1999, p. 95-96.

CALHOUN, Craig. "Populist Politics, Communications Media and Large Scale Societal Integration". In: *Sociological Theory*, 1998, v. 6, n. 2, p. 219-241.

DELEUZE, Gilles; GUATTARI, Félix. "Traité de nomadologie". In:_____. *Mille Plateaux – Capitalisme et schizophrénie*. Paris: Éditions de Minuit, 1972, p. 434-527.

DOGAN, Mattei (ed.). *Political Mistrust and the Discrediting of Politicians*. Leiden/Boston: Brill, 2005.

GRUNBERG, Gérard; LAÏDI, Zaki. *Sortir du pessimisme social: Essai sur d'identité de la gauche*. Paris: Hachette, 2008.

HARDT, Michael; NEGRI, Toni. *Multitude – War and Democracy in the Age of Empire*. Cambridge: Harvard University Press, 2000.

HESSEL, Stéphanie. *Indignez-vous!* Montpellier: Indigène Éditions, 2010.

KLEIN, Naomi. *No Logo*. Londres: Flamingo, 2000.

LIPOVETSKY, Gilles. *La Société de déception*. Paris: Textuel, 2006.

LUHMAN, Niklas. *Soziologie des Rechts*. Berlim: Duncker & Humblot, 1991.

_____. *Legitimation durch Verfahren*. Frankfurt: Luchterhand, 1993.

ROSANVALLON, Pierre. *La Contre-démocratie: La Politique à l'âge de la defiance*. Paris: Seuil, 2006.

ZIZEK, Slavoj. *Living in the End of Times*. Londres: Verso Books, 2010.

CAPÍTULO 12
DEMOCRACIA SEM POLÍTICA

BUDGE, Ian. *The New Challenge of Direct Democracy*. Cambridge: Blackwell, 1996.

CAPLAN, Bryan. *The Myth of the Rational Voter: Why Democracies Choose Bad Politics*. Nova Jersey: Princeton University Press, 2008.

CRENSON, Matthew; GINSBERG, Benjamin. *Downsizing Democracy: How America Sidelined Its Citizens and Privatized Its Public*. Baltimore: John Hopkins University Press, 2002.

CROUCH, Colin. *Post-democracy*. Cambridge: Polity Press, 2004.

DAHLGREEN, Peter. *The Political Web – Media, Participation and Alternative Democracy*. Nova York: Palgrave Macmillan, 2013.

DALTON, Russell. *Democratic Challenges, Democratic Choices – The Erosion of Political Support in Advanced Industrial Democracies*. Oxford: Oxford University Press, 2004.

ESTLUND, David. *Democratic Authority: A Philosophical Framework*. Nova Jersey: Princeton University Press, 2009.

HABERMAS, Jürgen. *Zur Verfassung Europas. Ein Essay*. Berlim: Suhrkamp, 2013.

_____. *Im Sog der Technokratie*. Berlim: Suhrkamp, 2012.

HIBBING, John; THEISS-MORSE, Elizabeth. *Stealth Democracy: Americans' Belief about How Government Should Be Work*. Cambridge: Cambridge University Press, 2002.

INNERARITY, Daniel. *El futuro y sus enemigos. Una defensa de la esperanza política*. Barcelona: Paidós, 2009.

KOPPELL, Jonathan. *The Politics of Quasi-Government: Hybrid Organizations and the Dynamics of Bureaucratic Control.* Cambridge: Cambridge University Press, 2003.

LACLAU, Ernesto; MOUFFE, Chantal. *Hegemonie und radikale Demokratie. Zur Dekonstruktion des Marxismus.* Viena: Passagen, 1991.

MANIN, Bernard. *The Principles of Representative Government.* Cambridge: Cambridge University Press, 1997.

MANSBRIDGE, Jane. *Beyond Adversary Democracy.* Chicago: Chicago University Press, 1983.

MOUFFE, Chantal. *Agonistics: Thinking the World Politically.* Londres: Verso Books, 2013.

NORRIS, Pippa. *Democratic Phoenix – Reinventing Political Activism.* Cambridge: Cambridge University Press, 2002.

O'TOOLE, Therese; MARSH, David; JONES, Su. "Political Literacy Cuts Both Ways: The Politics of Non-Participation among Young People". In: *The Political Quarterly*, 2003, v. 74, n. 3, p. 349-360.

PATTIE, Charles; SEYD, Patrick; WHITELEY, Paul. "Civic Attitudes and Engagement in Modern Britain". In: *Parliamentary Affairs* 56, 2003, p. 616-633.

PETTIT, Philip. "Deliberative Democracy and the Case for Depoliticizing Government". In: *University of NSW Law Journal*, 2001, n. 58, p. 724-746.

ROSANVALLON, Pierre. *La Contre-démocratie: La Politique à l'âge de la défiance.* Paris: Seuil, 2006.

_____. *La Légitimité démocratique: Impartialité, reflexivité, proximité.* Paris: Seuil, 2008.

STOKER, Gerry. *Why Politics Matter – Making Democracy Work.* Basingstoke: Palgrave Macmillan, 2006.

VIBERT, Frank. *The Rise of the Unelected. Democracy and the New Separation of Powers.* Cambridge: Cambridge University Press, 2007.

A POLÍTICA EM TEMPOS DE INDIGNAÇÃO

VIHINEN, Lea; LEE, Hyung-Jong. "Fair Trade and the Multilateral Trading System". In: *OCDE Trade Directorate*. Paris: OCDE, 2004.

ZAKARIA, Fareed. *The Future of Freedom: Illiberal Democracy at Home and Abroad*. Nova York: Norton, 2003.

PARTE IV
ALGUNS LUGARES-COMUNS

CAPÍTULO 13
DEMOCRACIAS DE PROXIMIDADE E DISTÂNCIA REPRESENTATIVA

ANKERSMIT, Frank. *Aesthetic Politics*. Califórnia: Stanford University Press, 1997.

BATAILLE, Georges. "Architecture". In: *OEuvres completes*, v. I. Paris: Gallimard, 1974.

BLODIAUX, Loïc (ed.). *La Démocratie locale: Représentation, participation et espace public*. Paris: PUF, 1999.

BOURG, Dominique; WHITESIDE, Kerry. *Vers une démocratie écologique: Le citoyen, le savant et le politique*. Paris: Seuil, 2010.

CHAMBERS, Simone. "Rhétorique et espace publique: la démocratie délibérative a-t-elle abandonné la démocratie de masse à son sort?". In: *Raisons politiques*, 2011, v. 42, p. 15-46.

CHEVALLIER, Jacques. *L'État post-moderne*. Paris: LGDJ, 2003.

DAHL, Robert. *Polyarchy: Participation and Opposition*. New Haven: Yale University Press, 1971.

DOUGLAS, Mary. *How Institutions Work*. Londres: Routledge, 1987.

FLICHY, Patrice. *Sacre de l'amateur*. Paris: Seuil, 2010.

HABERMAS, Jürgen. *Die Einbeziehung des Anderen. Studien zur politischen Theorie*. Frankfurt: Suhrkamp, 1996.

KELSEN, Hans. *La Démocratie*. Paris: Economica, 1988.

LA BART, Christian; LEFEBVRE, Rémi (eds.). *La Proximité en politique – Usages, rhétoriques, pratiques*. Rennes: Presses Universitaires de Rennes, 2005.

MANIN, Bernard. *The Principles of Representative Government*. Cambridge: Cambridge University Press, 1997.

MANSBRIDGE, Jane. "Rethinking Representation". In: *American Political Science Review*, 2003, p. 515-528.

MORGAN, Edmund S. *Inventing the People: The Rise of Popular Sovereignty in England and America*. Nova York: Norton, 1988.

PRZEWORSKI, Adam; MANIN, Bernard; STOKES, Susan (eds.). *Democracy, Accountability and Representation*. Cambridge: Cambridge University Press, 1999.

PRZEWORSKI, Adam. *Democracy and the Limits of Self-Government*. Cambridge: Cambridge University Press, 2010.

RHEINGOLD, Howard. *The Virtual Community – Homesteading on the Electronic Frontier*. Nova York: Addison-Wesley, 1993.

ROSENBLUM, Nancy L. *On the Side of Angels: An Appreciation of Partis and Partisanship*. Nova Jersey: Princeton University Press, 2008.

ROUSSEAU, Jean-Jacques. *Du contrat social*. Paris: Gallimard, 1964 [1762].

SCHUMPETER, Joseph A. *Capitalism, Socialism, and Democracy*. Nova York: Harper & Brothers, 1942.

SENNETT, Richard. *The Fall of Public Man*. Nova York: Knopf, 1977.

SUNSTEIN, Cass R. "Más allá del resurgimiento republicano". In: OVEJERO, F.; MARTÍ, J. L.; GARGARELLA, R. (eds.). *Nuevas ideas republicanas: Autogobierno y libertad*. Barcelona: Paidós, 2004.

THOMPSON, John B. *Mezzi di comunicazione e modernità – Una critica sociale dei media*. Bolonha: Il Mulino, 1998.

URBINATI, Nadia. *Democracy Disfigured: Opinion, Truth, and the People*. Cambridge: Harvard University Press, 2014.

CAPÍTULO 14
QUANTA TRANSPARÊNCIA REQUEREM E SUPORTAM AS NOSSAS DEMOCRACIAS?

BEHN, Robert. *Rethinking Democratic Accountability*. Washington: Brookings, 2001.

BENTHAM, Jeremy. "Of Publicity". In: JAMES, Michael; BLAMIRES, Cyprian (eds.). *The Collected Works of Jeremy Bentham, Political Tactics*. Oxford: Oxford University Press, 1999.

FOESSEL, Michäel. *La Privation de l'intime*. Paris: Seuil, 2008.

FUNG, Archon; GRAHAM, Mary; WEIL, David. *Full Disclosure, the Perils and Promise of Transparency*. Cambridge: Cambridge University Press, 2007.

GIDDENS, Anthony. *Un mundo desbocado – Los efectos de la globalización en nuestras vidas*. Madri: Taurus, 2000.

GREEN, Jeffrey Edward. *The Eyes of the People: Democracy in an Age of Spectatorship*. Oxford: Oxford University Press, 2010.

INNERARITY, Daniel. *Un mundo de todos y de nadie – Piratas, riesgos y redes en el nuevo desorden global*. Barcelona: Paidós, 2013.

LUHMANN, Niklas. *Die Realität der Massenmedien*. Opladen: Westdeutscher, 1995.

MANIN, Bernard. *The Principles of Representative Government*. Cambridge: Cambridge University Press, 1997.

NAURIN, Daniel. "Transparency, Publicity, Accountability – The missing links". In: *Swiss Political Science Review*, 2006, v. 12, n. 3, p. 91-92.

ROSANVALLON, Pierre. *La Légitimité démocratique. Impartialité, réflexivité, proximité*. Paris: Seuil, 2008.

ROUSSEAU, Jean-Jacques. "Considérations sur le Gouvernement de Pologne". In: *OEuvres complètes*, v. III. Paris: Gallimard, 1969.

SARTORI, Giovanni. *Theory of Democracy Revisited, I. The Contemporary Debate*. Chatham: Chatham House, 1987.

URBINATI, Nadia. *Democrazia in direta – Le nuove sfide alla rappresentanza*. Milão: Feltrinelli, 2013.

_____. *Democracy Disfigured: Opinion, Truth, and the People*. Cambridge: Harvard University Press, 2014.

CAPÍTULO 15
A IMPORTÂNCIA E OS LIMITES DE MORALIZAR A POLÍTICA

LONGÁS, Fernando; PEÑA, Javier (eds.). *La ética en la política*. Oviedo: KRK, 2014.

LUHMANN, Niklas. *Rechtssoziologie*. Wiesbaden: VS Verlag für Sozialwissenschaften, 2008.

RAWLS, John. *A Theory of Justice*. Cambridge: Harvard University Press, 1971. ROSANVALLON, Pierre. *La Contre-démocratie: La Politique à l'age de la défiance*. Paris: Seuil, 2006.

CAPÍTULO 16
O QUE RESTA DA ESQUERDA E DA DIREITA

BECK, Ulrich. *Die Erfindung des Poltischen. Zu einer Theorie reflexiver Modernisierung*. Frankfurt: Suhrkamp, 1993.

BERGONIOUX, Alain; GRUNBERG, Gérard. *L'Ambition et le remords: Les socialistes français et le pouvoir (1905-2005)*. Paris: Fayard, 2005.

GIAVAZZI, Francesco; ALESINA, Alberto. *Il liberismo è di sinistra*. Milão: Il Sagiattore, 2006.

GIDDENS, Anthony. *The Third Wave*. Cambridge: Polity, 1998.

GRUNBERG, Gérard; LAÏDI, Zaki. *Sortir du pessimisme social: Essai sur l'identité de la gauche*. Paris: Hachette, 2008.

INNERARITY, Daniel. *La transformación de la política*. Barcelona: Península, 2002.

LUHMANN, Niklas. *Die Gesellschaft der Gesellschaft*, v. I. Frankfurt: Suhrkamp, 1977.

OSWALT, Walter. "La revolución liberal: acabar con el poder de los consórcios". In: *Themata*, 1999, v. 23, p. 141-179.

PETTIT, Philip. *Republicanism: A Theory of Freedom and Government*. Oxford: Clarendon Press, 1997.

SCHMITT, Carl. *Politische Theologie*. Berlim: Duncker and Humboldt, 2004.

PARTE V
O FUTURO DA POLÍTICA

CAPÍTULO 17
A POLÍTICA COMO ATIVIDADE INTELIGENTE

BASSECHES, Michael. "A Safe Place for 'Not Knowing'". In: SENGE, Peter (ed.). *The Dance of Change – The Challenge to Sustaining Momentum in Learning Organizations*. Londres: Nicholas Brealey, 1999, p. 260-262.

BLYTH, Mark M. "Any More Bright Ideas? The Ideational Turn of Comparative Political Economy". In: *Comparative Politics*, 1997, v. 29, n. 2, p. 229-250.

BURNS, Tom R.; UEBERHORST, Reinhard. *Creative Democracy – Systematic Conflict Resolution and Policymaking in a World of High Science and Technology*. Nova York: Praeger, 1988.

DEUTSCH, Karl. *The Nerves of Government – Models of Political Communication and Control*. Nova York: The Free Press, 1963.

DEUTSCH, Karl; MARKOVITS, Andrei S. *Fear of Science – Trust in Science: Conditions of Change in the Climate of Opinion*. Cambridge: Oelgeschlager, Gunn & Hain, 1980.

ELIAS, Norbert. *Über den Prozeß der Zivilisation*. Berna: Francke, 1969 [1936].

FORRESTER, Jay. "Understanding the Counterintuitive Behavior of Social Systems". In: BEISHON, John; PETERS, Geoff (eds.). *System Behavior.* Londres: Harper and Row, 1972, p. 200-217.

GEYER, Robert; RIHANI, Samir. *Complexity and Public Policy – A New Approach to 21st Century Politics, Policy and Society.* Londres: Routledge, 2010.

GIDDENS, Anthony. *Consequences of Modernity.* Cambridge: Cambridge University Press, 1990.

GOODIN, Bob. *The Theory of Institutional Design.* Cambridge: Cambridge University Press, 1996.

HAAS, Peter M. "Introduction: Epistemic Communities and International Policy Coordination". In: *International Organization, Knowledge, Power, and International Policy Coordination*, 1992, v. 23, p. 1-35.

HABERMAS, Jürgen. *Die Einbeziehung des Anderen. Studien zur politischen Theorie.* Frankfurt: Suhrkamp, 1996.

HALL, Peter. "Policy Paradigms, Social Learning and the State: the Case of Economic Policy-Making in Britain". In:_____. *Comparative Politics*, 1993, v. 25, n. 3, p. 275-296.

HEINTZ, Bettina. "Emergenz und Reduktion. Neue Perspektiven auf das Mikro-Makro-Problem". In: _____. *Kölner Zeitschrift für Soziologie und Sozialpsychologie*, 2004, n. 56, p. 1-31.

JOAS, Hans. *Die Kreativität des Handelns.* Frankfurt: Suhrkamp, 1992.

LEFORT, Claude. *Écrire à l'épreuve du politique.* Paris: Pocket, 1992.

LEVY, Jack S. "Learning and Foreign Policy – Sweeping a Conceptual Minefield". In:_____. *International Organization*, 1994, v. 48, n. 2, p. 279-312.

LINDBLOM, Charles. *The Intelligence of Democracy – Decision Making through Mutual Adjustment.* Nova York: Free Press, 1965.

LUHMANN, Niklas. *Soziologische Aufklärung*, v. 2. Opladen: Westdeutscher Verlag, 1975.

MAIER, Matthias Leinhard (ed.). *Politik als Lernprozess? Wissenszentrierte Ansätze in der Politikanalyse.* Opladen: Leske+Budrich, 2003.

MAJONE, Giandomenico. "Public Policy and Administration: Ideas, Interests and Institutions". In: GOODIN, Robert; KLINGERMAN, Hans-Dieter (eds.). *A New Handbook of Political Science.* Oxford: Oxford University Press, 1996, p. 610-627.

MONOD, Jean-Claude. *Qu'est-ce qu'un chefe en démocratie? Politiques du charisma.* Paris: Seuil, 2012.

NOVECK, Beth Simone. *Wiki Government: How Technology Can Make Government Better, Democracy Stronger, and Citizens More Powerful.* Washington: Brookings, 2009.

OLSON, Kevin. *Reflexive Democracy – Political Equality and the Welfare State.* Cambridge: MIT Press, 2006.

PREUSS, Ulrich. "Die Bedeutung kognitiver und moralischer Lernfähigkeit für die Demokratie". In: OFFE, Claus (ed.). *Demokratisierung der Demokratie. Diagnosen und Reformvorschläge.* Frankfurt: Campus, 2003, p. 259-280.

RHEINGOLD, Howard. *Multitudes inteligentes.* Barcelona: Gedisa, 2004.

SALOMON, Gavriel. *Distributed Cognitions.* Cambridge: Cambridge University Press, 2003.

SCHMALZ-BRUNS, Rainer. "Gemeinwohl und Gemeinsinn im Übergang?". In: MÜNKLER, Herfried; BLUHM, Harald (eds.). *Gemeinwohl und Gemeinsinn. Zwischen Normativität und Faktizität.* Berlim: Akademie, 2002, p. 241-271.

SENGE, Peter (ed.). *The Dance of Change – The Challenge to Sustaining Momentum in Learning Organizations.* Londres: Nicholas Brealey, 1999.

SUNSTEIN, Cass R. "Más allá del resurgimiento republicano". In: OVEJERO, F.; MARTÍ, J.L.; GARGARELLA, R. (eds.). *Nuevas ideas republicanas: Autogobierno y libertad.* Barcelona: Paidós, 2004.

_____. *Infotopia – How Many People Produce Knowledge.* Oxford: Oxford University Press, 2006.

WIESENTAL, Helmut. "Lernchancen der Risikogesellschaft". In: *Leviathan*, 1994, v. 22, n. 1, p. 135-159.

WILLIAM, Anthony. *Wikinomics*. Barcelona: Paidós, 2007.

WILLKE, Helmut. *Dystopia. Studien zur Krisis des Wissens in der modernen Gesellschaft*. Nova York: Penguin, 2002.

_____. *Smart Governance – Governing the Global Knowledge Society*. Frankfurt: Suhrkamp, 2007.

1ª edição	*Abril de 2017*
papel de miolo	*Pólen Soft 70g/m²*
papel de capa	*Cartão Supremo 250g/m²*
tipografia	*Minion Pro*
gráfica	RR Donnelley